岩波講座　世界歴史　10

モンゴル帝国と海域世界

一二～一四世紀

岩波講座

世界歴史

10

モンゴル帝国と海域世界

一二～一四世紀

岩波書店

第10巻【責任編集】荒川正晴
弘末雅士
【編集協力】宇野伸浩
四日市康博

目次

コラム｜Column

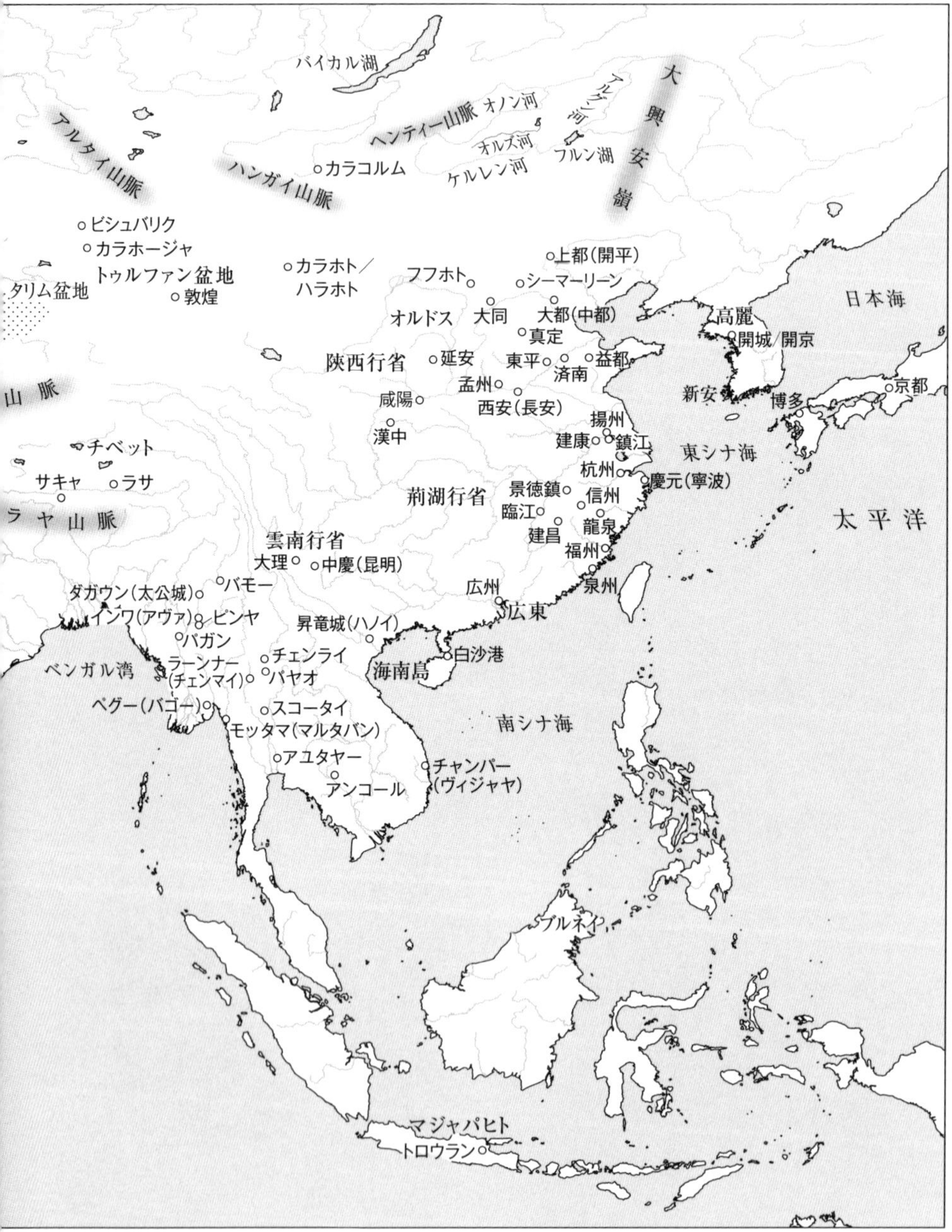
バイカル湖
アルタイ山脈
ヘンティー山脈
オノン河
アルグン河
オルズ河
ケルレン河
フルン湖
大興安嶺
ハンガイ山脈
カラコルム
ビシュバリク
カラホージャ
トゥルファン盆地
タリム盆地
敦煌
カラホト／
ハラホト
フフホト
上都(開平)
シーマーリーン
大同
大都(中都)
オルドス
真定
高麗
開城／開京
日本海
陝西行省
延安
東平
済南
益都
山　脈
孟州
咸陽
西安(長安)
新安
博多
京都
漢中
揚州
建康
鎮江
チベット
東シナ海
サキャ
ラサ
杭州
慶元(寧波)
景徳鎮
荊湖行省
信州
臨江
ラ　ヤ　山　脈
太平洋
建昌
龍泉
雲南行省
福州
大理
中慶(昆明)
泉州
バモー
ダガウン(太公城)
広州
インワ(アヴァ)
ピンヤ
広東
昇竜城(ハノイ)
パガン
チェンライ
白沙港
ラーンナー
(チェンマイ)
ベンガル湾
パヤオ
海南島
ペグー(バゴー)
スコータイ
南シナ海
モッタマ(マルタバン)
アユタヤー
チャンパー
(ヴィジャヤ)
アンコール
ブルネイ
マジャパヒト
トロウラン

(地図作成協力：向正樹)

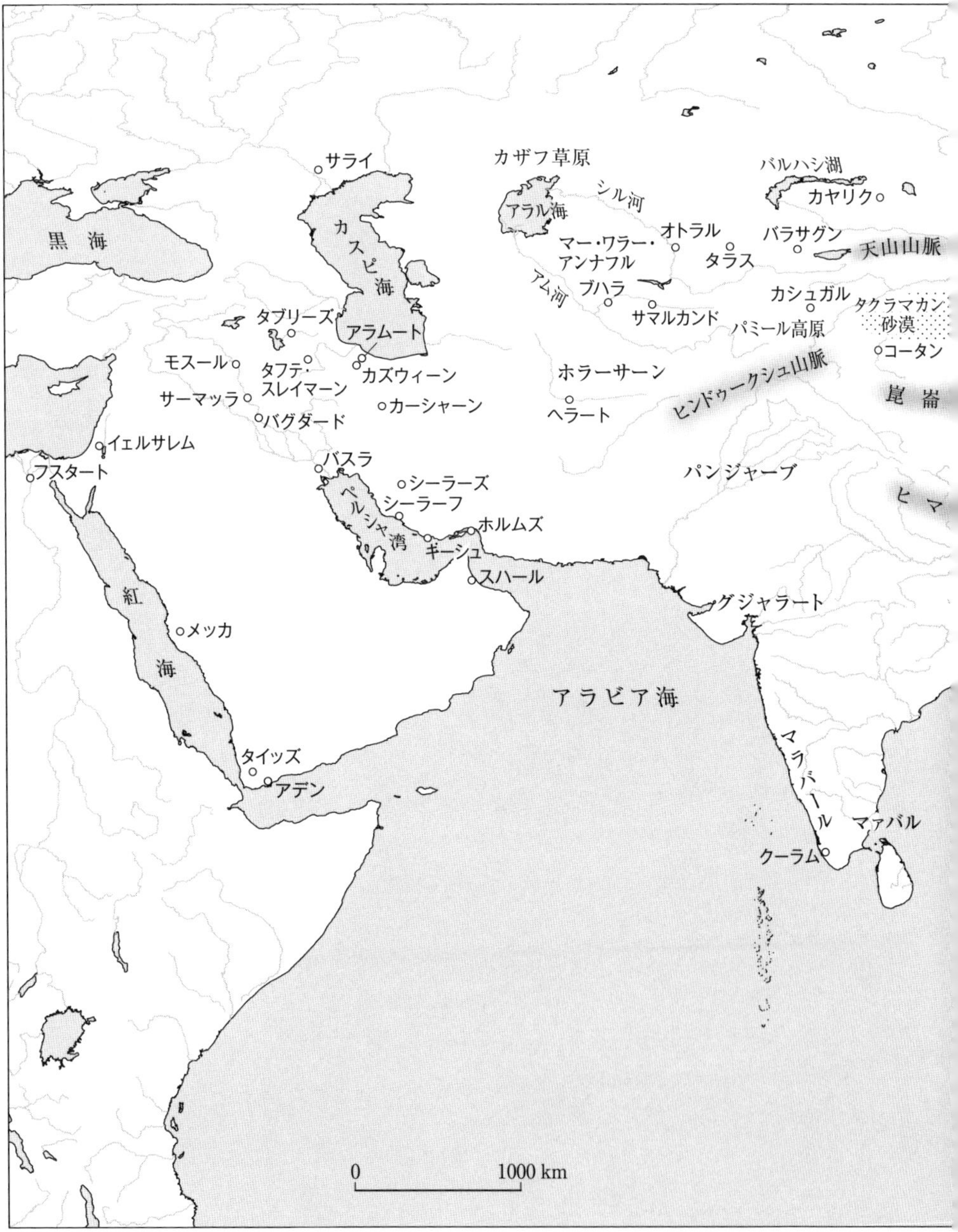

モンゴル帝国と海域世界

展　望 | *Perspective*

展望｜*Perspective*

初期グローバル化としてのモンゴル帝国の成立・展開

宇野伸浩

はじめに

第一〇巻は、モンゴル帝国と海域世界を扱う。モンゴル帝国以前のユーラシア大陸の人びとの集団は、ヨーロッパ世界、西アジア世界、内陸アジア世界、東アジア世界、東南アジア世界、南アジア世界に大きく分かれていたように見えるが、この時代は、モンゴル帝国の出現とその征服活動によって、西アジア世界と東アジア世界の人的・物的・文化的交流が急速に進んだ。その影響はヨーロッパ世界、東南アジア世界にも及び、複数の世界を結び付けるルートが陸上と海上に存在し、陸上世界と海域世界を通じて、ユーラシア大陸の一体化が急速に進んだ時代だった。グローバリゼーションという表現を地球規模の一体化に限定せず使用するのであれば、モンゴル帝国時代を「初期グローバル化」に位置付ける考え方も提唱されている(秋田 二〇一九)。

本稿では、モンゴル帝国史について四つの節に分けて論じる。まず、モンゴル帝国の成立、およびモンゴル帝国の拡大・発展について論点を整理し、研究の展望を述べることとする。モンゴル帝国を「初期グローバル化」の事例として位置付ける考え方があるのは、モンゴル帝国が、中国北部を征服した北方系の遼、金と異なり、東アジアから西アジアにまたがる広域の世界帝国に発展したからである。チンギス・カン時代にモンゴル帝国が西方へ大きく拡大し複数の文明にまたがる帝国として発展したのはなぜかという問いに答えるために、成立のプロセスを分析する。また、一二八〇年代以降のモンゴル帝国については、帝国の分裂という側面を強調する立場と、モンゴル帝国としての統一という側面を強調する立場がある。両者を比較しつつ帝国の全体像を考察する。

近年、歴史学の新しいテーマとして、ジェンダー史、環境史が議論されており、これらのテーマをモンゴル帝国史に適用する試みが始まっている。ジェンダー史については、遊牧国家の王族の女性についての研究が盛んである。環境史については、モンゴル帝国と気候変動の関係について研究が進み始めている。この二つのテーマについて、近年の成果を紹介するとともに展望を述べることとする。

一、モンゴル帝国の成立

史料の問題——『元朝秘史』と『集史』『聖武親征録』『元史』

モンゴル帝国の成立を研究するための主要な史料として、モンゴル語史料の『元朝秘史』、ペルシア語史料の『集史』、漢籍史料の『聖武親征録』『元史』がある。この四史料は、『元朝秘史』と他の三つに大別され、両者の違いについてこれまで多くの議論がなされてきた。『元朝秘史』は、一九世紀以降、中国、日本、欧米で注目されるようになると、チンギス・カンに関する最も詳細な史料と見なされ、これにもとづいたチンギス・カン研究が進められた。しかし、『元朝秘史』の史料的研究が進むにつれ、複数の事件が一つにまとめられるなどの文学的な脚色がある、チンギス・カンのイメージをアップするための脚色・創作が含まれているなど、史料としての信憑性に問題があることが明らかになった(吉田 一九六八、二〇一九、岡田 一九八六、二〇一六、Okada 1972; 宇野 二〇〇九)。現在では、この問きている。

題点への認識が広まり、日本でも欧米でも『元朝秘史』だけに依拠してチンギス・カンを論ずることは少なくなって

モンゴル帝国の成立にケレイト王国が果たした役割

モンゴル帝国の成立についての研究が『元朝秘史』にもとづいて行われていた時期には、帝国の成立過程はテムジン(チンギス・カンの本名)がモンゴル高原の遊牧諸部族を統一する過程として説明されてきた。しかし、当時のモンゴル高原の遊牧民がすべて部族社会の状態であったわけではなく、ケレイト部族、ナイマン部族、オングト部族はそれぞれの部族を中核として王国を形成していた。『集史』『聖武親征録』『元史』にもとづく研究では、モンゴル高原中央部のハンガイ山脈を拠点とするケレイト王国を中心として統一への過程が進んだことが複数の研究者によって指摘されている。この点を最初に指摘した岡田英弘によれば、一二世紀末、ケレイト王国は王位継承争いの内紛により分裂し、弟との争いに敗れたトオリル・カンは亡命したが、テムジンらの協力を得てケレイト王国の王位に復帰し、テムジンはトオリル・カンの臣下になる。その頃、金朝のタタル部族討伐にテムジンとともに参加して金朝から王の称号を与えられたトオリル・カンは、金朝のモンゴル高原における最大の同盟相手となり、金朝の援助のもとに遊牧諸部族の統一を進めた。その事業に先鋒となって働き功績をあげたのがテムジンだった(岡田 一九八一、二〇一六:八〇–八一頁、Atwood 2017)。

この岡田説をもとに説明を加えていきたい。一一九六年の春に亡命先からモンゴル高原東部にいたテムジンを頼ってきたトオリル・カンをテムジンは受け入れ、秋には父子の誓いをし、一一九八年頃までにトオリル・カンはテムジンの協力を得て弟エルケ・カラを王位から引き降ろし、ケレイト王国の王位に復帰した。

テムジンがトオリル・カンの臣下になったと言っても、戦闘においてトオリル・カンのケレイト軍とは別個にテム

ジンの軍が存在するので、テムジンがケレイト軍の一員となったわけではなく、ケレイト王国の東方で遊牧する部族のリーダーとしてトオリル・カンと主従関係を結び、自らの軍を率いてケレイト王国の戦争に協力していたのであろう。

この時期のもう一つの大きな事件は、ケレイト王国が金朝のタタル部族討伐に協力し、トオリルが金朝から王の称号を授けられたことである。それまでモンゴル部族とケレイト王国は、金朝とタタル部族の連携に苦しめられてきた。モンゴル部族のアムバカイ・カン、テムジンの祖父の兄のオキン・バルカク、ケレイト王国のマルグズ王は、タタル部族の捕虜となり金朝に送られて処刑された。ところが、その金朝とタタル部族の協力関係が壊れる。一一九五年に金朝のモンゴル高原での軍事活動に協力したタタル部族のセチェが戦利品を奪い、それを金朝が咎めたことが原因となり、タタル部族が背いて金朝の辺境を侵し略奪をした。それに対して、一一九六年に金朝がタタル部族討伐軍を派遣したのである。

オルズ河におけるタタル部族と金軍の戦闘については、一九九一年にモンゴル国東部で石壁碑文の発見があり、白石典之と松田孝一によりこの戦闘についての研究が進んだ(白石 二〇一六、二〇一七、松田 二〇一五：六—八頁)。タタル部族はケルレン河で金軍を迎え撃ち、三日間包囲して金軍を窮地に追い込んだが、金軍は援軍を得て脱出し、夜襲をかけてタタル部族を撃破し、敗走するタタル部族をオルズ河まで追撃してほとんどを凍死させた。このときテムジンは、急遽軍を集めて金朝に協力し、敗走してきたタタル部族を迎え撃ち、大敗させて部族長のメウジン・セウルトを殺し、彼等の家畜や財産を奪った。その功績により、トオリルは「王」の称号を、テムジンは「ジャウト・クリ」という称号を金朝から与えられた。この称号について、小澤重男は「ジャウト」は百を意味する「ジャウン」の複数形とみる説を提示しつつ「クリ」については未詳とし、岡田英弘は「百人隊長」のことと推測する(小澤 一九九七：上巻一六六—一六七頁、岡田 二〇一六：七八頁)。この勝利によって、金朝は、タタル部族に替わる遊牧勢力の味方を得ることができ、テムジンとトオリル・カンは、宿敵タタル部族の勢力を大きく削減することができた。これ以後、トオリル・カンとテムジンは金朝の最有力の同盟相手・協力者となり、ケレイト王国の遊牧諸部族に対する軍事活動は、金朝と連携を取りながら、その支援の下で行われた（岡田 一九八六、松田 二〇一五：一四―一五頁、岡田 二〇一六：八六頁）。この時期に金朝からケレイト王国に耶律阿海《やりつあかい》が使者として遣わされたのは、金朝とケレイト王国の間で同盟関係・外交関係があったことを示している。

金朝がトオリル・カンとテムジンに与えた称号の違いは、両者の立場の違いを端的に表している。ケレイト王国は、国家を形成し、王族は西アジアのキリスト教である東シリア教会（いわゆるネストリウス派）を信奉し、文字文化があった可能性もあり、いわばある程度文明化した遊牧国家であり、トオリル・カンはその王であった。それに対して、モンゴル部族は、シャーマニズムを信じ、文字文化はなく、部族社会の集団であり、テムジンはモンゴル部族内の覇権争いに苦しむキヤト族のリーダーに過ぎなかった（モンゴル帝国の文字文化については本巻松井論文参照）。キヤト族は、テムジンの曽祖父カブル・カンを始祖とする父系集団であり、タイチウト族、ジャジラト族などの父系集団と共通の祖先を持ち、それらとともにモンゴル部族内の支配一族ニルンを形成していた。ニルンの中ではモンゴル部族の覇権をめぐる争いがあり、キヤト族にとってタイチウト族やジャジラト族はライバルであった。テムジンがケレイト王国の王トオリル・カンの臣下となることは、部族内の覇権争いにおいて有利な立場に立つことを意味した。

テムジンが金朝からケレイト王国に派遣された契丹族の耶律阿海に出会ったのは、ケレイト王国の宮廷に出入りするようになっていたからであろう。また、ケレイト王国の宮廷で行われていたと思われる東シリア教会の儀礼を通じて、テムジンは西アジアの文化に接したに違いない。またこの時期に、テムジンはジャアファル・ホージャ（札八児火者）というムスリムの臣下を得ている。それも単なるムスリムではなく、ムハンマドの娘婿アリーの子孫に対する尊称サイイドを称する人物であった。テムジンは、その人を通じてイスラーム教の文化や文物を知ったと思われる。

一一九八年頃から一二〇三年までは、トオリル・カンとテムジンの蜜月時代であり、二人による共同軍事行動が計画され、テムジンの敵であるメルキト部族、タイチウト族と、トオリル・カンの敵であるナイマン王国への攻撃が始まった。一二〇〇年、それに対抗して結成された反トオリル＝テムジン連合は、モンゴル部族内でテムジンのキヤト族と対立する集団とタタル部族との連合であった。両陣営の戦いはトオリル＝テムジン側が勝利した。一二〇一年には、ジャジラト族のジャムカが反トオリル＝テムジン連合の長として担ぎ出されグル・カンと称したが、一二〇一年の戦いもトオリル＝テムジン側が勝利した。そのため、さらに一二〇二年に結成された反トオリル＝テムジン連合は、オイラト部族、メルキト部族が加わり、さらにトオリル・カンとテムジンらは長城の内側に逃げ込んだが、折からの吹雪がテムジンらに味方して敵陣が総崩れになり、トオリル＝テムジン側が勝利した。トオリル・カンとテムジンが、長城の内側に逃げ込んだのは、金朝との同盟・協力関係があったからだと考えられている(岡田 二〇一六：八四―八六頁、松田 二〇一五：一四―一五頁)。

近年、この時期の戦闘を、金朝派のトオリル・カンとテムジンが、カラ・キタイ派の反トオリル＝テムジン連合と戦った戦闘だと解釈する説、すなわち金朝とカラ・キタイ国の代理戦争だったとする説がある。しかし、モンゴル帝国とカラ・キタイ国の研究者であるミハル・ビランは、モンゴルの抗争にカラ・キタイ国が介入し、金朝に対してモンゴル諸部族を敵対させようとした証拠はないとする。筆者にはビランの指摘が正鵠を得ていると思われる(Biran 2005: 65; 松田 二〇一五：一一―一五頁、白石 二〇一七：六九―七六頁)。なぜなら、反トオリル＝テムジン連合の長ジャムカが称したグル・カンは「カンの中のカン」など特別なカンを意味する称号であり、もしジャムカがカラ・キタイ派であれば、カラ・キタイ国の君主と同じ称号で推戴されることは、起こりにくいと思われるからである。

反トオリル＝テムジン連合は、最初の二回は東モンゴルで発生し、ナイマン王国は参加していない。二回目にリーダーに担ぎ上げられたジャムカは、テムジンのキヤト族と三代上で系譜関係のあるジャジラト族の長である。この最初の二回の戦いは、モンゴル部族内の覇権争いをめぐって、反テムジン勢力側にタタル部族の残存勢力などが協力して起きた戦闘と考えるのが妥当であろう。

この時期に、トオリル・カンはナイマン王国に対する攻撃を行っている。ナイマン王国は、ケレイト王国の王位継承争いが起きた時に、トオリル・カンの弟の側に味方した国であるので、トオリル・カンにとっては敵である。そのため、トオリル・カンはテムジンの協力を得てナイマン王国を積極的に攻撃した。トオリル・カンとテムジンの攻撃に敗れたナイマン王国は、三回目の反トオリル＝テムジン連合の中心になった。ナイマン王国は、テムジンの敵対勢力を味方につけて総攻撃をかけたのである。しかし、前述のように、天候の異変がトオリル・カン、テムジン側に味方して、反トオリル＝テムジン連合は敗北した。

一二〇三年のテムジンの即位

モンゴル高原の敵対勢力に対するケレイト王国の軍事活動は、トオリル・カンとテムジンの不和の発生で中断される。当時のモンゴルには、強い協力関係を結ぶ方法として互いに一族の女性を嫁がせあい二重の姻戚関係をつくる交換婚の方法があった。テムジンはトオリル・カンの一族と交換婚を行い、強い絆を作ろうとしたが、トオリル・カンがこれを拒絶したことがきっかけとなり、二人の間に不信感が蓄積されていった。最終的に、両者の間に戦闘が起こり、テムジンは敗走してモンゴル高原北方のバルジュナ湖に逃げ込むことになった。そのあと、テムジンは一時離れ離れになっていた弟ジョチ・カサルと合流するなど軍の態勢の立て直しが可能になり、作戦を練って一気に奇襲をかけることによってトオリル・カンの軍を破ることに成功した。

これは、ケレイト王国で起きた、臣下によるクーデターであり、テムジンによるケレイト王国の王位簒奪である。

『集史』は、テムジンがトオリル・カンとの戦闘に勝った後、一二〇三年に即位したことを記している。この即位に最初に注目したのは岡田英弘であり、他の研究者が積極的に即位の記事をとりあげることはしていないが、この即位は史実であろう(岡田 一九八一、二〇〇一:三二頁)。

テムジンの即位後、ケレイト王国の臣下たちは、王位に就いたテムジンに臣従することを求められた。『元史』巻一三〇によると、トルコ系のカンクリ部出身のカイラン・ベク(海藍伯)は、ケレイト王国のトオリル・カンに仕えていたが、テムジンがトオリル・カンを滅ぼすと、彼は家来とともに西北に逃げようとした。テムジンが引き留めると、カイラン・ベクは「昔、私はあなたとともにトオリル・カンに仕えていた。トオリル・カンが滅んだ今、仕える相手を変えるに忍びない」と言って去って行ったという。

『集史』にもとづいて一二〇三年にテムジンがケレイト王国の王位を簒奪したとすると、ナイマン王国を滅ぼした後、一二〇六年に成立したモンゴル帝国は、ケレイト王国を土台として成立した可能性が強い。ケレイト王国に関する史料が少ないため、実証的に論じるのは難しい部分があるが、たとえば『集史』によると、トオリル・カンが戦いの前に開催した集会は「クリルタイ」と呼ばれていた。クリルタイにおいて重要事を決定する文化は、ケレイト王国からモンゴル帝国に継承された可能性が高い。

また、文字文化については、テムジンがナイマン王国の印章制度を導入するとともにウイグル族のタタトンガに命じて息子達・諸王に文字を教えさせたという『元史』巻一二四に書かれている内容にもとづき、ウイグル族から文字が導入されたとするのが定説であるが、モンゴル帝国初期に也先不花《エセン・ブカ》、アビシカなどケレイト出身のビチクチ(書記)がいたこと(坂本 一九七〇:一〇六─一〇七頁)、テムジンがケレイト王国のジャカガムブやトオリル・カンと出会った時期から史料において急に史実と年代がわかるようになるため、ケレイト王国には文字文化がありビチクチによる記録が残されていた可能性があること(岡田 二〇一六:八〇頁)などから、モンゴル帝国はケレイト王国から文字文化を継承したとする説もある。状況証拠にもとづく仮説ではあるが、検討に値する。

モンゴル帝国の成立によって実現した国家は、モンゴル語でイェケ・モンゴル・ウルスと呼ばれた。国家としてのウルスは、中央にオルドと呼ばれる宮廷があり、そこにはそのウルスのエジェン(主人)であるチンギス・カンが一族、臣下とともにおり、宮廷は天幕群からなり、宮廷全体が季節移動をしていた。宮廷には、ケシクテンと呼ばれる、輪番制により宮廷の警護をはじめ宮廷を維持するための種々の業務に携わる臣下がおり、そのもとで働く「家の子」(ゲルン・コウン)と呼ばれる人々もいた。ウルスに所属する、トルコ・モンゴル系の遊牧民を中心とする人々は、ミンガン(千戸)と呼ばれる組織に再編され、左手の千戸、右手の千戸に分かれて領域内に居住していた。この千戸制の組織は、国家組織であるとともに軍隊を供出する軍事組織でもある。各千戸にはノヤンと呼ばれる千戸長がおり、その千戸を統括した。千戸長は息子をケシクテンとして宮廷に出仕させ、チンギス・カンに仕えさせた。ケシクテンの制度は、千戸長をチンギス・カンに従属させるための人質としての意味があるとともに、帝国を維持するための人材養成としての役割も果たしていたと考えられている(本巻飯山論文、向論文参照)。

ウルスは、もともと「人びと」の意味であり、国家を意味するウルスとは別に、国家よりも小規模な集団を意味するウルスも存在した。小規模なウルスは、チンギス・カン家の男性がエジェンとしてウルスを率い、チンギス・カンから与えられた千戸がそのエジェンの配下に置かれ、ひとつの自治的集団を形成した。チンギス・カンが建国したイェケ・モンゴル・ウルスは、チンギス・カンが率いる中央のウルスを核として、チンギス・カンの弟たちが率いる東方の三ウルス、チンギス・カンの子たちが率いる西方の三ウルスからなり、七つのウルスの集合体として国家が形成された。イェケ・モンゴル・ウルスがこれら複数のウルスに分かれた時期については、チンギス・カンが金朝遠征を開始した一二一一年までに七ウルスの集合体になったとする説が定説ではあるが、再検討の余地はある(杉山 一九九八、二〇〇四、川本 二〇一三、本巻松田論文参照)。

モンゴル帝国とグローバル化

一三世紀前半にモンゴル帝国が急速に拡大し、東アジアから西アジアにまたがる大帝国に発展したことについて、どのように理解したらよいか、まだ十分な答えが出ていない。征服王朝論は、北アジア社会・遊牧社会にも発展があることを前提とし、征服王朝である遼、金の発展の延長上にモンゴル帝国を位置づける(護 一九七〇)。しかし、モンゴル帝国の出現には、社会の内的発展だけでなく外的要因が大きく影響していたように思われる。

一方、ミハル・ビランは、モンゴル帝国が多民族、多宗教の国家として成立した要因を解明するために、モンゴル帝国のプロトタイプをカラ・キタイ国に求めようとした。しかし、この試みはあまり成功せず、モンゴル帝国とカラ・キタイ国の征服活動や統治方法を比較してみると、共通点より相違点の方が多いことをビラン自身が指摘している(Biran 2005)。

モンゴル帝国が中国と西アジアの両方の農耕・都市地域に対して征服活動を行い、広域の政治的統一体が形成されたことにより、この時代にグローバル化あるいは世界の一体化がある程度進んだといえる。近年、世界史研究においてグローバル化が重要なテーマとなりつつあり、『グローバル化の世界史』の責任編集である秋田茂は、「広義のグローバル化」の歴史的起源を一九世紀以前にまで遡って考察する点について歴史家の間で穏やかな合意があるとし、モンゴル帝国時代を「初期グローバル化」に位置付けた(秋田 二〇一九)。同書の中で向正樹は、帝国秩序の安定と遠距離交易拡大との順序は、一般的な理解と異なり逆であり、帝国の形成以前に、あるいはそれとは無関係に国際商業の上昇局面があり、一段の拡大実現と帝国形成が連動しているという興味深い仮説を提示した(向 二〇一九:三〇頁)。

グローバル化を引き起こす要因としては、広域の征服活動と長距離交易が重要であるが、それ以外に、またそれとセットの場合も多いが、世界宗教の布教活動、その拡大・伝播も要因となりうる。妹尾達彦のマクロな歴史研究によると、四世紀から一三世紀の期間に、農牧両地域の政権が交流・衝突する主要舞台が中国大陸の西北部から東北部に移動し、中国の主要穀倉地帯が華北平原から長江下流域の江南に移動し、ユーラシア大陸を貫く交通幹線が内陸の陸路から沿海部の水路・海路に移動した。その結果として、東西複都制から南北複都制への移行が生じた(妹尾 二〇二〇)。宋・遼・金の時代は、中国王朝の首都の位置が東へ移動し、東アジアの中国文明と西アジアのイスラーム文明の関係が遠のいていたように見えるかもしれない。しかしその一方で、この時代にイスラーム教、キリスト教(東シリア教会)の東方への拡大という現象が起きていた。

イスラーム教の東方への拡大は、中央アジアのイスラーム化として論じられるように、九—一〇世紀にサーマーン朝(八七三頃—九九九年)による、パミール以西のオアシス定住地帯とトルコ系遊牧民のイスラーム化、一〇—一一世紀にカラ・ハン朝(九四〇頃—一二一二年頃)によるパミール以東のオアシス定住地帯の西半分のイスラーム化が進み、イスラーム教徒の活動地域が東方へ拡大した。さらに、一二世紀には中央アジアに建国したカラ・キタイ国(一一三二—一二一一年)の領内には、仏教、イスラーム教、キリスト教が混淆する状態が生じており、天山山脈北方のカヤリク、アルマリク地域にはイスラーム教徒のカルルク族がいた(間野・堀川 二〇〇四、Biran 2005)。イスラーム教徒の活動地域の東方への拡大は同時期に南方でも起きており、ガズナ朝(九七七—一一八六年)、ゴール朝(一一四八頃—一二一五年)の建国と略奪・征服活動により、北インドへイスラーム勢力が拡大した。

西アジアのキリスト教である東シリア教会は、一〇—一一世紀に西ウイグル王国にキリスト教徒がいたこと、さらに東方へ伝播してモンゴル高原のケレイト部族に達し、一一世紀初めまでに、モンゴル高原においてケレイトの国家形成とキリスト教受容があったことが、最近実証的に明らかにされた(森安 二〇二二、白 二〇一一)。

チンギス・カン時代にモンゴル帝国が複数の文明圏に対して征服活動を行ったことは、モンゴル高原が中国文明の辺境に位置するだけでなく、イスラーム教、キリスト教東シリア教会など西アジアの文化がモンゴル高原にすでに到達し、モンゴル高原が西アジア文明の辺境にも位置するようになっていたことと関係がある。

キリスト教を受容し、王がキリスト教徒の名前をもつようになっていたケレイト王国の宮廷では、東シリア教会の宗教儀礼が行われていたことが想像される。また、即位前のテムジンにイスラーム教のサイイドを称する臣下がいたことから、イスラーム教の文化もケレイト王国の宮廷に到達していたと考えられる。チンギス・カンは、一二〇六年の即位後に、モンゴル帝国の国境に到達したムスリム商人を宮廷に連れてくることを求め、さらに西アジア産商品を獲得するためにムスリム商人に資金を与えて、ホラズム・シャー国に隊商を派遣した。この派遣は、結果的に隊商が殺害されるという有名なオトラル事件を招き、ホラズム・シャー国への遠征が行われるきっかけになった。モンゴル帝国の支配者が西アジア産商品を求める姿勢はチンギス・カン以後も変わらず、第二代オゴデイ・カアンはムスリム商人に資金を与えて優遇し、モンゴル高原へ西アジア産商品の物流が確保されることを望んだ。モンゴル帝国のカアン(大カン)が西アジア産の商品・奢侈品の獲得に執着したのは、征服活動、交易活動、征服地の支配などによって獲得した物、人、財を一族、臣下に分配し続けることを自らの務めとしたからである。統治者による富の再分配は国家の重要な機能の一つであるが、モンゴル帝国では、それが直接的な見える形で行われた(宇野 一九八九、四日市 二〇〇五)。

以上のように考えるならば、モンゴル帝国において急速な西方への拡大が起きた要因は、モンゴル帝国以前に西アジア文明の要素がモンゴル高原まで到達するというグローバル化がある程度進み、それがモンゴル高原の遊牧社会・遊牧国家を刺激し、西アジア文化に対する強い関心と西アジア産商品に対する欲求・需要を引き起こしたからだと考えられる。

したがって、モンゴル帝国の征服活動によってグローバル化が始まったのではなく、西アジア文明の東方への拡大という形ですでに発生していたその現象が、モンゴル帝国の建国とそれに続く征服活動という反作用を生み、モンゴル帝国が積極的にそれに関わることによってグローバル化が加速されたといえるであろう。

二、モンゴル帝国の拡大と分裂

征服活動と帝国の拡大

モンゴル帝国は、チンギス・カン時代には、ウイグル王国の服属、西夏王国への遠征・征服、金朝遠征、ホラズム・シャー朝への遠征・征服などの軍事活動によって領土が拡大した。第二代オゴデイ・カアンの時代には、金朝への遠征・征服、南ロシア・東欧への遠征(バトゥの遠征)によって領土が拡大したが、南宋遠征は失敗した。第四代モンケ・カアンの時代には、西アジアへの遠征(フレグの遠征)により、イスラーム世界東部を支配下に入れたが、南宋遠征は再度失敗し、モンケ・カアンが遠征中に死去するという最悪の結果に終わった。第五代クビライ・カアンの時代に、南宋遠征が再開され、南宋の滅亡により、南中国まで領土が拡大した。

モンゴルの征服によって獲得された各地の都市・農耕地帯は、チンギス・カン一族の共有財産と見なされ、その地域に対して人口調査を行い、そこから得られる種々の税収入を国庫に入れるとともに、その権益をチンギス・カン一族と功臣からなる支配者集団内で分配とするという共通の方法がとられた。このような形で支配された都市・農耕地帯は、モンゴル帝国の統治構造において重要な部分を構成した(松田 一九七八、Allsen 1987; 川本 二〇一三、高木 二〇一三、本巻松田論文参照、モンゴル・インパクトのより広域な影響については本巻四日市論文参照)。

従来「ハン国」と呼ばれていたモンゴル帝国内の地方政権を、近年は、創始者の名に「ウルス」を結びつけて、チャガダイ・ハン国を「チャガダイ・ウルス」、イル・ハン国を「フレグ・ウルス」、キプチャク・ハン国を「ジョチ・ウルス」と呼ぶことが増えている。この場合の「ウルス」は、遊牧国家あるいは国家の意味である。チンギス・カンが建国したとき、モンゴル帝国は「イェケ・モンゴル・ウルス」と呼ばれる一つの国家(ulus)であり、前述のようにその中に七つのウルスを内包していた。モンゴル語ではどちらも「ウルス」(ulus)であるが、質的には異なり、小規模な下位のウルスは、チンギス・カン家の男性がカンから与えられた牧地と千戸を所有し管理する自治的集団であり、大規模な上位のウルスは、対外的な戦争を計画し実行するとともに、農耕・都市地帯を征服・支配し、そこから得られる収入を分割し分配する機能を持つ(村岡 一九八八、四日市 二〇〇五)。ピーター・ジャクソンは、下位の自治的集団としてのウルスをappanage、上位の国家としてのウルスをstateと呼んでいる(Jackson 1999; 2009; 2017)。

一二三五年、第二代オゴデイ・カアンはクリルタイを開催し、南ロシア草原以西への遠征を決定した。遠征は、チンギス・カン家の総意で行われる事業であり、各王家が参加した。兵員は各王家に属する千戸集団から供出された。遠征を率いたのはジョチ家の長子バトゥであり、ジョチ家からはバトゥ以外にオルダ、ベルケ、シバン、タングト、チャガダイ家からブリ、バイダル、オゴデイ家からグユク、カダン、トルイ家からモンケ、ボチェク、そしてチンギス・カンの庶子コルゲンが遠征に参加した。一二三六年に出発したモンゴル軍は、南ロシア草原のトルコ系諸部族、ヴォルガ・ブルガル王国、ルーシ諸公国、ハンガリー、ポーランドへと東欧まで勝ち進んだ。グユクとモンケは、オゴデイ・カアンの帰還命令を受けて先にモンゴルへ帰還した。また一二三六年から、コーカサス地方のグルジア王国へのモンゴル軍の征服活動が本格化した。ところが、一二四一年一二月にオゴデイ・カアンが死去し、その報に接してモンゴル軍の進軍が止まる。次のカアンを選出するために、各王家の王子たちはモンゴル高原へと帰還したが、バトゥは南ロシア草原にとどまった。チンギス・カン時代に、ジョチ家はモンゴル高原の西北部に牧地を与えられ、そこに自治的集団としてのジョチ・ウルスを置いていたが、バトゥの遠征を経て、南ロシア草原にジョチ・ウルスの拠点を置き、ウルスは国家として発展していくことになる。またアナトリア半島では、一二四二年からルーム・セルジューク朝への侵略・征服活動が本格化した(井谷 一九八八)。

次に、モンゴル帝国の拡大に寄与した遠征は、モンケ・カアンの時代のフレグの遠征である。モンケ・カアンは即位すると、まず弟クビライに中国を中心とする東方方面の守護と征服を命じ、さらに弟フレグにイランとイラクを中心とする西方方面の征服を命じた。モンケ・カアンは、千戸制の組織から一〇人に二人の割合で兵員供出を命じ、大部分はトルイ家の千戸から兵員が徴発されたが、ジョチ家、チャガダイ家、チンギス・カンの弟ジョチ・カサル家からも参加して遠征軍が組織された。遠征軍は一二五三年にモンゴル高原を出発し、一二五六年にアム河を渡ってイスマーイール派のアラムート城砦、アッバース朝の首都バグダードなど、西アジアの各地を征服したが、一二六〇年にシリアへ進軍中にモンケ・カアン死去の報に接すると、フレグはイラン北西のアゼルバイジャンに退却し、そこでクビライとアリク・ボコの二人がカアンとして即位し、対立が生じていることを知る。イランに留まったフレグは、クビライ・カアンから、フレグの遠征軍およびそれ以前にイランに派遣されていたモンゴル軍を統括し、イラン及びその周辺の諸地方を支配することを命じられた。フレグは遠征軍とともにイランに留まり、そこを拠点として国家としてのフレグ・ウルス(イル・ハン国)を形成することになる(高木 二〇一四、本巻渡部論文参照)。なお、「アリク・ボコ」の「ボコ」については、従来様々なカタカナ表記が用いられてきたが、『華夷訳語』(甲種本)「捏怯来書」にある「阿su字可」(Ari[q] Bökö)にもとづき「ボコ」とする。「ボコ」は現代モンゴル語のбөх であり、意味は「力士」である。

帝国内の争いと分裂

多くの遠征を経て、モンゴル帝国の領域は拡大したが、モンゴル帝国内部では、帝位継承をめぐる争いが増大し、結果としてモンゴル帝国は分裂に向かうことになる。帝位継承は常に帝国のアキレス腱であった。チンギス・カンは、ボルテから生まれた四人の息子たちによる帝国の共同統治を目指したようであり、四人に異なる役割を与え、権力を一人に集中させることをあえてしなかった。その結果、帝位は第三子のオゴデイが継承したが、国家の根幹である千戸の大部分は第四子のトルイが継承した。しかし、このチンギス・カンの選択は、モンゴル帝国内で王族間の帝位継承争いが発生する温床となっていく。

まず、オゴデイ・カアンの金朝遠征の直後、トルイが若くして死去すると、オゴデイ家とトルイ家の間で摩擦が生じた。オゴデイ・カアンは、トルイの寡婦ソルカクタニ・ベキにオゴデイの息子グユクとの再婚(叔母―甥婚)を求め、またトルイ家が継承した多くの千戸のうち三千戸を取り上げて息子コデンに与えた(本田 一九九一:二七頁注二五。四千戸説については本巻松田論文参照)。ソルカクタニ・ベキは再婚の話は断るが、三千戸のオゴデイ家への移動については、不満をつのらせるトルイ家の家臣を説得して受け入れた。オゴデイ・カアンの死後、帝位はオゴデイの長子グユクが継承したが、グユクは若くして死去した。ソルカクタニ・ベキは、ジョチ家のバトゥを味方につけ、長子モンケへのバトゥの支持を固めることにより、モンケの即位を実現し、帝位をトルイ家に移すことに成功した。即位の後、モンケ・カアンによって、オゴデイ家に対する厳しい粛清が行われ、トルイ家に恩を感じてモンケに味方したコデンのウルスを除き、事実上オゴデイ・ウルスは消滅した。その結果、チンギス・カン家内の対立に決着がついたかに見えたが、モンケ・カアンが南宋遠征の途上で死去すると、再び帝位継承争いが起こり、トルイの息子であるクビライとアリク・ボコの兄弟間で対立が生じ、一二六〇年、両者が別々にクリルタイを開催して即位すると、帝国全体を巻き込む内戦へと発展した。その影響は、中央アジアのチャガダイ・ウルスにも及び、クビライとアリク・ボコが別々の人物をチャガダイ・ウルスのカンとして送り込んだため、チャガダイ・ウルスを巻き込む争いとなった。

松田孝一は、この時期にクビライが帝国分割案を提案したことに注目する。クビライは、一二六〇年の夏ごろ、モンゴル高原に軍隊を送ってカラコルムを制圧した後、西アジア遠征中のフレグに、またアリク・ボコによってチャガダイ・ウルスに送り込まれカンとなっていたアルグに、使者を派遣して重要な提案をした。それは、ジョチ家の南ロシアを除く帝国全体を三分割し、中央アジアのアム河からエジプトの境までのイラン諸地方とそこにいるモンゴル軍をフレグが統治し、アム河からアルタイ山脈までのウルスをアルグが統治し、アルタイ山脈から太平洋までをクビライが統治するという提案であった。フレグもアルグもこの提案を受け入れ、アルグはクビライ側に寝返った(詳しくは本巻松田論文参照)。

これは、クビライがアリク・ボコに対抗するためのやむを得ない提案であったかもしれないが、これがひとつの契機となり、カアンが帝国全体を統治するのではなく、イラン、中央アジア、南ロシアの各政権が都市・農耕地帯を征服し統治するようになり、帝国統治の原則が変質していった。

トルイ家内の対立が生み出した混乱の間隙を縫って台頭したのがオゴデイ家のカイドゥである。モンケ・カアンの粛清を受けてオゴデイ・ウルスが解体状態になった時、オゴデイ・カアンの孫カイドゥはまだ幼く、生きのびることができた。カイドゥは、アリク・ボコの死後、クビライから入朝をすすめられたがそれには応えず、オゴデイ家の諸王を取り込みながら勢力を拡大し、一二六六年、ついにクビライに対して反旗を翻し攻撃をした。クビライ・カアンは、第四子ノモガンを北安王として防衛のためにモンゴル高原に送り込み、クビライのもとにいたチャガダイ家のバラクをチャガダイ・ウルスに派遣した。ところが、チャガダイ・ウルスに到着したバラクは、チャガダイ・ウルスの当主ムバーラク・シャーの地位を簒奪するとクビライに反旗を翻した。一二六九年に中央アジアのタラス河畔でカイドゥが主催するクリルタイが開催され、オゴデイ家のカイドゥ、チャガダイ家のバラク、ジョチ家のモンケ・テムルが集まり、西トルキスタンのマー・ワラー・アンナフルからの歳入を分割し、バラクが三分の二、残りの三分の一をカイドゥとモンケ・テムルが受け取るという案を決定した。マー・ワラー・アンナフルのような征服地の権益の分割は、カアンによっておこなわれることが帝国建国以来の原則であったため、これはカアンのクビライに対する挑戦であるとともに、帝国統治の変質を意味していた。

カイドゥとクビライの対立は、チンギス・カン家内に動揺を生み、シリギの乱と呼ばれる謀反を誘発し、かつてのクビライとアリク・ボコの争いでアリク・ボコ側についた勢力などがカイドゥ側に流入して強大化した結果、一二八〇年代初頭頃までにモンゴル帝国の中央部に「カイドゥの国」(mamālik-i Qāidū'ī)と呼ばれる国家が出現した。最終的には、一三〇一年に成宗テムルの元朝と「カイドゥの国」の決戦がアルタイ地方で行われ、その戦闘の直後に病気か負傷のためにカイドゥが死去したことにより、両陣営の和睦が実現し、混乱は終結した(Biran 1997; 村岡 二〇一六)。

一二八〇年代以降のモンゴル帝国の状況について、帝国には四つの国家(ウルス)が存在し、帝国は四つに分裂していたとする見解がほぼ定説になっている(村岡 一九八八、Jackson 1999; 杉山 二〇〇四、村岡 二〇一六、Jackson 2017)。中国には大元ウルス(元朝)、イランにはフレグ・ウルス、南ロシアにはジョチ・ウルス、中央アジアには「カイドゥの国」が存在した。カイドゥ死後の中央アジアでは、チャガダイ家のドゥアがオゴデイ家との覇権争いに勝ち中央アジアで実権を掌握し「カイドゥの国」を継承した。そのときドゥアによって確立したチャガダイ・ウルスは、モンゴル語で「中央のモンゴル・ウルス」(Dumdadu Mongγol Ulus)とも呼ばれたことが、モンゴル語の文書史料で確認されている(Matsui 2009)。ここでいうウルスは、国家を意味するウルスであり、加藤和秀はこれをもってチャガダイ・ハン国の成立とした(加藤 一九七八)。

以上のように、チンギス・カンの建国に始まったモンゴル帝国は、一三世紀後半に四つの国家に分裂したとされる。ただし、大元ウルスのカアンが帝国のリーダーとしての権威を維持していたことは事実であり、杉山正明、キム・ホドンはモンゴル帝国全体としての緩やかな統合が存在したという側面を強調する。

杉山がモンゴル帝国は緩やかな多元複合の統合が持続していたとする主な根拠は、次のとおりである。①クビライとカイドゥの戦いといっても実際の戦闘の回数は少ない。ジョチ家とフレグ家の対立も激しい戦争にはなっていない。②カアンであるクビライとその後継者の権威を帝国全土で認めていた。カアンが発する命令だけがジャルリクであり、ジョチ・ウルスが発する命令文はウゲを使い、フレグ・ウルスも外部に出すときはウゲあるいはそれに対応するファルマーンを使い、カアンの出すジャルリクだけが唯一至上のものであるという秩序が維持されていた。③毎年正月の朝賀の儀式において、ジョチ家、チャガダイ家、オゴデイ家を含めて、参集したチンギス・カン家のメンバーには、家系ごとに決まった額の銀と絹の緞子を賜与していた。④帝国全域に駅伝がはりめぐらされ、同一のシステムとして機能していた(杉山 一九九二)。

一方、キムが指摘する主な根拠は、次のとおりである。①マルコ・ポーロ、ラッバン・サウマーらの商人や宗教関係者の旅行は、一三世紀後半の内戦のあった時代に、ある程度の支障はあったかもしれないが、内陸のルートを利用してユーラシア大陸を横断して目的地に到達できている。②元朝とフレグ・ウルスのように友好関係があったウルス間だけでなく、対立・敵対関係にあったウルスや勢力の間でも、使節の往来は行われていた。③qaan あるいは qaghan は、帝国のトップに立つ一人の統治者だけが使うことができるタイトルであった。④モンゴルの支配者たちは、自分たちがチンギス・カンの同一の家系に属し互いに親族であることを意識し、団結の感覚を維持していた(Kim 2009)。

このように杉山とキムは、モンゴル帝国が四つの国家に分裂した後も、帝国全体にある程度のまとまりとネットワークが維持されていたことを指摘する。

それに関連して注目されるのは黒田明伸の通貨研究である。黒田によれば、一三世紀後半から一四世紀半ばまでのユーラシアでは、中国の銅貨と紙幣、イスラーム圏の銀貨と銅貨のような小額貨幣が各地域において流通し日常的な取引を支えていたが、その上層に地域を越えて流通する通貨として、高額貨幣の銀のインゴットが地域間決済の手段として存在した。一三世紀後半、元が南宋を征服すると、東から西への大量の銀の流出が発生し、ユーラシア全域で銀が豊富になり、ロンドンの鋳造所における銀貨鋳造量にまで影響を与えたのである(Kuroda 2017; 2020)。つまり、政治的にモンゴル帝国が四つの国家に分裂した時代に、経済的にはむしろ銀を媒介とした一体性がモンゴル帝国の版図を越えて生じていた。

そのような一体性は、モンゴルの広域支配とともに、陸路と海路でユーラシアを往来する使節、商人、宗教関係者など移動する人びとによってつくり出されたものである。宗教関係者の事例であるが、筆者が参加したプロジェクトにおいて、モンゴル帝国時代のカラコルム、現在のハルホリンに立つペルシア語碑文を解読した。その内容は、元朝時代のカラコルムにイスラーム教のスーフィー教団のハーンカー(修道場)があったことを記していた(磯貝・矢島 二〇〇七)。スーフィズムは、遊牧民や民衆へのイスラーム教の布教に大きな役割を果たしたと言われる。このスーフィズムも含めて、モンゴル帝国時代は、イスラーム教、キリスト教東シリア教会、キリスト教カトリック教会、チベット仏教など様々な宗教が外部へ拡大した時代であり、人びとの活動するエネルギーが高まっていた時代であった(本巻向論文参照)。

チンギス統原理

一般的にはモンゴル帝国の前述の四つのウルスは、それぞれ一四世紀後半に衰退し滅亡したとされる。しかし、四つのウルスは、モンゴル帝国滅亡後も王朝として、あるいは少なくとも王統として存続した。モンゴル帝国と異なる王朝名・国家名で呼ばれるが、チャガダイ・ウルスはモグリスターン・ハン国に、大元ウルスは北元に、ジョチ・ウルスはジョチの第五子シバンの系統のシャイバーニー朝、ヒヴァ・ハン国、シベリア・ハン国、第一三子トカ・テムルの系統のカザフ・ハン国、カザン・ハン国、カシモフ・ハン国、クリミア・ハン国、アストラハン・ハン国に、国家としての規模・形態・場所を変えながらつながっていた。これは、チンギス・カン家の社会的権威が存続し、チンギス・カンの子孫こそが国家の君主にふさわしいという価値観が中央ユーラシアを中心に持続したからであり、この考え方は「チンギス統原理」(The Chinggisid Principle)と呼ばれる(Miyawaki 1999)。また、チンギス・カンの子孫ではない君主にとっては、チンギス・カン家の血筋を引く女性を娶ることが統治の正当化のために必要なことだと考えられ続けた(川口 二〇〇七：三二一八六頁、本巻川口論文参照)。

三、モンゴル帝国とジェンダー史

ジェンダー史が歴史学の新しいテーマとして注目されるようになったことにより、モンゴル帝国史研究においても、ジェンダー史研究が始まっている。モンゴル帝国において実権を掌握した女性あるいはモンゴル帝国の政治に影響を与えた女性の活動とともに、皇后(カトン)と宮廷制度の関係、チンギス・カン家の姻戚関係が研究対象となっている。モンゴル支配下の社会を対象としたジェンダー史研究も存在するが、ここではモンゴル帝国の支配者層についてのジェンダー史研究に絞って紹介したい。

モンゴル人は、遊牧生活において男女の役割分担が明確な文化を持ち、家庭と社会において男性のリーダーシップが強い社会である。そのようなモンゴル文化のもとで、どのような場合に女性が政治的に重要な役割を果たしえたのかという問いは興味深いテーマである。

近年、モンゴル帝国の宮廷の女性に焦点を当てた二冊の本が出版された。ブルーノ・デ・ニコラの *Women in Mongol Iran*(De Nicola 2017)とアンネ・ブロードブリッジの *Women and the Making of the Mongols*(Broadbridge 2018)である。また、この二つの著作を含めてこれまでの研究で注目されてきたモンゴル帝国・元朝時代の女性は、オゴデイの妻トレゲネ・カトン、チャガダイ・ウルスのカラ・フレグの妻オルクナ・カトン、グユクの妻オグル・カイミシ、トルイの妻ソルカクタニ・ベキ、元朝のクビライの妻チャブイ・カトン、ダルマバラの妻ダギ(元朝皇帝カイシャンとアユルバルワダの母)、イル・ハン国(フレグ・ウルス)のフレグの妻ドクズ・カトン、アブー・サイードの妻バグダート・カトンとディルシャード・カトンなどである(岡田 一九八五、小野 二〇一〇、Pfeiffer 2014; De Nicola 2017; Broadbridge 2018; 宇野 二〇二一)。

焦点の一つは、カトンが摂政として実権を握る場合があったことである。オゴデイ・カアンの死後、一二四二年、寡婦トレゲネ・カトンが一族の承認を得て実権を掌握し、長子グユクが即位するまで統治した。チャガダイ・ウルスでは、チャガダイの死後、一二五二年にモンケ・カアンがチャガダイ・ウルスのカンとして送り込んだ夫カラ・フレグがチャガダイ・ウルスに到着する前に死去したが、息子が幼かったため、夫の代わりに寡婦オルクナ・カトンが実権を掌握した。彼女は、アリク・ボコがチャガダイ・ウルスに送り込んだアルグに一時実権を奪われるが、アルグの死後再び実権を掌握し、息子のムバーラク・シャーが即位する一二六六年まで統治した(De Nicola 2017; Broadbridge 2018)。いずれも息子が次代の統治者候補であるため、その母親として摂政の地位を認められたものである。これは、モンゴル社会における母親の地位の高さを反映している可能性が高い(宇野 二〇二一)。

トルイの寡婦ソルカクタニ・ベキは、夫の死後、モンゴル帝国の政治の実権を掌握したことはなかったが、チンギス・カン家内の帝位継承をめぐる紛争の回避に尽力した女性である。オゴデイ・カアンがトルイ家に属する三千戸を勝手に取り上げて息子コデンに与えたとき、トルイ家の家臣たちは怒ってオゴデイに抗議することを求めたが、彼女が彼らを説得して、トルイ家とオゴデイ家が対立することを回避した。グユクの死後、帝位継承をめぐって帝国内が混乱していた時、従兄弟同士でありほぼ同年齢であるジョチ家のバトゥとトルイ家のモンケが対立しないように、彼女は息子モンケをバトゥのところに送り出して話し合いをさせた。チンギス・カン家の男性は、兄弟・従兄弟の間で帝位継承争いに起因する対立が激化する可能性が高い政治的環境にあり、その中にあってソルカクタニ・ベキの判断は、女性が紛争回避のために重要な役割を果たした興味深い事例である(同上)。

モンゴル帝国の宮廷制度は、統治者の宮廷とは別に、統治者の複数の正妻が自分だけの天幕の宮廷を持ち、その宮廷に所属する財産・人員・家畜があった。ブルーノ・デ・ニコラは、イル・ハン国のカトンの分析に力を入れるとともにカトンの宮廷の経済・経営についても詳しく分析している(De Nicola 2017)。

一方、ブロードブリッジは、チンギス・カン家の姻戚関係の分析に力を入れている。チンギス・カン家とコンギラト族・オイラト部族との双方向の姻戚関係や交換婚については筆者の歴史人類学的な分析があり、ブロードブリッジはこれをもとにチンギス・カン家の姻戚関係をめぐるモンゴル帝国の政治史を分析している(Broadbridge 2018)。女性を相互に嫁がせあう交換婚は、二つの家系が二重の姻戚関係を持つことによって、強い政治的協力関係を、世代を越えて維持する手段である。二つのタイプがあり、二人の男性が自分の姉妹を互いに嫁がせあう姉妹交換婚と、妻の兄弟の息子に自分の娘を嫁がせる婚姻、すなわち妻との婚姻のお返しに次世代で娘を嫁がせる交換婚があった。コンギラト族とオイラト部族は、この交換婚をチンギス・カン家との間で繰り返していた(宇野 一九九三、一九九九、Uno 2009)。

この交換婚が行われた結果、チンギス・カン家の男性は、コンギラト族あるいはオイラト部族出身の母親を持つ男性が多い。モンゴル帝国の男性王族にとって、母方の血筋は重要な意味を持つ。なぜなら、第一カトンを母親に持つこと、あるいはコンギラト族、オイラト部族など有力姻族出身の母親を持つことは、その男性にとって帝位継承争いに有利であったからである。ただし、イル・ハン国においてはこの原則が崩れ、アルグンとガザンは、母親の身分が低かったにもかかわらず実力で権力闘争に勝ち、イル・ハンの位についた(宇野 二〇〇八)。

イル・ハン国のフレグ家の婚姻で注目されるのは、フレグ家の中でイトコ婚が行われたことである。当時のモンゴル社会には外婚制のルールがあり、父系親族間の婚姻が禁じられていたが、ガザンの娘のオルジェイ・クトルグとガザンの弟のオルジェイトゥの息子ビスタムは、オルジェイ・クトルグがまだ七歳のときに婚約し、彼女が一二歳の一三〇八年に結婚した。ところが、ビスタムがその翌年に死去したため、オルジェイ・クトルグはビスタムの弟のアブー・サイードと一三一五年に再婚した。これらの婚約と結婚は、父方の従兄弟同士の婚姻であり、父系親族内の内婚が行われたことになる。プファイファーは、これは、ガザンの治世にモンゴルがイスラーム教に改宗したことの影響だとしている(Pfeiffer 2014: 28、大塚ほか 二〇二二:一〇八、一七五、一八三頁)。

モンゴル帝国の宮廷女性と宗教との関係は興味深いテーマの一つであり、ルブルクの旅行記を読むと、モンケ・カアンのカトンの宮廷ごとに信仰されている宗教が異なる様子が描かれている。このテーマについては、デ・ニコラの分析がある(De Nicola 2017)。

ジェンダー史としてのモンゴル帝国研究は、まだ始まったばかりであり、これから発展することが期待されるテーマである。

四、モンゴル帝国と気候変動

歴史学と古気候学の学際的研究

古気候学が過去の気候変動を反映したデータを抽出することができるプロキシとして利用している情報源には、アイスコア、氷河、湖底・海底堆積物、樹木年輪など様々な種類があるが、近年注目されているのは樹木年輪である。一年単位で気温、降水量に関するデータが得られるため、歴史資料との突合せが可能であり、欧米、中国、日本で新しい研究成果が生まれている。それに対応して、中国史、モンゴル帝国史についての概説書でも、歴史を変える要因の一つとして気候変動に言及することが増えている。一方、学際的な研究が必要な分野であり、急速に進展する古気候学の研究成果を歴史研究に反映する難しさもある。ここでは、モンゴル帝国史、元朝史と気候変動に関する近年の研究を紹介するとともに、いくつかの重要な論点を整理したい。

ル・ロワ・ラデュリの研究は、歴史学者が古気候学のデータを利用した古典的な研究であるが、近年『気候と人間の歴史』第一巻の邦訳が出版された(ル・ロワ・ラデュリ 二〇一九)。イギリスの経済史家ブルース・キャンベルの『大遷移』(Campbell 2016; キャンベル 二〇二二)は、古気候学データを駆使した近年注目の研究であり、一四世紀を中世温暖期から小氷期への移行期に位置づける。『パルグレイブ気候史ハンドブック』(White et al. 2018)は、気候史の様々な分野の研究者が執筆した共著であり、気候史の現状を知る上で便利である。古気候学者の中塚武がリーダーとなり日本史研究者との共同研究の成果として出版された『気候変動から読みなおす日本史』全六巻(中塚ほか 二〇二〇)は、同氏が中心となって進めている高解像度の酸素同位体比年輪年代法による古気候データを利用した、古気候学者と日本史研究者の共同研究の最新の研究成果である。第四巻が、モンゴル帝国・元朝期の日本を扱う。年輪データを歴史研究に用いた研究を一般向けに分かりやすく紹介したものとして、『年輪で読む世界史』(トロエ 二〇二二)がある。

モンゴル帝国気候史のデータ

モンゴル帝国関係の気候・災害に関する情報を記録した史料としては、漢籍史料が他の言語資料に比べて重要である。漢籍史料から気候・災害記録を抽出したものとして、『中国災害史年表』(佐藤 一九九三)、『中国三千年気象記録総集』(張 二〇〇四)があり、一二—一四世紀のモンゴル帝国・元朝期の気候・災害史研究にとっても役に立つ。

年輪幅による研究では、年輪を採取する樹木の立地条件により、気温による森林限界にある樹木の年輪幅からは夏季平均気温に関するデータ、乾燥による森林限界にある樹木の年輪幅からは夏季平均降水量に関するデータを得ることができる。年輪幅が気候のどの要素と相関関係があるかを確定するためには、近現代の気象観測データが必要であるので、その樹木が生育している場所の近くに気象観測基地があることも必要とされる。現在、一二—一四世紀までさかのぼることができるモンゴル高原、東アジアの年輪サンプルのデータとして、ロシア領アルタイのシベリアカラマツから採取した夏季平均気温に関するデータ(Büntgen et al. 2016a; Di Cosmo et al. 2017)、モンゴル高原北部フブスグル湖西方のオンドル・ズーン・ノローのシベリアカラマツから採取された夏季平均気温に関するデータ(Davi et al. 2015)、モンゴル高原中央部のハンガイ山脈西北のホルゴのシベリアカラマツから採取された夏季平均降水量に関するデータが知られている(Pederson et al. 2014)。年輪幅のデータは一年ごとのデータが取れるため歴史研究に利用しやすいが、精度が必ずしも高くない場合があるので注意が必要である。ブントゲンによるロシア領アルタイの夏季平均気温の復元は、西暦一〇四年までさかのぼる精度の高い研究として定評がある。これらの研究は古気候学の論文として発表されるとともに、アメリカ大気海洋局NOAAの古気候データサイトあるいは作成者のサイトなどからネット上で数値データをダウンロードできるので、それを用いてエクセルでグラフを作成することができる(Davi et al. 2016; Pederson 2014; Büntgen et al. 2016b)。漢籍史料と一年単位で突き合わせるためにはこの作業が必要となる。

個々の年輪幅データの精度が必ずしも高くないことをカバーするために、複数の年輪幅データを利用して広域の夏季平均気温を分析した研究として、東アジアの夏季平均気温の復元がある(Cook et al. 2013; 2015)。これは、東アジアの夏季平均気温について信頼性が高いデータであると言われている(中塚 二〇一六:九頁)。

一方、降水量の復元については、年輪幅による復元よりも精度が高く、近年急速に研究が進んでいるのが年輪中のセルロースの酸素同位体比を用いた「酸素同位体比年輪年代法」により夏季降水量の変動を明らかにする研究である(中塚 二〇二一)。中部日本の樹木、建築材、出土材の年輪サンプルから得られた酸素同位体比により夏季平均降水量の変動を明らかにした研究が、中塚武をリーダーとする近年の日本の研究者による大きな成果である(中塚ほか 二〇二〇、Nakatsuka et al. 2020)。中塚が協力して、台湾でも年輪サンプルから得られた酸素同位体比による夏季平均降水量の復元が行われており、これが一二世紀末までさかのぼる夏季降水量のデータである(Sun et al. 2021a; 2021b)。これらは、年輪幅データより精度が高い古気候データとして注目される。

今後、古気候学のデータの数が増え、精度が上がっていくと思われるが、どのデータを歴史研究に応用していくかは難しい問題である。中塚の解説は、弱点も含めて年輪データの特徴を歴史研究者に向けて解説しており役に立つ(中塚 二〇二二a)。個々のデータの性質を見極め、研究の発展の方向を把握することが必要になるであろう。

古気候データと歴史資料による気候・災害史研究

古気候データと歴史資料あるいは歴史上の事件とを突き合わせた分析が可能であり、諫早庸一が近年の動向を丁寧に紹介している(諫早 二〇二二)。それと重なるところがあるが、いくつか重要な研究を取り上げてみたい。まず、近年の注目された成果としてペダーソンの論文がある(Pederson et al. 2014)。ペダーソンは、前述のハンガイ山脈西北のホルゴから採取したシベリアカラマツの年輪幅データから夏季平均降水量の変動を明らかにした。それをもとに、一一八〇年代から始まる乾燥した気候がモンゴル高原における極度の政治的不安定を生じ、既存の体制の崩壊とチンギス・カン台頭の要因になったと推測した。さらに、ホルゴのデータは一二一一—一二二五年の一五年間が極めて湿潤な期間であったことを示しており、夏季平均気温に関するデータと組み合わせると、温暖・湿潤な一五年間であったことを明らかにした。それをもとに、この気候が遊牧生産力の増加をもたらし、帝国の拡大と征服活動の成功をもたらしたと考えた。前者については、第一節で述べたように、トオリル＝テムジン連合の軍事活動が活発化し、チンギス・カンが台頭したのは一一九五年以降のことである。ホルゴから採取した夏季平均降水量のデータを見てみると、一一八〇年代は乾燥であるが、一一九〇年代は湿潤化が起きている。したがって、乾燥化がチンギス・カンの台頭を招いたとするペダーソン説は説得力がない。後者については、確かに一二一一—一二二五年の湿潤期の存在は、夏季降水量の増加により草の成長がよく家畜の飼育にとって都合がよかった可能性がある。したがって、一二一一年から始まる金朝遠征、一二一九年に始まるホラズム・シャー国遠征の準備にとって条件がよかった可能性が高い。ただし、遠征の成功は、むしろ遠征先の気候、牧地の状況、農耕生産物の収穫状況に左右されたと考えられるので、モンゴル高原ハンガイ山脈の夏の降水量の情報を過大に評価することがないよう慎重に検討する必要がある。

古気候データの精度を検証する方法として、歴史資料中の災害情報と突き合わせることは、一つの確実な方法である。近年の成果としては、ブントゲン、ディ・コスモらの論文がある。モンゴル帝国以前にさかのぼるが、七世紀前半、東突厥帝国においてトルコ系諸部の反乱が生じ、唐軍との戦いに敗れて、六三〇年に唐に服属することになった際、六二九年までに連年の大雪で多くの家畜が死に大飢饉が発生したことが『旧唐書』巻一九四、突厥伝上に伝えられている。これに対応する古気候データとして、ロシア領アルタイ地方のシベリアカラマツから採取した年輪幅のデータが、六二七−六二八年に夏季平均気温の大きな低下があったことを示しており、その原因が六二六年の火山の噴火による気温の低下であることが解明されている(Fei et al. 2007; Büntgen et al. 2016a; Di Cosmo et al., 2017)。年輪のデータは夏の気温を反映しており、冬の気温の低下を示すものではないが、原因が火山の噴火であることが解明されているので、冬の災害が同じ時期に起きたことが推測される。このように、古気候データと歴史資料の災害記録の一致を発見することは、気候史の研究を進める一つの確実な方法である。

モンゴル帝国時代の事例を一つ紹介したい。ペダーソンがモンゴル高原ハンガイ山脈西北のホルゴから採取した年輪幅による夏季平均降水量のデータは、一二四八年に降水量の大きな低下があったことを示している。一方、これに対応する歴史資料として、『元史』巻二、定宗本紀が、モンゴル帝国第三代グユク・カアンの治世の最後の年に当たる定宗三年(一二四八)に大規模な旱魃が発生し、ほとんどの河が干上がり、草原で野火が発生し、馬と牛の八割から九割が死んだことを伝えている。

今後、モンゴル高原や中央ユーラシアの他の地点で夏季平均降水量のデータが得られれば、一二四八年の旱魃の規模が分かることが期待できるかもしれない。古気候データと歴史資料の限られたデータを有効に使うとともに、何が確かな事実であるか確定していくことが必要である。

中国の気候史研究

中国の気候史研究は、古気候学者と歴史学者の双方で行われているが、中国の古気候学者は文献から得られる気候データを重視するという特徴がある。東アジアで一〇〇〇年以上に及び長期の年輪データを得ることができるのは、モンゴルやチベットなど中国の辺境地域であり、開発が進んだ中国の黄河・長江の中流・下流域では、長期の年輪データを得ることが難しいため、中国の古気候学者は文献から得られる気候・災害に関する記述をもとに過去の気温や降水量を復元しようとする(葛 二〇一〇)。中国の歴史学者の成果としては、陳高華・張国旺『元代災荒史』(陳ほか 二〇二〇)、王培華『元代北方災荒与救済』(王 二〇一〇)などがあり、漢籍史料に見られる異常気象、災害の記録を整理して分析を進めており、災害に対する元朝の対応にも焦点を当てている。

近年、異常気象や災害に対する社会の「レジリエンス」(弾性)という概念が使われることが多くなっている。同じ異常気象に対してでも社会のレジリエンスが異なれば、社会が受けるダメージは異なってくる。気候変動とともに、レジリエンスという観点から遊牧社会と農耕社会、華北と江南、南宋と元の違いなどを比較検討することにより、気候変動が社会に与えたダメージの違いをより多角的に分析することができる可能性がある。

気候史研究の課題

近年の研究の進展により、太陽活動の極小期に日射量が減少し地球全体が寒冷化し小氷期になったという単純な図式は成り立たなくなってきている。太陽活動の変動が地球の気候に影響を与えるメカニズムはまだ十分に解明されていないが、太陽活動の極小期に地球全体が寒冷化したわけではなく、温暖化した地域もあったことが分かっている

（多田 二〇一七）。とくに一三—一四世紀は複雑であり、地球上に温暖化した地域と寒冷化した地域があったこと、一四世紀前半に東アジアで気温上昇に起因する降水量の増加が発生したことが指摘されている（PAGES 2k Consortium 2013: fig.2, 中塚 二〇二二b：図七）。気温以上に地域差が大きいといわれているのは降水量であり、現在ネット上で公開されているアトラス（Old World Drought Atlas, http://drought.memphis.edu/OWDA/Default.aspx）によって、ヨーロッパから地中海沿岸にかけての諸地域の降水量の歴史上の変動を知ることができる。例えば、一三一五—一七年はヨーロッパが大雨と不作により大飢饉が起きたことで知られているが、一三一五年と一七年のアナトリア半島は降水量の減少した年であったことが示されている。モンゴル帝国内においても、地域によって正反対の災害が起きていたことが十分考えられるので、地域差を考慮に入れた分析が必要である。

もうひとつ近年注目されているのは、歴史上の火山の大噴火が気候に与えた影響である。モンゴル帝国期では、一二五七年のインドネシアのサマラス火山の大噴火が与えた短期的・長期的影響について、古気候学の研究が進みつつある（Büntgen et al. 2022）。この大噴火がユーラシア大陸の各地の社会に与えた影響についての研究は、歴史学の今後の課題である（本巻渡邊論文参照）。

まとめ

筆者は、モンゴル帝国時代にグローバル化が進展したユーラシア大陸の状況を、モンゴルが生み出したという見方については懐疑的であり、むしろモンゴル帝国の出現そのものが、それ以前から始まっていたグローバル化の産物であり、グローバル化が進展するプロセスの一部であると考えている。アブー＝ルゴドは『ヨーロッパ覇権以前』の中で、世界システムが再構成されるのはイスラーム世界の「興隆」と東方への拡張後のことであり、その再構成・再組織化が一三世紀世界システムに結実したと述べている。その議論を借りるならば、一三世紀世界システムに結実する再組織化のプロセスにおいて、イスラーム文明の興隆とイスラーム教徒の活動地域の東方への拡大の後にモンゴル帝国の建国があり、よりグローバル化が進んだ状態、彼女のいう一三世紀世界システムが出現したということができる。アブー＝ルゴドの一三世紀世界システム論において「再組織化」は最後の補足の議論であるが、もう一歩議論を進めるならば、再組織化のプロセスにおいては、再組織化に積極的に参加して強大化する国家が発生しやすいということができるかもしれない（アブー＝ルゴド 二〇〇一：下巻一八五頁）。政治と経済が複雑に絡み合いながら進展する、歴史上のグローバル化の解明はまだこれからであり、歴史上の他の時代のグローバル化と比較研究することが求められる。一三世紀に進展したグローバル化は、一四世紀に発生した異常気象と災害の影響を受け、後退する方向に切り替わった可能性が高い。気候変動が与えた影響がどの程度であったかについては、古気候学との学際的な研究によって解明されることが期待されるが、従来の「小氷期」という言葉がもたらす単純なイメージよりも複雑な現象が起きていた可能性が高く、歴史学と古気候学のデータの精度を上げながら実証的な分析を進めることが求められる。

参考文献

秋田茂（二〇一九）「序章　グローバル化の世界史」同編『グローバル化の世界史』ミネルヴァ書房。

アブー＝ルゴド、ジャネット・L（二〇〇一）『ヨーロッパ覇権以前――もうひとつの世界システム』全二巻、岩波書店。

諫早庸一（二〇二二）「ユーラシアから考える〈一四世紀の危機〉」『史苑』八二―二。

磯貝健一・矢島洋一（二〇〇七）「ヒジュラ暦七四二年カラコルムのペルシア語碑文」『内陸アジア言語の研究』二二。

井谷鋼造（一九八八）「モンゴル軍のルーム侵攻について」『オリエント』三一―一。

宇野伸浩（一九八九）「オゴデイ・ハンとムスリム商人――オルドにおける交易と西アジア産の商品」『東洋学報』七〇―三・四。

宇野伸浩（一九九三）「チンギス・カン家の通婚関係の変遷」『東洋史研究』五二―三。

宇野伸浩(一九九九)「チンギス・カン家の通婚関係にみられる対称的婚姻縁組」『国立民族学博物館研究報告別冊』二〇。

宇野伸浩(二〇〇八)「フレグ家の通婚関係にみられる交換婚」『北東アジア研究』別冊一。

宇野伸浩(二〇〇九)「チンギス・カン前半生研究のための『元朝秘史』と『集史』の比較考察」『人間環境学研究』七。

宇野伸浩(二〇一二)「モンゴル帝国のカトン――帝国の政治を動かした女性たち」『修道法学』四四―一。

大塚修・赤坂恒明・高木小苗・水上勉・渡部良子(二〇一二)『カーシャーニー　オルジェイトゥ史――イランのモンゴル政権イル・ハン国の宮廷年代記』名古屋大学出版会。

岡田英弘(一九八一)「モンゴルの統一」護雅夫・神田信夫編『北アジア史(新版)』山川出版社。再録:岡田英弘『モンゴル帝国から大清帝国へ』藤原書店、二〇一〇年。

岡田英弘(一九八五)「元朝秘史の成立」『東洋学報』六六―一~四。

岡田英弘(一九八六)『チンギス・ハーン――将に将たるの戦略』集英社。再版:『チンギス・ハーン』朝日文庫、一九九三年。

岡田英弘(二〇〇一)『モンゴル帝国の興亡』(ちくま新書)、筑摩書房。

岡田英弘(二〇一六)『チンギス・ハーンとその子孫――もうひとつのモンゴル通史』ビジネス社。

小澤重男訳(一九九七)『元朝秘史』全二巻(岩波文庫)、岩波書店。

小野浩(二〇一〇)「ディルシャード・ハトンとそのファルマーン――一四世紀イランにおける女性の発令書」『女性歴史文化研究所紀要』一八。

加藤和秀(一九七八)「チャガタイ=ハン国の成立」日本オリエント学会編『足利惇氏博士喜寿記念オリエント学・インド学論集』。

川口琢司(二〇〇七)『ティムール帝国支配層の研究』北海道大学出版会。

川本正知(二〇一三)『モンゴル帝国の軍隊と戦争』山川出版社。

キャンベル、ブルース・M・S(二〇二一)「『大遷移――後期中世世界における気候・疫病・社会』より第一章」東京都立大学西洋中近世史ゼミ訳、『人文学報(歴史学・考古学)』四九。

坂本勉(一九七〇)「モンゴル帝国における必闍赤=bitikči――憲宗メングの時代までを中心として」『史学』四二―四。

佐藤武敏編(一九九三)『中国災害史年表』国書刊行会。

白石典之編(二〇一五)『チンギス・カンとその時代』勉誠出版。

白石典之(二〇一六)「斡里札河の戦いにおける金軍の経路」『内陸アジア史研究』三一。

白石典之(二〇一七)『モンゴル帝国誕生――チンギス・カンの都を掘る』講談社選書メチエ。

杉山正明(一九七八)「モンゴル帝国の原像――チンギス・カンの一族分封をめぐって」『東洋史研究』三七―一。

杉山正明(一九九二)『大モンゴルの世界――陸と海の巨大帝国』角川書店。

杉山正明(一九九六)『モンゴル帝国の興亡』全二巻、講談社。

杉山正明(二〇〇四)『モンゴル帝国と大元ウルス』京都大学学術出版会。

妹尾達彦(二〇二〇)「東アジアの複都制」同編『アフロ・ユーラシア大陸の都市と社会』中央大学出版部。

高木小苗(二〇一三)「二つの「ディーワーン」――イルハン国初期のイラン地域支配をめぐって」『多元文化』三。

高木小苗(二〇一四)「フレグのウルスと西征軍」『内陸アジア史研究』二九。

多田隆治(二〇一七)『気候変動を理学する』みすず書房。

トロエ、バレリー(二〇二二)『年輪で読む世界史――チンギス・ハーンの戦勝の秘密から失われた海賊の財宝、ローマ帝国の崩壊まで』築地書館。

中塚武(二〇一六)「高分解能古気候データを用いた新しい歴史学研究の可能性」『日本史研究』六四六。

中塚武(二〇二一)『酸素同位体比年輪年代法――先史・古代の暦年と天候を編む』同成社。

中塚武(二〇二二a)「書評一　樹木年輪古気候学の現状と課題――バレリー・トロエ『年輪で読む世界史』」『史苑』八二―二。

中塚武(二〇二二b)「温暖化が駆動する大気海洋相互作用――樹木とサンゴの年輪共同研究の重要性」『月刊海洋』六二―二。

中塚武ほか編(二〇二〇)『気候変動から読みなおす日本史』全六巻、臨川書店。

白玉冬(二〇一一)「一〇世紀から一一世紀における「九姓タタル国」」『東洋学報』九三―一。

本田実信(一九九一)『モンゴル時代史研究』東京大学出版会。

松田孝一(一九七八)「モンゴルの漢地統治制度――分地分民制度を中心として」『待兼山論叢　史学篇』一一。

松田孝一(二〇一五)「チンギス・カンの国づくり」前掲白石(二〇一五)。

間野英二・堀川徹編(二〇〇四)『中央アジアの歴史・社会・文化』放送大学教育振興会。

向正樹(二〇一九)「モンゴル帝国とユーラシア広域ネットワーク」秋田茂編『グローバル化の世界史』ミネルヴァ書房。

村岡倫（一九八八）「カイドゥと中央アジア――タラスのクリルタイをめぐって」『東洋史苑』三〇。

村岡倫（二〇一六）「元」冨谷至・森田憲司編『中国史』下巻、昭和堂。

護雅夫（一九七〇）「総説」同ほか『岩波講座　世界歴史9』岩波書店。

森安孝夫（二〇一一）「前近代中央ユーラシアのトルコ・モンゴル族とキリスト教」『帝京大学文化財研究所研究報告』一〇。

吉田順一（一九六八）「元朝秘史の歴史性――その年代記的側面の検討」『史観』七八。

吉田順一（二〇一九）『モンゴルの歴史と社会』風間書房。

四日市康博（二〇〇五）「ジャルグチ考――モンゴル帝国の重層的国家構造および分配システムとの関わりから」『史学雑誌』一一四―四。

ル・ロワ・ラデュリ、エマニュエル（二〇一九）『気候と人間の歴史――猛暑と氷河　一三世紀から一八世紀』第一巻、藤原書店。


陳高華・張国旺（二〇二〇）『元代災荒史』広東教育出版。

葛全勝（二〇一〇）『中国歴朝気候変化』科学出版社。

王培華（二〇一〇）『元代北方災荒与救済』北京師範大学出版社。

張徳二編（二〇〇四）『中国三千年気象記録総集』全四巻、鳳凰出版社・江浙教育出版社。

Allsen, Thomas T.（1987）, *Mongol Imperialism: The Policies of the Grand Qan Möngke in China, Russia, and the Islamic Lands, 1251–1259*, Berkeley: University of California Press.
Atwood, P. Christopher（2017）, "The Indictment of Ong Qa'an: The Earliest Reconstructable Mongolian Source on the Rise of Chinggis Khan,"『西域歴史語言研究集刊』9.
Biran, Michal（1997）, *Qaidu and the Rise of the Independent Mongol State in Central Asia*, Richmond, Surrey: Curzon.
Biran, Michal（2005）, *The Empire of the Qara Khitai in Eurasian History: Between China and the Islamic World*（Cambridge Studies in Islamic Civilization）, Cambridge: Cambridge University Press.
Biran, Michal et al.（eds.）（2020）, *Along the Silk Roads in Mongol Eurasia*, California: University of California Press.

Broadbridge, Anne F. (2018), *Women and the Making of the Mongol Empire*, Cambridge: Cambridge University Press.

Büntgen, U. et al. (2016a), "Cooling and societal change during the Late Antique Little Ice Age from 536 to around 660 AD", *Nature Geoscience*, 9(3).

Büntgen, U. et al. (2016b), Russian Altai and European Alps 2,000 Year Summer Temperature Reconstructions. (https://www.ncei.noaa.gov/pub/data/paleo/treering/reconstructions/asia/russia/altai2016temp.txt)

Büntgen, U. et al. (2022), "Global tree-ring response and inferred climate variation following the mid-thirteenth century Samalas eruption", *Climate Dynamics*, 59.

Campbell, Bruce M. S. (2016), *The Great Transition: Climate, Disease and Society in the Late-Medieval World*, Cambridge: Cambridge University Press.

Cook, E. R. et al. (2013), "Tree-ring reconstructed summer temperature anomalies for temperate East Asia since 800 C. E.", *Climate Dynamics*, 41.

Cook, E. R. et al. (2015), Asia 1200 Year Gridded Summer Temperature Reconstructions. (https://www.ncei.noaa.gov/access/paleo-search/study/19523)

Davi, N. K. et al. (2015), "A long-term context (931-2005 C. E.) for rapid warming over Central Asia", *Quaternary Science Reviews*, 121.

Davi, N. K. et al. (2016), Northern Mongolia 1000 Year Summer Temperature Reconstruction. (https://www.ncei.noaa.gov/pub/data/paleo/treering/reconstructions/mongolia/mongolia2015temp.txt)

De Nicola, Bruno (2017), *Women in Mongol Iran: The Khatuns, 1206-1335*, Edinburgh: Edinburgh University Press.

De Nicola, Bruno (2020), "Pādshāh Khatun: An Example of Architectural, Religious, and Literary Patronage in Ilkhanid Iran", in Michal Biran et al. 2020.

Di Cosmo, N., C. Oppenheimer, and U. Büntgen (2017), "Interplay of environmental and socio-political factors in the downfall of the Eastern Türk Empire in 630 CE", *Climatic Change*, 145.

Fei, J. et al. (2007), "Circa A. D. 626 volcanic eruption, climatic cooling, and the collapse of the Eastern Turkic Empire", *Climatic Change*, 81.

Jackson, Peter (1999), "From *Ulus* to Khanate: The Making of the Mongol States c. 1220-c. 1290", R. Amitai-Preiss and D. O. Morgan (eds.), *The Mongol Empire and Its Legacy*, Leiden: E. J. Brill.

Jackson, Peter (2009), "The Mongol age in Eastern Inner Asia", N. Di Cosmo et al. (eds.), *The Cambridge History of Inner Asia: The Chinggisid Age,* Cambridge: Cambridge University Press.

Jackson, Peter (2017), *The Mongols and Islamic World: From Conquest to Conversion*, New Haven: Yale University Press.

Kim, Hodong (2009), "The Unity of the Mongol Empire and Continental Exchange over Eurasia", *Journal of Central Eurasian Studies*, 1.

Kuroda, Akinobu (2017), "Why and How Did Silver Dominate across Eurasia Late-13th through Mid-14th Century? Historical Backgrounds of the Silver Bars Unearthed from Orheiul Vechi", *Tyragetia, Archaeology*, 11-1.

Kuroda, Akinobu (2020), *A Global History of Money*, London and New York: Routledge.

Matsui, Dai (2009), "Dumdadu Mongγol Ulus 'The Middle Mongolian Empire'", Volker Rybatzki et al. (eds.), *The Early Mongols: Language, Culture and History: Studies in Honor of Igor de Rachewiltz on the Occasion of his 80th Birthday*, Bloomington: Indiana University Press.

Miyawaki, Junko (1999), "The Legitimacy of Khanship Among the Oyirad (Kalmyk) Tribes in Relation to the Chinggisid Principle", R. Amitai-Preiss and D. O. Morgan (eds.), *The Mongol Empire and Its Legacy*, Leiden: Brill.

Nakatsuka, T. et al. (2020) Central Japan 2,600 Year Composite Tree-Ring Oxygen Isotope Data. (https://www.ncei.noaa.gov/pub/data/paleo/treering/isotope/asia/japan/japan2020d18o.txt)

Okada, Hidehiro (1972), "The Secret History of the Mongols, a pseudo-historical novel", 『アジア・アフリカ言語文化研究』 5.

PAGES 2k Consortium (2013), "Continental-scale temperature variability during the last two millennia", *Nature Geoscience*, 6.

Pederson, N. et al. (2014), "Pluvials, droughts, the Mongol Empire, and modern Mongolia", *Proceedings of the National Academy of Sciences of the United States of America*, 111-12.

Pederson, N. (2014), Mongol Empire scPDSI reconstruction. (https://broadleafpapers.wordpress.com/data/mongol-empire-scpdsi-reconstruction/)

Pfeiffer, Judith (2014), "'Not every head that wears a crown deserves to rule': Women in Il-Khanid political life and court culture", Rachel Ward (ed.), *Court and Craft: A Masterpiece from Northern Iraq*, London: The Courtauld Gallery.

Sun, C. et al. (2021a), "Tree rings reveal the impacts of the Northern Hemisphere temperature on precipitation reduction in the low latitudes of East Asia since 1259 CE", *Journal of Geophysical Research: Atmospheres*, 126-7.

Sun, C. et al. (2021b), Taiwan 748 Year March-August Precipitation Reconstruction. (https://www.ncei.noaa.gov/pub/data/paleo/treering/reconstructions/a

sia/taiwan2021precip.txt)
Uno, Nobuhiro (2009), "Exchange-Marriage in the Royal Families of Nomadic States", *The Early Mongols: Language, Culture and History*, Bloomington: Indiana University Press.
White, S., Ch. Pfister, and F. Mauelshagen (eds.) (2018), *The Palgrave Handbook of Climate History*, London: Palgrave Macmillan.

展望 | *Perspective*

ユーラシア・海域世界の東西交流におけるモンゴル・インパクト

四日市康博

はじめに

本稿では、展望の続きとして、主にモンゴル帝国と外部世界との接触・交流、そして、それによるユーラシア規模での影響について論じる。まず、モンゴル帝国の成立によって交流と棲み分けが促進された遊牧世界・定住世界の構造転換とそれが移動・交流に与えた影響について、次にモンゴル帝国の覇権に伴うユーラシア各地域への政治・経済・文化的インパクトについて、各地域でのレスポンスも視野に入れながら概観する。

ユーラシア全体の歴史を俯瞰した際に、モンゴル帝国の成立とその覇権、その後の分裂と繰り返される再編成と再分裂という現象を無視することはできない。モンゴル高原におけるモンゴルの統一と東西の定住地域への拡大から元朝によって中国江南の沿海地域の領有が達せられるまでの一三世紀はユーラシアにおけるひとつの時代画期となっており、また、一三世紀から一四世紀にかけてのユーラシア大陸・インド洋海域世界の人・モノ・文化の環流構造においてモンゴル帝国＝元朝のユーラシア支配は移動と交流を刺激する重要な要因のひとつとなっている。続く一五世紀、遊牧文化に根ざした中央ユーラシアでは、なおモンゴル帝国の継承政権が影響力を持ち続けるが、東西ユーラシアで大きな人口を擁する都市文化圏であった中国とイランではモンゴル帝国の直接支配は終焉を迎え、新たな「帝国」が形成されていった。ここで注目すべきは、モンゴル帝国の覇権によって各地域に及んだ様々なインパクトである。ここに言う「モンゴル・インパクト」とは、必ずしも軍事面・政治面における短期的なインパクトだけを指すわけではなく、経済面・文化面における長期的なインパクトも包含される。そしてまた、それは必ずしもモンゴル自身の政治的・経済的・文化的要素そのものが与えるインパクトだけを意味するわけではない。モンゴルの統治下にある多種多様な民族・宗教が以前よりも活発に移動と交流を繰り返した結果、当該の時代性を形成する様相のひとつとして他地域や他文化圏に大きな影響を与えた事例が数多く見られる。それらの政治・経済・文化的コンテンツは必ずしもモンゴル自身のものではなかったにもかかわらず、モンゴルの覇権という状況があったからこそ、かくも活発な移動と交流が起こったことも事実である。本稿では、それら移動と交流の構造とその様相の推移を概観することにしたい。そして、これら移動と交流の結果、形成されたモンゴル帝国覇権下の時代性がどのようなものであったのか、それが続く時代にどのように継承され、変容していったのか、各議論を踏まえた上で考えてみることにしたい。

一、モンゴル帝国の成立・分裂と人の移動

帝国の成立による遊牧世界・定住世界の複合

一三世紀初頭にテムジンがチンギス・カンとして即位してモンゴル帝国が成立したが、既に宇野が展望で示したように、それは単なる遊牧帝国ではなく、定住世界と遊牧世界を共に包括した遊牧・定住複合帝国であった（本巻宇野論文）。モンゴル帝国の拡大と共にユーラシアの東西、中国方面とイラン方面へはモンゴルの各王家が有する重臣（ノヤン／アミール）と兵団が派遣され、彼らは所属する王家と共に各地域に根ざすことになる。加えてユーラシア規模の帝

国覇権の不可欠要因となったのが各地域で任用した宰相・文官層の存在である。帝国成立当初に国を支える官制として採用されたのは、それまでのモンゴル部が有したベキやチェルビと呼ばれた遊牧的な部族官・家政官に代わって、既に歴史上複合帝国を形成した歴史を持つトルコ諸民族由来の官制であるジャルグチ(軍政官)・ビチクチ(文官)などの職官であった。さらには帝国の拡大にともない、イスラーム的官制や中国的官制の影響も受けて、国政機関が形成されていった。これらは単に制度のみならず、各地域の民族、すなわち、モンゴル、トルコ系民族、イスラーム教徒、漢人、さらにはそれ以外の民族・信徒などがモンゴル帝国の統治体制に参画していたことを意味する(現代と違って当時は民族と宗教の境界が曖昧であった)。特に、官僚家系や大商人・聖職者は文書作成技術や多言語通話能力を有していたことから政権を担う官僚層として採用され、帝国の拡大と共に彼らの家系もユーラシアの東部や西部の各地で地域社会に融合してモンゴル政権の一翼を担った。

直接モンゴル帝国に仕官しなかった商人層や聖職者層も既に政権に入り込んでいた関係者を通じて帝国と紐帯を形成し、モンゴル帝国と外部世界の仲介役となることで優遇を受けた。典型的な事例として、オルトクと呼ばれる特権商人の存在がある。トルコ語で「親友、パートナー」を意味するオルトクはもともと遊牧部族を訪れる商人が資本や優遇特権を与えられる代わりに遊牧民の必要とする物資や情報をもたらすという相互協力契約であり、イブン・ファドラーンが記録するイスラーム商人とヴォルガ・ブルガール地方のグズ族の相互依存関係にその原型を見ることができる。モンゴル帝国下では、カアンやカトン(皇妃)の元に財貨をもたらす特権商人が「オルトク」と呼ばれたが(森安一九九七)、後にオゴデイ・カアン時代から元朝にかけて国家の管理制度に組み込まれ、国家の在庫に利益や物資をもたらす公的な特権商人として活動した(村上 一九四二、愛宕 一九七三、四日市 二〇〇二)。一方で各王家やその分家に属する私的オルトクも存在し続けた。本来、ユーラシアの遊牧民は自身では貿易活動をおこなわないため、収益活動を代行する商人が重用・優遇されたのである。これらは、定住化したトルコ系諸民族(特にウイグル)やモンゴル帝国出現以前からユーラシア・インド洋海域規模で広く活動していたイスラーム商人が多く担っていたが、中には漢人やキリスト教徒の商人も存在していた。

モンゴル帝国の帝位をめぐってモンゴル高原を拠点とするアリク・ブケと中国方面を新たな拠点とするクビライの間に内戦が起きた結果、元朝(大元ウルス)が成立して帝国の重心が極めて東側に偏った。同時に、最も経済的に収入が見込まれる中国とイランの都市圏をトルイ家が占有したこともあって、チンギス直系の四王家の間に内紛が起きた。トルイ家は帝権を維持したものの、結果として大元ウルスを名目上の宗主国とする四つのウルスが分立した(本巻宇野論文)。帝国の分立は東西ユーラシアの交通を不安定化させたが、その反面、東西を結ぶ海上交通路はむしろ活性化した。マルコ・ポーロも参加した使節団が内戦のため陸路に代わって海路からイランに向かったのもその一例である。内陸部の交通路も四王家の複雑な関係を反映して東西南北をキャラバンが往来した。中国からイランまでジャムチと呼ばれる駅伝システムが整備され、モンゴルの使臣のみならず、条件によっては商人や旅人でも利用が可能であり、モンゴル帝国が各ハン国に分立した後も、一四世紀前半フィレンツェの商人ペゴロッティが伝えるように、戦闘で交通路が断絶されない限りは昼夜を問わず安全に通行することが可能であった。これらの状況は研究者により「モンゴルの平和」(Pax Mongolica)と呼ばれる。

ユーラシア世界と海域世界の環流構造

海域世界の往来はモンスーン(季節風)を利用した船によっておこなわれていた。東・南シナ海海域からはジャンク、インド洋海域世界側からはダウと呼ばれる外洋船が航行した(本巻木村コラム)。中国においては冬が交易船の出航、夏が帰航のシーズンであり、イスラーム地域では逆に夏が出港、冬が帰航のシーズンであった。内陸路が正常に機能している時には、陸上キャラバンは交易船の往来に連動していた(家島 二〇二一)。一三―一四世紀前半にはダウ船も多数中国に往来しており、ジャンク船の航行域もインド西岸まで達していたが、一四世紀後半以降は中国のジャンク船が直接ペルシャ湾・紅海まで達するようになる。

モンゴル帝国＝元朝の支配期にインド洋貿易で先導的であったのがペルシャ湾北岸のキーシュ王国(カイス)とホルムズ王国であった。どちらの王家も一〇世紀代にインド洋貿易の主導権を握っていたシーラーフのナーホダー(船長兼商人頭)の子孫であり、シーラーフが衰退した後は主導権をめぐって対立を繰り返していたが、いずれもインドと中国に商業拠点を持ち、東方との交易を半ば独占していた(同上)。実際に、キーシュ島とホルムズ旧王都周辺遺跡群の特定の遺跡では元代の陶磁器だけが大量に出土し、また、ペルシャ湾からイラン・イラクの内陸部へと続くキャラバン・ルート上の都市遺跡でも元代の陶磁器の出土が目立つ(Yokkaichi 2008; 本巻森論文)。すなわち、元代に相当する一三－一四世紀にはその前の時代に較べてより大量の貿易品がペルシャ湾～イラン地域にもたらされており、これはキーシュ王国、ホルムズ王国がインド洋貿易の主導権を握っていたことと無関係ではない。

また、ユーラシア・インド洋海域世界においては宗教的要因が人々の移動と交流を推進した。イスラームのスーフィー教団の修道院や聖者廟、墓などはイスラーム商人たちから航海守護信仰の対象とされ、多大な寄進がおこなわれると共に海外交易にスーフィー教団が参画する契機となった。例えば、カーゼルーンのアブー・イスハークに対する守護聖者信仰や水の守護聖者ヒズルに対する信仰はインド洋海域世界を往来する海上商人に受容され、航海の結節点となる寄港地にはヒズル廟や教団の修道院が設置された。同様の構造はイスラームばかりでなく、仏教やキリスト教など他の宗教でも見られる(仏教に関しては本巻中村論文)。博多や京都、鎌倉における中国商人と禅寺の結びつきもその一例である(本巻関論文)。

ペルシャ湾のキーシュ、ホルムズ、南インド・マァバル地方のスーリーヤーン、さらには南中国の慶元(明州、寧波)、泉州、広州などの交易拠点においては、商人と教団だけでなく、さらに政治権力を交えた政・教・民の複合構造が見られた。港市には既存・新興の有力家系が勢力を持っていたが、彼らが政権・教団に人材を輩出することによって政・教・民の紐帯が強まった。特にモンゴル帝国やその継承政権下ではモンゴルのみならず、トルコ系・ムスリム・漢人など非モンゴルの諸民族・諸宗教の民が政権内部に取り込まれたことから(本巻松井論文、飯山論文)、血縁・地縁・宗教などを紐帯とする重層的な広域社会が重なり合った。これをディアスポラとか人的ネットワークなどと呼ぶことがあるが(本巻向論文)、実際には様々な要素により複雑に結合した人の繋がり(社会)がモンゴル帝国をはじめ各地の政権の庇護を利用して広域化・活性化したものであった。

一方で、アラブ世界(アラビア語文化圏)であった紅海~エジプト以西にかけては、それ以前にインド洋から地中海まで交易活動をおこなっていたユダヤ商人の記録が一三・一四世紀にはゲニザ文書上に見られなくなり、アラビア語史料上にカーリミーヤと呼ばれるカーリミー商人が頻出するようになる。彼らはエジプトのカイロ(フスタート)やイエメン・ラスール朝下のアデンなどを拠点としてインドと交易活動をおこなっていたが、エジプトのマムルーク政権やラスール朝とも関係が深く、通商のみならず情報や資金の提供もおこなっていた(家島 二〇二一)。ペルシア語史料側のオルトク商人(ウールターク)はアラビア語史料には一切見えず、カーリミー商人の名もペルシア語史料には一切見えないが、これは史料上の言語間ギャップであり、実際にはオルトク商人とカーリミー商人の間に重複があった可能性もある。同様に、当時の二大交易ルートであったペルシャ湾~バグダード・ルートと紅海~エジプト・ルートは全く別個に機能していたわけではなく、イラン~イラク~ヒジャーズ・ルートを通じて密接に連携しており、ペルシャ湾ルートから紅海ルートに主軸が移った(バグダードからカイロに中心が移った)という従来の説(Lewis 1949-50)は見直されなければならない。

二、モンゴル帝国覇権のインパクト

モンゴルのインパクトとは何か

モンゴル帝国の覇権に伴い、「モンゴルの平和」と呼ばれる東西交通の安定が一四世紀半ばまで続いたが、それはあくまでも一面的な様相であり、これよりこの時期のユーラシアの状況がすべて説明できるわけではない。モンゴル帝国の出現と拡大によって滅亡に追い込まれた国々や地域もあれば、新たな文化や民族の流入により社会全般にわたって大きな影響を受けた地域も少なくなかった。ここでは、これらモンゴル帝国の出現と拡大によってユーラシアに及んだ様々な影響を包括的に「モンゴル・インパクト」と呼ぶことにしたい。

モンゴルのインパクトとして、まず思い起こされるのはユーラシア各地に波及したモンゴル拡大戦争、いわゆる「モンゴル襲来」であろう。侵攻は唐突におこなわれたわけではなく、外交を重ねた上で、時には通商関係を伴いつつ、政治的な国交関係・君臣関係が形成された。それは中国的な表現では「冊封」とも言えるもので、あくまでも国内の君臣関係の延長線上であったが、モンゴル帝国からの直接的・実効的な要求は反発を招き、往々にして反乱や戦争に発展した。そのような政治的・軍事的な短期のインパクトも「モンゴル・インパクト」の一面であったが、より長期的・間接的な経済・文化上のインパクトも「モンゴル・インパクト」の一面であったと言える。ユーラシア全体で見た場合や時代史的に見た場合、より大きな影響を与えたのはむしろ後者であったのかもしれない。

日本を例にとれば、一三世紀の後半に二度にわたるモンゴルの侵攻を受けたが、モンゴルからのインパクトは軍事的侵攻のみにとどまらなかった。その直後、日本と元朝は正式な国交を持たなかったにもかかわらず、交易船と仏僧の往来は最大規模の隆盛を迎える。かかる状況は日本の研究者によって「渡来僧の世紀」と形容される（村井 一九九

二、榎本 二〇〇七)。日本と中国の関係は平安末期~鎌倉初期、すなわち宋代から盛んになってゆき、「唐物」と呼ばれる文物や銅銭・仏典の輸入など日本の政治・経済・文化に大きなインパクトを与えたが、日元交流を抜きにして語ることはできない(本巻関論文)。それらはモンゴル自身の遊牧文化ではないが、モンゴルの支配により中国に成立した元朝下の社会で形成された文化の一部であることは否定できない。

同様の事例はユーラシアの他の地域でも見られる。特に、東西ユーラシアの人口集中地域であって古くから独自の文化を形成してきた中国とイランでは、モンゴルの直接支配によるインパクトは巨大なものであった。これは単に中国やイランがモンゴル遊牧文化の強い影響を受けたことだけを意味するわけではない。逆に中国やイラン・イスラームの文化がモンゴルを介して各地に与えた影響も巨大なものであり、モンゴル覇権下の各地域には東と西の定住世界の文化が相互に伝播することになった。モンゴルの覇権と相まって、ユーラシア全体にこの時代特有の共通文化の影響が及んだのである。

政治・軍事面から見たモンゴル・インパクト

モンゴル帝国の軍事的インパクトによってユーラシアの勢力地図は大きく塗り替えられた。広大なモンゴル帝国は全てがチンギス裔の直轄地であったわけではなく、一部の地域では監督官(ダルガチ)のもと従来の支配者による統治が認められ、また、別の地域では国家領(位下/ダライ)や王家領(投下/インジュー)が設定され、統治府(行省/ディーワーン)や王府が置かれつつも従来の支配者も統治に参加した。モンゴルの支配に抗った君主たちは処分されたが、恭順した支配者たちには引き続き統治を任された者もいた。その子弟はモンゴルの宿衛家政機関ケシクへの入衛を求められたが、ケシクは一方でエリート養成機関の役割を果たし、モンゴル帝国の中枢と人的紐帯を有した形で支配地域の統治を任されることが約束された。また、遺臣たちや都市民たちは新たな支配者の下で能力に応じて役職に任じられた。モンゴルの宮廷や政権は様々な民族や宗教が共存しつつ、それぞれが代表する社会集団の利権を獲得しようとする競合の場となっていた(四日市 二〇〇六b)。

モンゴルのインパクトをうまく利用する形で政権確立や交代がおこなわれた事例も少なくない。例えば、アイン・ジャールートの戦いでモンゴル軍を撥ね除け、シリアを再征服したエジプトのマムルーク政権では、この戦いで活躍したバイバルスが政権を奪うことに成功したが、その背景にはモンゴルを撃退した英雄としての評価を得たことがあったと言われている(Amitai-Preiss 1995)。また、クーデタによりクルタナガラ王が殺害されて混乱状態にあったジャワのシンガサリ王朝では、王の女婿ラデン・ヴィジャヤがモンゴル遠征軍をうまく利用して反乱軍を平定し、さらには元朝軍を追放してマジャパヒト王朝を創建している(青山 二〇〇一、王 二〇〇六)。高麗においても、元朝に協力した高麗王家が、事実上の統治権力を握っていた武臣の崔氏政権とその軍組織である三別抄の排除に成功している。チベットにおいては侵攻してきたモンゴル軍を率いていた皇子コデンに対してサキャ・パンディタは逆に教化をおこなうことに成功し、後には帝師となったサキャ派の高僧とモンゴルのカアンが帰依処と施主の関係を結ぶことになる(中村 一九九七)。サキャ派がチベット統治の権力を持つことができたのは、モンゴルの勢力を背景に他の宗派より優位に立つことができたからに他ならない。

経済面におけるモンゴル・インパクト

一三—一四世紀のユーラシアにおいてその異なる地域間における相互影響を考える際に、従来はそれぞれ象徴化された単純なイメージに基づいてその構造が語られることが少なくなかった。例えば、モンゴルの外部からのインパクトを考える際に、軍事的インパクトはモンゴルによるもの、経済的インパクトは中国によるものというような単純化された関係が強調されがちであった。しかし、モンゴル帝国=元朝が派遣した遠征軍ではモンゴルの将兵のみならず、漢人やムスリムの将兵も多数の割合を占めていたし、漢人と呼ばれたカテゴリーの中にも場合によって多種多様な民族が含まれた。貿易関係も同様である。確かに元朝は中国、特に旧南宋支配領域であった南中国の経済力を取り込むことによって国力を強めたが、その貿易構造は単純に南宋のそれをそのまま継承したわけではない。いわゆる「色目人」と呼ばれる多様な民族・宗教の家系は大都市や港湾都市を中心に中国地方社会に定着し、その結果、中国在住と外来の「色目人」の人的コネクションが連結し、人・モノ・文化の移動と交流が促進されることとなった(Chaffee 2006; 本巻向論文)。このように見た場合、元朝下の経済構造は中国だけを要因とするものと言うことはできず、モンゴルの支配下で多様な民族・宗教の社会が交錯した結果、形成されたものと言えるだろう。以下、経済面から見た長期的モンゴル・インパクトについていくつか特徴的な様相を挙げて、その背景について考えてみることにしたい。

後述するように、初期モンゴル帝国では銀が高額貨幣として使用され、帝国の拡大と共にユーラシア全体に流通した。また、中国の支配に伴い、銅銭経済や専売制と銀経済が融合し、紙幣制が導入されたことによって、ユーラシアの経済史は新たな段階を迎えることになった。

銅銭はその重さから高額の取引や長距離の輸送に適していないため財政的な負担が大きくなり、宋代から銅銭に代わる紙幣である会子が発行されるようになったが、元代には交鈔と呼ばれる紙幣が発行され、銅銭と共に民間に通行するようになる。古来、中国銅銭は日本、高麗、大越など漢字文化が定着している国々で貨幣として受容されていたが、元代も同様の傾向が見られる。元代の貨幣鋳造量は宋代には及ばなかったが、それは中国の歴代王朝の貨幣が王朝の違いに関係無く使用されていたからであり、大量の宋銭が流通していたため新たに大量の鋳造をおこなう必要が無かったのである。元代には紙幣が発行されたため銅銭を使用する必要が無くなり、それが日本をはじめ海外へ流出したという説があるが、それは正確ではない。確かに至元一九年(一二八二)、紙幣の導入にあたって銅銭を廃止して海外の交易品と交換するという政策が施行されたことがある(『元史』食貨志、市舶)。またそれに先だって至元一四年

(一二七七)には日本商人に対して銅銭の持ち帰りが許可されている(『元史』日本伝)。しかし、銅銭の持ち帰りの許可はその時に限ったものであり、銅銭の廃止と海外への積極流出の政策が打ち出された至元一九年には既に日本と元朝は交戦状態に入っていた。しかも、その政策はその後すぐに方針転換され、至元二三年には銅銭の海外輸出は禁止されている(『元史』世祖本紀)。このように考えると、元朝から日本への積極的な銅銭輸出はほぼ無かったと思われる。博多に向かっていた新安沈船には大量の銅銭が積載されていたが、それはこの時の政策とは別の文脈の話である。実際、紙幣を導入して銅銭を回収しようとしても銅銭の需要が無くなることはなく、一定の地域で一定量の銅銭が使用され続けた。宋元代の財政では塩や茶など「権貨」「権課」と呼ばれる専売品・専売税から成る専売制が財政上重要な役割を果たしていたが、銅もまた国家によって流通が管理されており、当然ながら銅銭も簡単に海外に大量流出させてよいものではなかった。もっとも新安沈船の事例からもわかるように、銅銭の海外流出が完全に無くなることもなかった。一般的に民間交易(市舶)での銅銭輸出は禁止されていたが、政府や宮廷が特別に許可した場合はその限りではなかったようである。中国の銅銭は海路でイスラーム世界にもたらされ、イランやエジプトでも出土例が見られる。イスラーム世界やインド洋貿易では補助貨幣としてファルス銅貨が使用されており、中国からもたらされた銅銭は地金として銅銭や銅器の鋳造に利用された。

交鈔は元朝国内でしか通用しなかったため、代価や賜与として交鈔を受け取った商人は元朝国内の市場で一度物品に買い換えてから持ち出す必要があった。そのため、元朝の交鈔は国外の地域ではほとんど見られない。イル・ハン朝下のイランではガイハトゥ・ハンの時代に元朝に倣って紙幣が発行されたが、一般社会には普及しなかった(『集史』『ワッサーフ史』)。この時期、バラートと呼ばれる支払い手形が商人と支配者の間で使用されていたが、それを民衆の間に流通させ、納税など財政システムと連動させるには時期尚早であった。元朝では各種専売税による貨幣の回収システムが確立されており、莫大な徴税がそのまま貨幣の信用創造をおこなう役割を果たしていたが、イル・ハン朝ではそのような背景が無かったのである。とはいえ、この時期に元朝で使用された紙幣は様々なインパクトをユーラシア世界に与えた。イランでは、紙幣こそ流通しなかったが、支配者が発行したバラートは時に徴税請負に利用された。商人が徴税相当額を支払ってその分のバラートを受け取り、相当額以上の徴税を代行したのである。支配者側は多額の現金を得られるとあってバラートを濫発しがちであった(本巻渡部論文)。このような悪弊は民衆を疲弊させ、社会に混乱をもたらしたため、ガザン・ハンはその禁令を発布している。バラートはそれ以前にも存在はしていたが、社会問題となるほど盛んに使用されたのはモンゴル時代以降である。また、チャガタイ・ハン朝とジョチ・ハン朝でもバラートが発行されていたと見られる。バラート制盛行の背景には、オルトクの制度に象徴される商人と遊牧領主の庇護関係と中国における手形の発達の融合があると考えられる。その弊害は中国でも見られた。モンゴル帝国初期の北中国では、「斡脱」、すなわちオルトクによる徴税請負や高利貸しが社会問題化しているし(村上 一九四二、宇野 一九八九)、世祖クビライの時代にもムスリム財務官僚が徴税の請負をおこなって苛斂誅求をおこない、民衆の怨嗟を買っている(『元史』世祖本紀)。このような社会問題が同時期の東西ユーラシア都市圏で見られるのも、モンゴル時代ならではのことであろう。

東西を行き交うモノとその影響

イエメンで発見されたラスール朝の写本『知識の光』(*Nur al-Ma'rif*)には、紅海の要衝アデン港の関税品目リストが掲載されているが、そこには銀のほかにも陶磁器、絹織物をはじめとする織物類、香薬類、紙、ガラス玉などが中国産商品として挙げられている。この時期に中国ジャンク船の航行西限はインド西海岸であったことから、これらの商品は最終的にはイスラーム商人の手でイスラーム世界にもたらされたと考えられる。とりわけ、キーシュ商人はインドを経由して中国方面からの貿易品を半ば独占的に扱っていたと伝えられ(四日市 二〇〇六a)、前述のような中国産品はキーシュをはじめとするペルシャ湾商人の手でイスラーム世界にもたらされていたと見られる。かかるイスラーム世界と中国の緊密な通商関係はモンゴル帝国や元朝の政権に多くのムスリムが参加していたことと無関係ではない。元代はイスラーム世界との紐帯が強まり、相当量の貿易品が東西を行き交った。これは陶磁器の流通量から見ても明らかである(本巻森論文)。なお、東南アジア史側の研究では、宋代の海上貿易が最盛期で、続く元代は衰退期であると結論づける研究も存在するが(Wade 2009; Heng 2009)、依拠する史料の時代による記録質量の変遷が考慮されておらず、同意はできない。精選された上で編纂された『元史』と精選される前の豊富な記録が残されている『宋会要』『明実録』を同列に比較したのでは、元代の貿易関連記録だけが少なく見積もられてしまうのは当然であり、時代の異なる史料の比較は、史料の性格を考慮した上でなければ意味を持たない。

中国の主要輸出産品であったとされる絹・茶・陶磁器のうち、茶はこの時代の貿易において後代ほど大きな流通量はなかったが、イル・ハン朝の宰相であったラシード・アッディーン・ファドゥルッラー・ハマダーニーはその著書『事績と生命』(*Āthār wa Aḥyā*)のなかで中国茶を取り上げて説明している。そこでは中国では茶は国家の専売品であって自由に売買はできないこと、茶の品質ごとに等級が付され、政府公認印としてタムガ(印章)が押されて厳格に管理されていたことなどが語られている。ラシード・アッディーンは茶を商人に中国から将来させて茶の栽培を試みたが、イランの一般民衆に茶を飲む習慣が広まるには至らず、大量に茶が流通・生産されるようになるのはまだ後の話である。

絹織物はイスラーム世界でもアッバース朝期頃から生産されるようになったが、中国の絹織物はなお高品質の織物として輸入され続けていた。中国の絹と紙の品質についてはラシード・アッディーンも特筆しており、共に中国からの輸入品として珍重されていた。特にこの時代は、モンゴルの宮廷で着用された「ナシジ」(「ジスン」)と呼ばれる金襴緞子織の衣服がユーラシアの西方にも流通し、高額商品として取引された。ナシジはイランでも製作されたが、他のイスラーム地域の織物と共にタブリーズ、バグダード、ミスル(エジプト)などの都市を経由して地中海・ヨーロッパ世界にももたらされた(Allsen 1997)。

三、文化交流上のモンゴル・インパクト

モノにみる技術・文化の交流

モンゴル帝国およびその継承政権との経済的な交流は——時には政治的な交流においても——技術・文化の伝播を伴うことがあった。例えば前述のナシジに関しては、一三世紀末のアラビア語史料『知識の光』に、アデン港の輸入品として北中国産のナシジ織が挙げられている。これは世祖クビライがサマルカンドから織物職人を移住させて製作させたという蕁麻林(シーマーリーン)産のナシジ織や都の大都で織られたハーンバリキーヤと呼ばれる織物を指したものであろう。モンゴル帝国の下で中国とサマルカンドという東西ユーラシアの技術が融合した結果として、それがイスラーム世界と地中海・ヨーロッパ世界にもたらされたのである。

一四世紀以後のイランの写本を見ると、宮廷の人々の衣服に龍鳳紋や鳥獣紋を持った金糸織りを見ることができる。これらは明らかにモンゴル帝国の影響を受けている。また、地中海・ヨーロッパ世界では一四世紀から一五世紀半ばにかけてアジア的な龍鳳紋・鳥獣紋の織物が製作された(Hollberg 2018)。それらの紋様はヨーロッパ各地の博物館・美術館に所蔵されている織物のみならず、一四世紀前半から一五世紀にかけてのフィレンツェ派・シエナ派の宗教画、特に聖母子像や大天使像、聖者像にも見られる(ウフィッツィ美術館、フィレンツェ・アカデミア美術館など)。当時実在した織物を描写したものと考えられる。モンゴル帝国の覇権以前、イスラームやヨーロッパにおいて龍は悪の象徴であったが、モンゴル帝国の登場前後から中国的な龍や鳳凰が西方に伝わり、中国的な龍鳳紋、鳥獣紋の金糸織が高貴なる

象徴とされるようになるのである。

同様の東西文化の融合は陶磁器においても見受けられる。中国陶磁は当時随一の国際貿易港であった泉州港から西方に向けて輸出されたが、イスラーム世界側の史料ではザイトゥーニー(泉州手)と呼ばれる一群の中国陶磁が存在する(『知識の光』)。ザイトゥーンはイスラーム世界側での泉州の呼び名であるが、アラビア語のザイトゥーンが意味するオリーブの木が泉州には見当たらなかったことをイブン・バットゥータは報告している。従来、ザイトゥーニーは泉州積出の陶磁器を意味すると解釈されてきたが、もともと「泉州」ではなく、「オリーブ色(の物)」、すなわち、龍泉窯青磁を指していた可能性もある。そうであれば、泉州をザイトゥーンと呼んだのは、むしろ、そこが青磁を積み出す「青磁の町」と認識されたことに因むのかもしれない。元代に大量に流出した龍泉窯青磁はイスラーム陶器にも大きな影響を与え、また、イスラーム陶器も中国陶磁に大きな影響を与えた。例えば、上述の龍泉窯青磁がイスラーム陶器に与えた大きなインパクト、また、青花磁器の誕生におけるモンゴルの支配の下に東西ユーラシアの文化・技術が融合したことなど(本巻森論文)は、モンゴル・インパクトの産物であったと言うことができる。

文書と文章表現にみる東西ユーラシアの共通性

モンゴルのインパクトは、物質文化のみならず精神文化にも及んでいた。先述の陶磁器においても各地域の嗜好性が紋様表現や器形などに反映され、それがモノそのものの流通量にも影響を及ぼすというように、両者は密接に関係していた。ここでは、同時代の東西ユーラシアの公文書に見られる文章表現と文書そのものの様式について取り上げてみたい。この時代の中国とイラン、中央アジア、ロシア草原ではそれぞれ使用された主要言語が異なるにもかかわらず、公文書上で共通する様式や表現が見られる(小野 一九九三、松川 一九九五)。

冒頭の定型句には発令者名と命令文書の様式が宣言されるが、例えば、モンゴル君主の場合は「モンケ・テングリ・イン・クチュン・ドゥル(不滅なる天の力において)、イェケ・スー・ジャリ・イン・イエーエン・ドゥル(大いなる力の威光の加護において)、カーン・ジャルリク・マヌ(カアンなる朕の仰せ)」、「ガザン・ウゲ・マヌ」(ガザンなる朕の言葉)というようにモンゴル語で権威を裏付ける枕詞(天の力)およびその命令文言の型(この場合は「ジャルリク」(勅命)と「ウゲ」(言葉／命令))が宣言されるが、冒頭句・本文・結句共にモンゴル語で記述されている。これらは場合によっては漢語やペルシア語などに副本として翻訳される場合もある。また、イル・ハン朝のモンゴル・トルコの重臣や宰相の場合は「タワッカルト・アラー・アッラーヒ(至高なる神に拠りて)、オルジェイトゥ・スルターン・ヤルリギンディン(オルジェイトゥ・スルターンの勅令によって)、クトゥルグ・シャー・スーズィー(クトゥルグ・シャーなる彼の言葉)」というようにアラビア語とトルコ語で権威の背景(神とオルジェイトゥ・スルターンの勅令)と命令の型(「スズ」(言葉／命令))が宣言されるが、本文はペルシア語で記述され、結句はアラビア語である。上級のモンゴル重臣の場合はすべてがモンゴル語で記述される事例もある。元朝の官府の場合は、これが全て漢語で記述され、官吏が公文書で使用する表現も入り込んでくるが、基本的な構造は一緒である。例えば、「皇帝聖旨裏(皇帝の聖旨《ジャルリク》に裏《お》いて)、亦集乃路総管府承奉甘粛等処行中書省劄付(亦集乃《エチナ》路総管府が承奉した甘粛等処行中書省の劄付(にいう……))」というように記述される。

本文の文言および構造にも共通性があり、「以前、……」という文言で過去に起きた問題の説明がなされ、「今、……」という文言の後に現状および対策が示され、最後に命令内容が提示される。そして、末尾に命令が発せられて書写された日付と場所、さらには祈願句が付されて文章は終了する。この構造は基本的にモンゴル語、トルコ語、ペルシア語、漢語、チベット語のモンゴル帝国期公文書において——多少のバリエイションはあるものの——一定の共通性を持つ。すなわち、言語の異なる様々な民族が共通の様式に基づいて公文書を書くという現象が帝国分立後のユーラシアの東西で同時期に見られるのである。

また、これらの命令文書は視覚的にも一定の共通性を持っていた。文書の型(命令様式)は発令者の身分と民族(使用言語)によって決まっていたが、その等級や重要性が視覚的にも確認できるように押印がなされていたのである。そこに押印されている方形朱印はモンゴルが創造したものではなく、中国で伝統的に公文書に押印されているものであったが、それが一三-一四世紀にはユーラシアの東西で見られるようになる。イランではそれまで方形朱印を押印する慣習は存在しなかったが、モンゴル支配期にはアラビア語・ペルシア語の文書に漢字朱印が押印される例が出現する。それらは「アルタムガ」(朱印/朱印文書)と呼ばれ、皇帝(イル・ハン)以外で朱印を持つことができたのは、とりわけ最高位に位置するごく少数の大アミールと宰相(ワズィール)・行政府長官(サーヒブ・ディーワーン)のみであったことから、朱印文書は勅令に次いで権威ある文書とされた。また、この時期、元朝下の中国では個人署名として使用された花押の印章化が普及し、花押印が多く作製されたが、その慣習はイランにも伝播し、イル・ハン朝のアミールたちは個人印として黒印を押印した。それらは「カラタムガ」(黒印)と呼ばれた。公文書における個人印は官吏の署名の代わりに押印されたり、文書の内容を保証する裏書きに署名の代わりに押印されたりしたが、イル・ハン朝では朱印の代わりに黒印がある文書も「カラタムガ」と呼ばれ、朱印文書に次ぐ権威を持つ文書と見なされていた。すなわち、押印の色によって、その文書の発令者の階級がわかるように視覚化され、言語や民族の異なる人間でも命令内容を理解しやすいようになっていたのである。さらには、紙と紙の接合部への押印を除けば、ウイグル文字モンゴル語文書、パクパ字モンゴル語文書、ペルシア語文書、漢語文書、チベット語文書など言語と文字に関わりなく、文書の冒頭を上にした場合に朱印が左下、黒印が右下に来るというように、文書レイアウトにおける押印の位置にもユーラシアの東西で共通性が見受けられる。その背景としては、実際に元朝からイル・ハン朝に印章が授与されており、また、イル・ハン朝側でも漢字を解する人間がいて、その印章をさらに模倣したと見られる(Yokkaichi 2015; 四日市 二〇一五)。中央アジアのチャガタイ・ハン朝とジョチ・ハン朝においても、元朝とイル・ハン朝ほどの直接の共通性は無いものの、朱印と黒印が一定の類似性をもって使用されており、研究が進められている(例えば、松井 一九八八)。これらは中国文化が一方的に西方に伝播したという訳ではなく、例えば、花押印(黒印)普及の背景には、漢字筆写を得意としない非漢人が行政職に多く就いていたこともあると見られる。つまり、これもまた東西ユーラシアの相互交流がもたらした現象なのである。

文化交流における国家の関与と社会

上述の文書様式の事例に見られるように、モンゴルの政権が直接関与する事象に関しては、東西ユーラシアの文化の共有と融合が顕著に見られる。そして、そのような共通文化はモンゴル支配下の都市民や教団を通じて、広く社会に浸透していった。例えば、もともと官窯(御窯)で生み出されたと見られる元青花瓷は時間を置かず都市文化として吸収され、民窯でも細密な意匠から簡略な意匠まで様々な青花が生産された。元曲や小説などを題材とした人物を主体とする構図の元青花は官窯では生産されなかったらしく、中国国外での出土例は稀であるが、中国国内では出土・伝世する。都市民向けの高級製品として生産されたものと見られる。一方、沖縄や東南アジアでは、簡便な意匠を持つ青花の小品が出土する。民間貿易用に民窯で生産された製品であろう。元朝が弱体化してモンゴル高原へ撤退した直後も、青花磁器産業は生産と輸出を継続し、衰退することなく次の明代へと継承されていった。そのため、元末明初の青花を元と明という政治的な時代区分で区別することはあまり意味がない。これは宋元、元明で連続する龍泉窯などでも言えることである。

このように、文化の交流と盛衰は国家の盛衰と同次元ではなかったし、文化創造の起点が常に宮廷や国家であったわけでもなかったが、国家が新たな工芸・芸術の最大のパトロンとなり、取引における最大の顧客となるケースも少なくなかった。当時、優れた技能を持った工匠は往々にして皇族・王族・国家の所有となって財産の一部と見なされ(松田 二〇〇二)、外交を通じた贈呈もおこなわれた。イランのタフテ・スレイマーンで中国的な龍と鳳凰の意匠を持つタイルが作製されたり、イル・ハン朝の宮廷で元朝の公印を模倣した漢字印が作製されたりしたのもその一例である。特に龍のタイルはモンゴル帝国＝元朝の皇帝権力秩序を的確に反映して四本爪を持っている(皇帝は五本、王族は四本)ことから、元朝から派遣された工匠の作品であることが確実視される。

陶磁器の技術的な影響は東南アジア方面にも及び、ベトナムやチャンパー、タイの一部の陶磁器には中国陶磁器の顕著な影響が見られる。タイのスコータイ・トゥリアン窯やシーサッチャナライ窯などの製品は明代中国陶磁の影響を受けたものと見られていたが、より早い時期の窯跡や遺跡の発掘が進むと元代後半から明初にかけての中国陶磁の影響を受けていることが明らかになってきた。明代前半に海禁政策が採られると中国陶磁器の輸出量が低下する代わりに東南アジア産陶磁器の輸出量が増加するようになるが、技術的な面ではより早い元代末期の影響が想定される。また、タイ各地の遺跡では、宋代に較べて元代の陶磁器の出土例が多い傾向がある。一三―一四世紀には、中国と東南アジア各地域の貿易規模はそれ以前に比べて拡大したと見られ、例えば、一七世紀にアユタヤーの国際貿易港であったパサク川とチャオプラヤー川の合流点、バン・カチャからは元代の景徳鎮窯の磁器片も出土している(Matsong 2019)。周辺には中国人居留地が位置していたことから、国際貿易港としての原型は既に一四世紀にはあったと見られる。かかる状況はその他の東南アジア地域でも見られる(森本 二〇〇九)。

学知と宗教文化の東西交流

学知と宗教が未分離であった前近代において、学知の東西交流と宗教文化の東西交流を区別することは難しい。神や仏の真理を知ることと学知を得ることは同義でもあった。ここでは主に学知と宗教文化に関する移動と交流について述べてゆきたい。

モンゴル帝国では、収益活動を代行する商人が庇護されたが、同様に、祈りを捧げる様々な宗教人も庇護された。

その背景には、モンゴルと宗教の親和性がある。モンゴルは天(テングリ)を信仰したが、各宗教側もそれぞれの主神(或いは仏)を天として仮託することが可能であり、そのため、モンゴルのカアンに近づいて庇護と優遇を得ようとした。その過程で起こったのが宗教論争(いわゆる道仏論争)である。これにより、それまでモンゴル皇族に近い位置にいた道教の全真教団に代わって仏教が優遇を得るようになった。既に指摘されているように、クビライが主宰した第三回の論争においては、チベット仏教サキャ派が主導権を握るために道仏論争が利用された痕跡もある(中村 一九九四)。元朝の皇帝は度々セイロン(スリランカ)やインドに使者を派遣して、ストゥーパ(仏舎利)を求めたり(『元史』世祖本紀)、寺院への巡礼許可を求めたりした(イブン・バットゥータ『旅行記《リフラ》』)とされるが、それらもモンゴル帝室が仏教を篤く崇拝したためである。

モンゴル帝国の西方への拡大と共に仏僧も西方に移動した。中央アジア・イラン方面へ遠征したモンゴル軍には多数のウイグルが含まれていたが、その中には仏僧も含まれていたようである。ラシード・アッディーンは『集史』の中でイランにいくつかの仏教寺院が建てられていたことを述べている。そして、それらはイスラームに改宗したガザン・ハンの命により破壊されたとも。モンゴル帝国下では、仏僧がモンゴル語で「バクシ」と呼ばれていたが、もともと漢語の「博士」の音写であって、モンゴル帝国では識字能力を持つ僧侶や商人が官僚や廷臣として任用された。イル・ハン朝でももともとは官僚層のなかに仏僧が含まれていたと見られる。ガザン・ハンがイスラーム改宗をおこなった以後のイラン・イスラーム世界では、しばしば仏僧ではなく書記を指してバクシと呼ばれたことからも、そのことがうかがえる。

イスラーム教もまた東部ユーラシアまで活動範囲を広げていたが、やはり知識人と宗教人の間に明確な線引きはなく、その学知の種類によって「ウラマー」や「スーフィー」と呼ばれた。モンゴル帝国下では、イスラームの知識人はペルシア語で「ダーネシュマンド」と呼ばれたが、これはアラビア語の「アーリム」(ウラマーの単数形)に相当する。

ウラマーとスーフィーは学知と経験を求めてイスラームの外部世界も積極的に移動してまわったが、モンゴル時代には、東西ユーラシア交通路の安定の下その活動は活性化した。典型的な例は『旅行記』で有名なイブン・バットゥータであろう。彼は若くしてメッカに巡礼《ハッジ》をおこなった際に高名なウラマーやスーフィーから教示を受けたことから、引き続き学知を得る旅に出て、その範囲はイスラーム世界の外にまで及んだ。彼自身、法学者であったことから行く先々で歓待を受け、不自由なく旅をおこなうことができた。これは彼が各地に点在したイスラームのコミュニティを利用して旅をできたからであって、イスラームの学知と信仰と移動のネットワークが重複していたことが背景にある。

また、もうひとつの要因としてモンゴルの覇権の下という前提があった。彼自身、イル・ハン朝のスルターン・アブー・サイードの巡礼キャラバンに参加したこともある。いわば、イブン・バットゥータは東西交通の安定という時代の恩恵を受けた存在であった。もちろん、彼ばかりでなく、歴史に記録の残っていない多数のウラマーも同様に移動をおこなっていた。そして、ムスリムだけでなく、仏教徒やキリスト教徒にも同様の構造があった。イスラーム教徒がモスクやハーンカー(修道院)などを移動の拠点とできたように、仏教徒やキリスト教徒など他の宗教の信徒たちも、往々にして寺院や教会など信仰の場で施しを受け、それを移動の拠点として旅をおこなうことが可能であった。

学知・宗教と国際貿易

宗教と学知のネットワークは宗教人以外でも利用することができた。特に商人はしばしば教団や寺院の交易を代行し、一方で莫大な寄進をおこなった。政治権力と商人が相互に利益を求めて結びつく場合と類似した構造である。

一例を挙げると、イラン・ファールス地方の交通の要衝カーゼルーンに本拠を置いていたアブー・イスハーク教団(イスハーキーヤ)はインド洋の各地の主要交易港にハーンカーを持ち、その始祖アブー・イスハークは航海守護信仰の聖者としてインド洋商人たちの信仰を集めて莫大な寄付がなされていた(イブン・バットゥータ『旅行記』)。イブン・

バットゥータはこの教団がイスラーム世界のみならず、インドや中国の商人からも信仰を受けていたと述べているが、実際、カーゼルーンの史跡では元代の中国陶磁片の散布があり、ペルシャ湾からのキャラバン・ルートがカーゼルーンを通ってイラン南部の中心都市シーラーズまで延びていたことが確認できる。また、同時代のホルムズ王国はインドや中国との交易を盛んにおこなっていたが、キーシュ、ホルムズとシーラーズを結ぶキャラバン・ルートの要衝ホンジュにあるダーニヤール教団(ダーニヤーリーヤ)のハーンカー跡に残るミナレットにはホルムズ王クトゥブ・アッディーン・タハムタンの名を刻した碑文が残されており、そのミナレットがホルムズ王の寄進により建てられたことが知られる。すなわち、ホルムズ商人の領袖であるホルムズ王がダーニヤール教団の資金的なパトロンとなり、莫大な寄進をおこなっていたのである。シャイフ・ダーニヤール修道院遺跡でもやはり元代中国陶磁片の散布が確認できるが、ホルムズなどの商人が中国からもたらしたものと考えられる(Yokkaichi 2019)。経済的には商人が教団の庇護者となり、精神的には教団が商人の庇護者となる相互的パトロン・クライアント関係にあったのである。

同様の構造は、ユーラシアの東部でも見ることができる。一三世紀から一四世紀にかけて博多を出航した交易船の多くは寺社を資本主としており、大規模な寺社が交易資本を出資し、商人が代行して元朝との交易をおこなっていた。このような交易船は、日本側では「寺社造営料唐船」と呼ばれている。有名な新安沈船もその一種であり、東福寺が最大の出資者となっていた(本巻関論文)。このような交易船はもともと中国側から来航したジャンク船を日本側がチャーターしたものであり、新安船の場合も交易を担当していた商人頭が中国風に「綱司」と墨書していることから、元朝側の商人であったか、或いは宋代から博多に居留していた「綱首」と呼ばれる中国商人頭であったと考えられる。また、この場合も、貿易商人のみならず、日本と元を往来した多くの学僧がその背景に存在していた。

もうひとつの事例として南インドを見てみたい。元朝で「馬八児」(マァバル)と呼ばれたコロマンデル地方には仏教王国であったパーンディヤ朝があったが、毎年、大量の馬をペルシャ湾・アラビア半島から輸入していた。それを担っていたのがキーシュ商人をはじめとするペルシャ湾の商人である。パーンディヤ王のスンダラ・パーンディはその莫大な費用を国庫からではなく国内の仏教寺院に対してなされた寄進や寄進として設定されていた商税から支払っていたという(『ワッサーフ史』)。この場合、国王と外国商人の取引に寺院が民衆からの寄進を交易資本として提供している点も政権と教団の結びつきとして興味深いが、馬の輸入に関しても政権と外国商人の結びつきが確認できる。ペルシャ湾商人がパーンディヤ王朝の需要品である馬を安定して毎年供給できたのは、彼らがパーンディヤ朝の政権内に入り込んでいたからであった(四日市 二〇〇六 a、Yokkaichi 2019)。キーシュ王弟のマリク・アァザム・タキー・アッディーンはパーンディヤ朝で代官職・指南役・知事職を得ていたとされ、馬貿易を一手に担っていたが、その死後もその立場はキーシュ王族に継承されていった。南インドにおけるキーシュ商人とパーンディヤ朝の関係は、キーシュ商人がイル・ハン朝から官職を得てインド洋交易の利益を上納していたのとほぼ同じ構造であり、南インドは東西ユーラシアをつなぐインド洋貿易の中継拠点となっていた。ホルムズ商人もまた同様にインド西岸のグジャラート地方に中継拠点を持っていたことが知られている。中国からの産品は南インドを経由してイスラーム世界へもたらされたため、これらの地域の政権内にキーシュ商人やホルムズ商人が足掛かりを持っていたことの意味は大きい。モンゴル帝国時代に東西ユーラシアの交易や文化交流が隆盛であったのは、彼らが中国だけでなくインドにも交易拠点を有していたからである。

学知・宗教の交流と政治権力

東西ユーラシアにおける学知の交流は国家の動向とも密接に関係していた。元朝では天文学・医学の国家機関として司天監、太医院が置かれていたが、それぞれイスラーム天文学とイスラーム薬学を担当する回回司天監と広恵司、回回薬物院が別置されており、モンゴル帝国の覇権と分立にともなってイスラーム世界から中国に移住した者たちがその任を担当した。世祖クビライ朝で設置された回回司天監にはジャマール・アッディーンをはじめとするムスリムが任じられ、彼らはイスラーム世界からイスラーム天文学の知識と書籍を元朝にもたらし、アラビア語・ペルシア語を駆使して天文学の活動に勤しんだ(西方ユーラシアのイスラーム天文学については本巻諫早コラム)。もう一方の広恵司と回回薬物院はイスラーム薬学を担当する官府であったが、その名に「回回」(イスラーム)を冠してはいるものの、多くの東方教会系キリスト教徒が含まれていた。イスラーム世界の医学においては東方教会系のキリスト教徒が名医として名を馳せていたが、元朝の場合も世祖クビライ、成宗テムル朝の重臣であり広恵司を管掌したイーサー・ケレメチやシャルバト(果汁)を薬物として調合するシャルベチ(薬剤調合士)であったマール・サルギスなど東方教会系キリスト教徒の名が知られている。これらの官府は元朝で設置されたものであるが、モンゴル帝国初期から宮廷に存在していた特定の技能を持ち共通の民族・宗教を紐帯とした官僚集団に中国的な官職名が付されたものと思われる。

東方の学知も西方にもたらされた。イル・ハン朝の名宰相としてラシード・アッディーン・ファドゥルッラー・ハマダーニーは、モンゴル史、イスラーム史、ヘブライ史、フランク史、インド史、中国史など各世界の歴史集成として『集史』*Jāmiʿ al-Tavārīkh* を編纂し、イスラームの思想集成として『神学著作集』を編纂したが(岩武 一九九七、本巻渡部論文)、それ以外にも『脈訣集解』『御薬院方書』『泰和律令』など医学・法学・歴史学の漢籍を中国から取り寄せ、ペルシア語に翻訳した叢書である『タンスーク・ナーマ』(*Tansūq nāma*,『珍貴の書』)を編纂した(ラシード・アッディーンの歴史書に関しては本巻大塚コラム)。当然、ラシード・アッディーンのもとには、漢語を解するスタッフがいたはずであるが、実際、彼はイル・ハン朝の都タブリーズにモスク、学校、図書館、病院などから成るラシード区を建設して、そこに中国・インド・マシュリク(東方イスラーム世界)・マグリブ(西方イスラーム世界)など世界中から学者・医者・工匠を集めてその知識を集成し、それらを書籍として刊行する学知集成事業を実施していた。その一環として産み出されたのが『集史』『神学著作集』や『タンスーク・ナーマ』である。また、彼は『事績と生命』の中で中国やインドの産物や植物を多数取り上げている。本書は農書であるという説が有力であるが、より広汎な知識を集成した百科事典の一部なのではないかという説も出されている(Lambton 1999; Īraj Afshār 1368/1989)。ラシード・アッディーンは中国やインドの作物を紹介するだけでなく、実際に現地から現物を取り寄せて、自らの手で実験栽培をおこなっている。しかも、それらはいずれも商品価値の高い作物ばかりであり、その流通経路についても情報が掲載されている。書中では随所に「商人たち」という語が見られることから、ラシード・アッディーンの下には彼のために活動する国際貿易商人がおり、彼らを通じて情報と商品を得ていたと考えられる。イル・ハン宮廷や王族、他のワズィール(宰相)やアミール(将軍)のもとに出入りする御用商人もいたはずであるが、ラシード・アッディーンの場合は、宰相として自ら知識集成事業をおこないうる立場にあったことから、各地の国際貿易商人を通じて東西の学知を集成することができたのであろう。

以上のように、人口が密集していた中国とイランにおいては、宮廷や政権の要人のもとにはユーラシアの東西から人・モノ・文化・情報が集まっていた。それは都市部における富裕都市民においても同様であったと見られる。それらは単なる国際貿易にとどまらず、時に学知や文化の伝播も伴うものであり、政治権力と国際商業、宗教が交錯する構造上に学知・文化の伝播と交流がおきていた。

四、広域史から見たモンゴル・インパクト

モンゴル帝国の拡大と人口変移

モンゴル帝国が広域に与えたインパクトのひとつとして、パワーバランスの再編と人口変動が挙げられることがある。端的にはモンゴル帝国の侵攻によって都市人口が大きく減少したというのである。確かに、中央ユーラシアにお

ける民族編成はモンゴル帝国の出現によって大きく変容を遂げた。中央ユーラシアには多くのトルコ系・モンゴル系遊牧民とオアシス都市国家が存在していたが、モンゴル帝国の創成期・拡大期にモンゴルに帰順したか敵対したかによってその後の動向は大きく変化した。モンゴル帝国出現以前の「オボグ」と呼ばれる血縁的紐帯がチンギス・カンによって解体され、新たに「ウルス」という血縁だけに拠らない社会集団が編成された(護 一九五二)。具体的には、チンギスの血統との関係によって、功績を認められた部族や家系は血縁集団を維持したまま新たな属民を与えられ、敵対した部族は解体されて個別に他のウルスに組み込まれた。これを新たな部族編成と呼んでも差し支えないかもしれない(本巻松田論文)。これによって形式上は消滅した部族はあったが、それは枠組みの解体であって、必ずしも民族そのものの絶滅を意味するわけではない。その後も国家が分裂して再編成が繰り返される過程で旧来の枠組みが変容し、新たな部族の枠組みが創成されていった。

一方、オアシス都市や定住都市圏の都市民に対してモンゴル帝国は人口調査をおこない、ココ・デブテル(青い帳簿)と呼ばれる人口台帳を作製したうえで国家(皇帝公領)と王族領(私家領)に区分して支配層のモンゴル王族の間で分配した。このとき、人口集中地域がいずれもトルイ家の支配するところとなり、他の三王家の反発を受けたのは前述のとおりである。ただし、都市人口が分配されたといっても、少数の例外を除いて人々が実際に他所へ移動させられることはなかった。分地分民として割り当てられた王家はその税収を取り分として受け取ったのである。

もっとも、モンゴル拡大に伴う戦争による遊牧民や定住民の人口減少はおこったと考えられる。モンゴルによって国家や部族が滅ぼされたというイメージが強く持たれる傾向があるが、実際にはそれに前後する戦争や支配制度の崩壊の過程で人口減少や人口移動が起きた。現在研究が進められている古気候と歴史に関わる研究においても、気候変動そのものではなく、それに連動する社会変動によって二次災害的に人口が減少し、特に戦争時には平時よりも疫病や飢饉が生じやすいことが指摘されている(郭・張 二〇〇八)。例えば、北中国の人口が金朝滅亡に伴い減少したという指摘があるが、これも滅亡時の一時期に減少したというよりは、戦争中及び戦後に段階的に人口が減少していったものであろう。華北地方の土地制度(戸籍制度)の混乱と新たな徴税制度(包銀制)の未定着により戦後に人口流動が起きたという見方もされている(上田 二〇二〇、愛宕 一九七〇)。イラン・イスラーム世界側の事例としては、かつてイスラーム世界の中心都市であった平安の都バグダードの荒廃がある。イブヌル・フワティーやアッザハビーが述べるように、確かにバグダード陥落直後の人口の減少が伝えられる。しかし、盛期には及ばないとはいえ、実際にバグダードがモンゴルの侵攻によって再起不能なほど衰退したという事実は確認できない。むしろ、その巨大な人口から支出される莫大な税収はイル・ハン朝の財政を支えることとなった。この点も史料言語による偏向性を考慮したうえで総合的・長期的な観点から再検討されるべきであろう(Biran 2019)。

東南アジア方面への遠征と人口移動

この人口変動に関わる問題として、中国文化圏と東南アジア文化圏における人口移動がある。モンゴル帝国・元朝の成立と拡大に前後して、東南アジア方面では巨大な旧帝国が崩壊し、スコータイ王国、ラーンナー王国、アユタヤー王国など新興のタイ系民族国家が成立したが、セデスはその原因をモンゴル帝国の拡大に求めた(Cœdès 1962)。モンゴルによる雲南占領とその支配がベトナム北部からタイ東部にかけて分布していたタイ系諸民族の移動と膨張を引き起こしたという仮説を提示したのである。この説は東南アジア各国の近代国民国家観に大きな影響を与え、モンゴルの脅威に対する民族意識の高揚がビルマ系・クメール系帝国の崩壊・分裂とその後のラオタイ系の新興国家形成に結びついたというテーゼが強調された。しかし、近年では、タイ系民族の移動はモンゴル侵攻以前から続いている点、雲南で大理国を形成していたのはタイ系民族ではなく、チベット・ビルマ系民族であった点、ビルマ・タイでの国家形成と王朝交替にはモンゴル以外の要因も多くみられる点、セデスの視点には植民主義・中国中心史観が多分に含まれていた、などの理由から、現在ではこの説に対する批判的な立場が大勢を占めるようになっている(本巻渡邊論文)。確かにセデスの仮説をそのまま受け入れることは不可能である。ただし、モンゴルの影響が全く無かったかというと、それもまた極論である。

この時期、モンゴル帝国=元朝はチベットから雲南に侵入し、大理国を併合して雲南を直接支配した。これによりそれまでヒンドゥー・東南アジア的な性格が強かった雲南は中国の一部として性格を変容させることになった。雲南には雲南王家(後の梁王家)としてモンゴル王族のフゲチが封じられ、同時に直轄行政府として雲南行省が置かれた(本巻渡邊論文)。雲南は以後の東南アジア方面への遠征拠点となり、ラーンナー王国やパガン王国へはここから軍が発せられた。そしてまた雲南は金銀の生産地としても重視された。雲南をめぐる世界地図の変容はその後の中国世界・東南アジア世界の歴史的展開における画期となったのである。

タイ系民族の移動・膨張には、先述のとおり、モンゴル帝国の拡大だけに直接の理由を求めることはできない。もちろん、大越、チャンパー王国、パガン王国、シンガサリ王国、さらには東アジアの高麗、日本といったモンゴル帝国=元朝と直接戦争をおこなった国々においてはモンゴル侵攻の影響が無かったとは言えないが、問題はそれだけではない。何度も繰り返しているようにモンゴル・インパクトは軍事的な側面だけに限られない。例えば、元朝は東南アジア方面へ遠征軍を派遣する際に——特に海軍を派遣する際には——商人の一団を同時に派遣して、周辺諸国との交易振興をおこなっていた(『元史』世祖本紀)。東南アジアにおけるモンゴルのインパクトもまた、単に軍事的・政治的な視点からだけでなく、商業や文化伝播の側面からも多面的・長期的に検討される必要がある。

黒死病とモンゴル帝国

西方ユーラシアにモンゴル帝国が与えた影響のひとつとして黒死病が挙げられることがある(Lieberman 2003)。ユーラシア全体における黒死病の影響についてはマクニールが壮大な仮説を提示している。それによれば、モンゴル軍は雲南・ビルマへの侵攻の際に現地の風土病を持ち帰り、それがモンゴル高原の齧歯類を経由してユーラシア全体に広まったというのである(McNeil 1976)。この仮説に賛否両論があったが、雲南・ビルマとモンゴル高原の中間に位置する中国において伝染病が発生した記録が一三三一年以後にしか見られないとされていたことから、モンゴル軍が一三世紀に雲南に進入してから一四世紀にパンデミックが発生するまでに時間的にも地理的にもミッシング・リンクが生じてしまい、マクニールの説に懐疑的な意見も少なくなかった。ところが近年、モンゴル軍の中国侵攻に伴ってペストと見られる疫病の流行が度々あったことが指摘され、また、遺伝学の立場からヨーロッパの黒死病にあたる腺ペストの起源が一二世紀から一四世紀中国の青海・甘粛地方にあったことが解明された(Achtman et al. 2004; Cui et al. 2013)。これにより、モンゴル帝国下のアジアでの疫病発生と一四世紀後半のヨーロッパにおける黒死病の大流行の間の関係が証明されたのである。もっとも、黒死病の起源はマクニールの唱えるように東南アジアではなく、中国北西部とされている。しかし、これも遺伝子学的には中国で早く出現したというだけで、感染拡大の時期と経路がどのようなものであったのかは別次元の問題である。モンゴルの侵攻と拡大が黒死病の背景にあったという点ではマクニールの説は補強されることとなり、今後、具体的な史料の見直しと比較がおこなわれる必要があるだろう。また、従来は陸路の伝播が前提とされていたが、近年は海路による伝播の可能性も指摘されている(曹・李 二〇〇六、Green 2015; Hymes 2015)。すなわち、モンゴルの短期的な軍事インパクトによって蔓延した疫病が、海上交易によってより長期的・広域的なインパクトとして地中海・ヨーロッパ世界までもたらされたと言えるのかもしれない。この点も今後の検証が待たれる。

海域地域をめぐる銀のインパクト

初期のモンゴル帝国においてユーラシアの共通通貨＝高額貨幣の役割を果たしたのは、銀のインゴット、銀錠であった。銀錠はその形状からモンゴル期・トルコ語で斧を意味する「スケ」、ペルシア語では枕を意味する「バーリシ」と呼ばれた。モンゴル帝国はモンゴル高原を統一した後にタングート(大夏／西夏)や金朝を攻略する過程で大量の銀を入手し、その銀は中央アジアやイラン・イスラーム方面から訪れる商人に交易資本として貸与されたため、銀がユーラシアを環流することになった。また、銀は王族への歳賜として使用されたが、その銀もまた王族お抱えの商人に委託された。奇しくもこの直前の時期に、イスラーム世界では深刻な銀不足に陥っていたが、これが突如一三世紀に解消されたことから、モンゴル帝国の銀が西方に流れた結果であるとの仮説が提示されている(Blake 1937; 愛宕 一九七三)。この仮説は欧米の歴史学界では支持されなかったが、近年は貨幣史研究の立場から検証がおこなわれ(黒田 二〇一四、Kuroda 2017; 2020)、また、『知識の光』の記事から中国銀がスーリーヤーンと呼ばれるインドのイスラーム商人の手によって毎年アデン港やイエメン各地にもたらされていたことが明らかになった(家島 二〇〇六、Yokkaichi 2008; 2019)。当時の中国はアジア各域からの銀の集積地になっていたが、その銀がさらにユーラシアの西方にもたらされていたのである。また、チャガタイ・ハン朝、ジョチ・ハン朝、イル・ハン朝ではそれぞれイスラームの銀貨ディルハムと金貨ディーナールが通貨として流通していた。希少な金貨に対して、銀貨が流通の主体となっていたと見られ、特にイランにおいては銀の産出量が多かったことから、一一世紀以降のイスラーム世界の銀不足においても銀貨が流通し、銀によるディーナール貨幣も発行されていた。中国とイランの銀流通の相互関係についてはまだ十分に研究が進んでいないが、モンゴル帝国初期以降のユーラシア規模の銀流通の流れを汲んでいると見られる。このように、一三・一四世紀の中国をはじめとする東アジア、中央アジア、イラン、イスラームの経済圏とそれを中継する東南アジア、インドの経済圏、さらには地中海・ヨーロッパ経済圏はモンゴル帝国下の銀の流通を介して相互に連動していたのである。

おわりに

本稿ではモンゴル帝国とその継承政権による支配とユーラシア・インド洋海域世界の交流、さらにはその外部世界との関わりについて概観した。繰り返し述べるが、モンゴル・インパクトと言っても、必ずしもモンゴルの文化そのものが影響を与えた訳ではなく、むしろ、モンゴルは移動と交流の媒介としての役割を果たすことが多かった（Allsen 2009）。モンゴル帝国の周辺地域では直接的・間接的な形でモンゴル・インパクトが利用されたりすることで——例えば、親モンゴル、或いは反モンゴルの旗印のもとでの国家形成の促進——新たな歴史的な展開が起こった。特に後者に関しては、モンゴル帝国の時代から現代に至るまで様々な事例が見られる。ベトナムでは白藤江の戦いでモンゴル軍を壊滅させた陳興道がモンゴル襲来を撃退した救国の英雄として国民的シンボルとなっているが、日本でも明治から昭和にかけて元寇における「神風」が国難を救ったことが強調され、神国思想の確立に利用された。タイでは、元朝の侵攻に際してスコータイ王国のラームカムヘーン王、ラーンナー王国のマンラーイ王、パヤオ王国のガムムアン王子が対モンゴルの同盟を結んだという記録がパーリ語の年代記『ジナカーラマーリー』に残されており、これが本当に史実にあたるのか疑問視する向きも少なくないが（本巻渡邊論文）、この同盟はしばしばタイ系民族勃興の象徴として強調されている。逆の事例もある。一九九二年に社会主義を放棄したモンゴル国では、社会主義時代に批判されていたチンギス・カンに対する崇拝が反動的に高まり、現在もその状況は続いている。また、ウズベキスタンでは、ロシア革命期にトルコ系民族の民族的英雄とされたティムールがソヴィエト連邦共産党政府の支配下に入ると一転して批判の対象となったが、ウズベキスタン共和国としての独立後には再びティムールが国民国家の象徴的存在とされるようになっている（ティムール登場前後の歴史と民族に関しては、本巻川口論文）。これらの事象はいずれも近代国家において国民国家が強調或いは批判される際にナショナリズムを刺激するツールとして利用されているのである。モンゴル帝国のインパクトは或る意味、現在もまだ残っていると言える。

参考文献

青山亨(二〇〇一)「シンガサリ＝マジャパヒト王国」『岩波講座 東南アジア史2 東南アジア古代国家の成立と展開』岩波書店。

岩武昭男(一九九七)「ラシード著作全集の編纂――『ワッサーフ史』著者自筆写本の記述より」『東洋学報』七八―四。

上田信(二〇二〇)『人口の中国史――先史時代から一九世紀まで』岩波新書。

宇野伸浩(一九八九)「オゴデイ・ハンとムスリム商人――オルドにおける交易と西アジア産の商品」『東洋学報』七〇―三・四。

榎本渉(二〇〇七)『東アジア海域と日中交流』吉川弘文館。

愛宕松男(一九七〇)「元の中国支配と漢民族社会」『岩波講座 世界歴史9 中世3 内陸アジア世界の展開』岩波書店。

愛宕松男(一九七三)「斡脱銭とその背景――十三世紀モンゴル＝元朝における銀の動向」(上)(下)、『東洋史研究』三二―一・二。

小野浩(一九九三)「「とこしえの天の力のもとに」――モンゴル時代発令文の冒頭定型句をめぐって」『京都橘女子大学研究紀要』二〇。

黒田明伸(二〇一四)『貨幣システムの世界史 増補新版――〈非対称性〉をよむ』岩波書店。

中村淳(一九九四)「モンゴル時代の「道仏論争」の実像――クビライの中国支配への道」『東洋学報』七五―三・四。

中村淳(一九九七)「チベットとモンゴルの邂逅――遥かなる後世へのめばえ」『岩波講座 世界歴史11 中央ユーラシアの統合 九―一六世紀』岩波書店。

羽田亨一(一九九五)「ペルシア語訳『王叔和脈訣』の中国語原本について」『アジア・アフリカ言語文化研究』四八・四九。

松井太(一九八八)「ウイグル文クトルグ印文書」『内陸アジア言語の研究』一三。

松川節(一九九五)「大元ウルス命令文の書式」『待兼山論叢 史学篇』二九。

松田孝一(二〇〇二)「モンゴル帝国における工匠の確保と管理の諸相」『碑刻等史料の総合的分析によるモンゴル帝国・元朝の政治・経済システムの基礎的研究(平成12―13年度科学研究費補助金・基礎研究(B)(1)報告書)』大阪国際大学。

村井章介（一九九二）「渡来僧の世紀」石井進編『都と鄙の中世史』吉川弘文館。

村上正二（一九四二）「元朝に於ける泉府司と斡脱」『東方学報（東京）』一三―一。

護雅夫（一九五二）「Nökür 考――「チンギス＝ハン国家」形成期における」『史学雑誌』六一／八。

森本朝子（二〇〇九）「東南アジアにおける一四世紀前後の福建陶磁――インドネシア・マレーシア・フィリピンの遺跡の出土遺物」木下尚子（代表）『一三～一四世紀の琉球と福建（平成一七―二〇年度科学研究費補助金基盤研究（A）（2）研究成果報告書）』熊本大学。

森安孝夫（一九九七）「オルトク（斡脱）とウイグル商人」『近世・近代中国および周辺地域における諸民族の移動と地域開発（平成八年度科学研究費補助金（総合研究A）研究成果報告書）』。

家島彦一（一九七六）「モンゴル帝国時代のインド洋貿易――特に Kish 商人の貿易活動をめぐって」『東洋学報』五七―三・四。

家島彦一（二〇〇六）「インド洋を渡る馬の交易」『海域から見た歴史――インド洋と地中海を結ぶ交流史』名古屋大学出版会。

家島彦一（二〇一二）『インド洋海域世界の歴史――人の移動と交流のクロス・ロード』ちくま学芸文庫（初版『海が創る文明――インド洋海域世界の歴史』朝日新聞出版社、一九九三年）。

四日市康博（二〇〇二）「元朝の中買宝貨――その意義および南海交易・オルトクとの関わりについて」『内陸アジア史研究』一七。

四日市康博（二〇〇六a）「元朝とイル＝ハン朝の外交・通商関係における国際貿易商人」『内陸圏・海域圏交流ネットワークとイスラム』櫂歌書房。

四日市康博（二〇〇六b）「元朝斡脱政策にみる交易活動と宗教活動の諸相――附『元典章』斡脱関連条文訳注」『東アジアと日本――交流と変容』三。

四日市康博（二〇一五）「ユーラシア史的視点から見たイル＝ハン朝公文書――イル＝ハン朝公文書研究の序論として」『史苑』七五―二。

曹樹基・李玉尚（二〇〇六）『鼠疫――戦争与和平 中国的環境与社会変遷』山東画報出版。

郭珂・張功員（二〇〇八）「元代疫災述論」『医学与哲学（人文社会医学版）』三四八。

尚剛（二〇〇九）"Nasij in China"，叶奕良編『伊朗学在中国論文集』北京大学出版社。

王頲（二〇〇六）「元王朝与爪哇的戦争和来往」『史林』二〇〇六―四。

Achtman, Mark et al. (2004), "Microevolution and History of the Plague Bacillus, Yersinia Pestis", *Proceedings of the National Academy of Sciences*, 101.

Allsen, Thomas T. (1997), *Commodity and Exchange in the Mongol Empire: A Cultural History of Islamic Textiles*, Cambridge: Cambridge University Press.

Allsen, Thomas T. (2009), *Culture and Conquest in Mongol Eurasia*, Cambridge: Cambridge University Press.

Amitai-Preiss, Reuven (1995), *Mongols and Mamluks: The Mamluk-Ilkhanid War, 1260-1281*, Cambridge: Cambridge University Press.

Aubin, Jean (1953), "Les Princes d'Ormuz du XIIIe au XVe siècle", *Journal Asiatique*, 241.

Biran, Michal (2019), "Libraries, Books and Transmission of Knowledge in Ilkhanid Baghdad", *Journal of the Economic and Social History of the Orient*, 62/2-3.

Blake, Robert P. (1937), "The Circulation of Silver in the Moslem East down to the Mongol Epoch", *Harvard Journal of Asiatic Studies*, 2.

Chaffee, John (2006), "Diasporic Identities in the Historical Development if the Maritime Muslim Communities of Song-yuan China", *Journal of the Economic and Social History of the Orient*, 49/4.

Cœdès, George (1962), *Les peuples de la Péninsule Indochinoise: histoire, civilisations*, Paris: Dunod.

Cui, Yu jun et al. (2013), "Historical Variations in Mutation Rate in an Epidemic Pathogen, Yersinia Pestis", *Proceedings of the National Academy of Sciences*, 110.

Green, Monica H. (2015), "Taking 'Pandemic' Seriously: Making the Black Death Global", Monica H. Green (ed.), *Pandemic Disease in the Medieval World: Rethinking the Black Death*, Leeds: Arc Humanities Press.

Heng, Derek (2009), *Sino-Malay Trade and Diplomacy from the Tenth through the Fourteenth Century*, Athens: Ohio UP.

Hollberg, Cecilie (2018), *Textiles and Wealth in Fourteenth Century Florence: Wool, silk, painting*, Firenze: Giunti Editore.

Hymes, Robert (2015), "A Hypothesis on the East Asian Beginnings of the Yersinia Pestis Polytomy", Monica H. Green (ed.), *Pandemic Disease in the Medieval World: Rethinking the Black Death*, Leeds: Arc Humanities Press.

Īraj Afshār (1368/1989), "Moqaddameh", Rashīd al-Dīn Fadhlallāh Hamadānī, *Athār wa Aḥyā'*, Tehrān: Mousseh'-ye Motāle'āt-e Eslāmī-ye

Dāneshgāh-e.

Kuroda, Akinobu (2017), "Why and how did silver dominate across Eurasia late-13th through mid-14th century? Historical backgrounds of the silver bars unearthed from Ortheiul Vechi", *Tyragetia Archaeology*, 11-1.

Kuroda, Akinobu (2020), *A Global History of Money*, Oxon and New York: Routledge.

Lambton, A. K. (1999), "The Āthār Wā Aḥyā', of Rashīd Al-Dīn Faḍl Allāh Hamadānī and His Contribution As an Agronomist, Arboriculturist and Horticulturalist", Reuven Amitai-Preiss and David O. Morgan (eds.), *The Mongol Empire and Its Legacy*, Leiden: Brill.

Lewis, Bernard (1949-50), "The Fatimids and the Routes to India", *Revue de la Faculté des Sciences Économiques de l'Université d'Istanbul*, 11.

Lieberman, Victor B. (2003), *Strange Parallels: Southeast Asia in Global Context, c. 800-1830*, Volume 1: *Integration on the Mainland*, New York: Cambridge University Press.

Matsong, Natthapong (2019), "Chinese Stoneware and Porcelain Found in Thailand's Archaeological Sites Reflecting Trade Routes and Local Use", Amara Srisuchat and Wilfried Giessler (eds.), *Ancient Maritime Cross-Cultural Exchanges: Archaeological Research in Thailand*, Bangkok: The Fine Arts Department, Ministry of Culture.

McNeil, William H. (1976), *The Plague and Peoples*, New York: Anchor Books.

Wade, Geoff (2009), "An Early Age of Commerce in Southeast Asia, 900-1300 CE", *Journal of Southeast Asian Studies*, 40/2.

Yokkaichi, Yasuhiro (2008), "Chinese and Muslim Diasporas and the Indian Ocean Trade Network under Mongol Hegemony", Angela Schottenhammer (ed.), *The East Asian Mediterranean: Maritime Crossroads of Culture, Commerce and Human Migration*, Wiesbaden: Harrassowitz Verlag.

Yokkaichi, Yasuhiro (2015), "Four Seals in 'Phags-pa and Arabic Scripts on Amīr Čoban's Decree of 726 AH/1326 CE", *Orient*, 50.

Yokkaichi, Yasuhiro (2019), "The Maritime and Continental Networks of Kīsh Merchants under Mongol Rule: The Role of the Indian Ocean, Fārs and Iraq", *Journal of the Economic and Social History of the Orient*, 62/2-3.

問題群 | *Inquiry*

モンゴル帝国の統治制度とウルス

松田孝一

はじめに

モンゴル部族のキヤト・ボルジギン氏に属するテムジンは、モンゴル高原の諸勢力を統一して、一二〇六年ヘンティー山脈内での集会(クリルタイ)で即位し、「チンギス・カン」の称号を捧げられた。この時点ではチンギス・カンはなお金朝に服属する立場であったが、この即位をもっていわゆるモンゴル帝国が発足したとしておく。チンギス・カンは、四年後の一二一〇年に金朝と決別し、翌一二一一年、イェケ・モンゴル・ウルス(漢語表記では「大蒙古国」、以下「大モンゴル・ウルス」)の国号を初めて称え(中村 二〇二二)、金朝への遠征(一二一一―一二一六年)に着手した。やがて大モンゴル・ウルスはモンゴル高原から西方、中央ユーラシアの草原の遊牧民の空間や、東は中国、朝鮮半島から西はイラン、ロシア・東ヨーロッパ地域までの都市と農村の空間をも領域に併合し、史上空前の大帝国となった。

チンギス・カンは、帝国発足早々の時期に、子弟たちに国民の一部を分与して、帝国内に小単位の統治区分を作った。その統治区分を「ウルス」の用語を用いて呼んだ。「ウルス」はモンゴル帝国建国以前、勃興期のモンゴルや、その闘争相手となったタタル、ナイマン、メルキト、ケレイトなどの遊牧集団を表す用語で(Kim 2019: 273)、それが帝国の国号の「大モンゴル・ウルス」やその内部の統治区分である子弟の配下の集団を表すのに使用されたのである。「ウルス」の本来の概念は「一人の主人の下に人為的にまとめられた人間の集団」というもので、当初は「領域」の概念を含むものではなかった。しかし、その後モンゴル帝国の第五代大カン(大モンゴル・ウルスの君主の呼称は、カン、カアンの二種存在し、カナ表記も多様であるが、本稿では便宜的に「大カン」と呼ぶ)のクビライ(在位一二六〇―九四年)の覇権確立後の領域区分の成立によって、「ウルス」の語は、「領域」を指す用語としても新たに用いられるようになった。本稿では、「ウルス」という用語が、本来の「人間集団」の概念から「領域」の概念をも持つに至ったことを述べるものである。

一、チンギス・カンの子弟のウルスの創出

帝国の軍隊的編成

大モンゴル・ウルスでは、すべての成人男子を、一〇人をひとつの単位としてまとめて十人隊に編成し、そのうちの一人を他の九人の長にし、さらにその十人隊を十進法的に百人隊、千人隊、万人隊の単位に積み上げた国民組織を形成した。十人隊長の一人が百人隊長となり、百人隊長の一人が千人隊長となり、千人隊長の一人が万人隊長に任じられた。各兵士は平時にはそれぞれ上位の長が指定する牧地で、家族や家内奴隷などとともに生活をし[(1)]、戦時にはその組織単位で軍備を整えて指定の時間に指定の場所に集結した(Qazwīnī 1912: 23)。千人隊の総個数は、『元朝秘史』(以下『秘史』)によれば、チンギス・カンの一二〇六年の即位の時に九五個(『秘史』巻八/二〇二節)あり、ラシード・アッディーン(一二四九―一三一八年)の『集史』(ジャーミウ・アッタワーリーフ *Jāmiʿ al-Tawārīkh*)によれば、チンギス・カンの死去時(一二二七年)には、三四個増加して一二九個となっていた[**表1**](本田 一九九一:一八―二一頁)。

チンギス・カンは、万、千、百、十人隊の各隊長の子弟(の一人)を(忠誠を担保するための)人質として供出させ、それらの子弟によって一万人の身辺護衛隊(ケシクテン)を編成した(『秘史』巻九/二二四節)。一万のケシクテンは、質子軍(トルカウト、戦時には前衛、平時には昼の護衛)八〇〇〇人、弓矢隊(コルチ)一〇〇〇人、宿衛(ケプテウル)一〇〇〇人で構成された(『秘史』巻九/二二六節)。

また、チンギス・カンは千人隊長のうち二人の腹心、ボオルチュを右翼(南に向かって右、方位としては西方、モンゴルでは右が上位)の万《トゥメン》人隊の隊長に、またムカリを左翼(東方)の万人隊の隊長に任じて、それぞれ複数の千《ミンガン》人隊を率いて西方、アルタイ(『秘史』巻八/二〇五節)および東方、カラウン・ジドンで守備につかせた(『秘史』巻八/二〇六節)。

ボオルチュが守備した場所は、アルタイ山脈の内側のゴビアルタイ県の県都アルタイ市の東方の「ボオルチュの広谷《ホオロイ》」(Боорчийн хоолой)(Равдан 2004: 60)付近一帯の平原《タル》とされている(Сампилдэндэв et al. 1992: 58; Тэлмэн 2012)。(2)一方ムカリが守備したカラウン・ジドンは、モンゴル高原東端の大興安嶺山脈を指し、ムカリは、自身が指揮するジャライル部族を含む「五投下(五隊の君長直属軍)(3)」といわれる左翼の五つの部族(ジャライル、コンギラト、イキレス、ウルウト、マングト)の軍団を配下に入れ、大興安嶺南部で南の金朝と対峙した(箭内 一九三〇:六一四−六一八頁)。

チンギス・カンの子弟への千人隊と牧地の分配

〈千人隊の分配〉

チンギス・カンは、『秘史』によれば、正妻ボルテから生まれた四人の息子(ジョチ、チャガダイ、オゴデイ、トルイ。以下「四子」と略す)と三人の弟(ジョチ・カサル(以下カサル)、カチウン、テムゲ・オッチギン(以下オッチギン)。以下「三弟」)と異母弟のベルグテイに、「クビ《分け前》・イルゲ《民》[ン]」を与えた(以下「分民」)とし、それぞれの千人隊の分配数を伝える

表1　チンギス・カンの千人隊の総個数と子弟への分配個数(本田 1991: 34-40 頁による)

分配受領者		諸子					チンギス・カン(本隊)			諸弟				異母弟	千人隊総個数
		西道(右翼)諸王			④	⑤				東道(左翼)諸王				⑨	
		① ジョチ	② チャガダイ	③ オゴデイ	トルイ	庶子コルゲン				⑥ ジョチ・カサル(減額後*)	⑦ カチウン(子のアルチダイ)	⑧ テムゲ・オッチギン 母ホエルン		ベルグテイ(除外)	
分配数	(一)『秘史』	9	8	5	5	–	52 分配後の残余			4 (1.4)	2	10		1.5	95
分配数	(二)『集史』	4	4	4	?	4	右翼 38	中央 1	左翼 62	1	3	3	5	左翼千人隊長	129

*カサルへの分配数の減額は分配後に起きたチンギス・カンのカサルへの疑念(大カン位争奪)の結果とされる(『秘史』巻10/244節).

(『秘史』巻一〇/二四二節)[表1の(一)]。また、チンギス・カンの死去時点での千人隊の構成について、『集史』は詳細に記録しており[表1の(二)](『集史』チンギス紀:Rawshan: 592-612)、チンギス・カンの子弟それぞれに所属した千人隊の個数もそこから知られる(本田 一九九一:三四―四〇頁)。

『秘史』と『集史』の記録する子弟それぞれに所属する千人隊の個数は、すべてが相違している。その理由は検討されている(佐口 一九四二:八三―八八頁)ものの確たることは不明である。ただ、個別の三人については説明がなされている。まず、⑤の庶子のコルゲンについて『秘史』に記録がないのは、コルゲンがチンギス・カンの即位の二年前に娶られたクラン妃の子であるので、分配時になお幼少で分民対象とはならなかったか、生まれていなかったためであろうと説明される(杉山 二〇〇四:三八頁、村岡 二〇一七:二二頁、Kim 2019: 277-278)。また、⑨のベルグテイは、『秘史』は分民したとするが、『集史』は単に左翼の千人隊長の一人としているにすぎず、『元史』にもチンギス・カン末年の一二二七年(チンギス・カン死去年)に千人隊長に任命されたことが記されており(『元史』巻一四九、耶律留哥伝附耶律薛闍《セチェ》伝)、『秘史』の分民の記載は誤りと判断され、分民対象から除外される(杉山 二〇〇四：三六―三七頁)。

④のトルイへの『秘史』の分民に対応する記事は『集史』にはない。『集史』によれば、チンギス・カンの末子トルイは父の生前、父とともにあり、父の死後末子の権利として父がトルイを除く諸子弟へ分配した千人隊以外のすべての千人隊や牧地など全財産を相続し、右翼、左翼、中央に属する全有力将軍《アミール》やその他の将軍がトルイに仕えたことが知られる(『集史』トルイ紀：Rawshan: 784-785; チンギス紀：Rawshan: 604, 612)。『集史』の記事は、トルイへの分民がチンギス・カンの生前にはなかったかのように読み取れるものの、生前の分民を明確に否定したものでもない。またトルイはチンギス・カンの生前、すでに牧地を保有していることがうかがわれ(松田 一九九四)、『秘史』に記載されるトルイへの分民はあったと判断される(Kim 2019: 278-279)[4]。

以上の状況から当初チンギス・カンは、四子三弟計七人(表1の①から⑧まで、⑤コルゲンを除く七人、母ホエルンへの「分民」はオッチギンの取り分とみなす)へ四三個の千人隊を分配したことになる。また庶子コルゲンへも四個の千人隊を分配したことが『集史』から知られ(チンギス紀：Rawshan: 609)、チンギス・カン時代にはそれを含めると五子三弟計八人に、合計(『秘史』の分民数に、『集史』のコルゲンの千人隊個数を単純に加算するのは正確さに問題があるが、概数として)四七個の千人隊、全軍隊九五個の約半分を分配したことになる。その結果大モンゴル・ウルス内部にはチンギス・カンの手元に残った部分(以下「本隊」)を除いて、チンギス・カンの子弟それぞれを主人にもつ八個の「分隊」、すなわちウルスが生み出されたのである。なお、トルイへの分民数は『集史』の伝えるチンギス・カンの本隊所属の千人隊数に含まれていると考えられる。

それらの子弟への千人隊の分配およびその生活基盤となる牧地(モンゴル語 nuntuq)の分配の時期については、『秘史』にも『集史』にも明確な年次が記載されていないため、『秘史』『集史』の千人隊の分配記事の前後の年代を手掛かりに分配は「一二〇七年―一一年の間」とされている(佐口 一九四二：八一―八二頁、杉山 二〇〇四：三三―三四、五〇頁)。

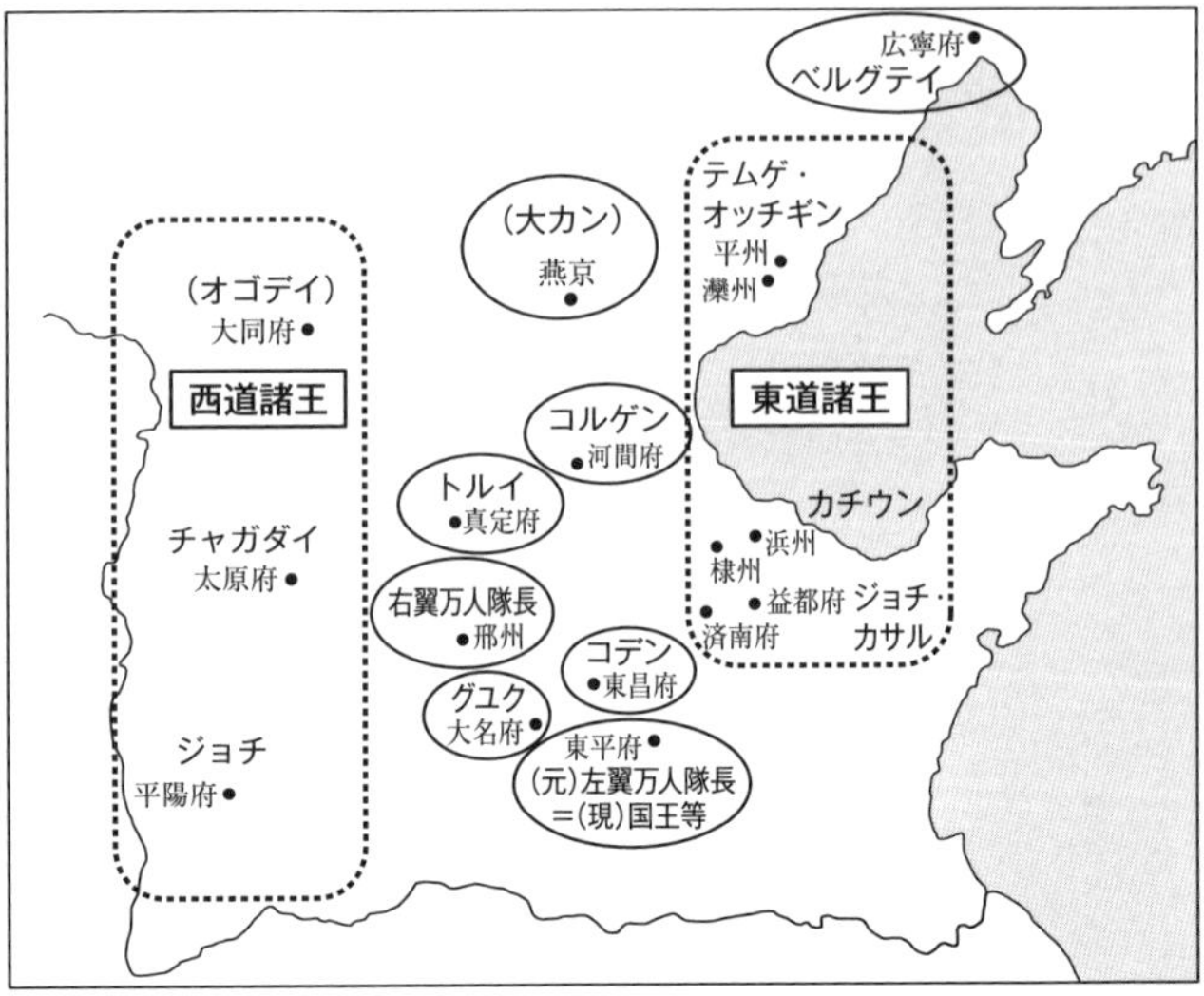

図1　漢地(旧金朝領)1236年分地配置図(松田 1978: 43頁を改訂)

〈牧地の所在地〉

チンギス・カンの上の三子の最初の牧地は当初はアルタイ山脈の西面に北からジョチ、オゴデイ、チャガダイの順に配され(杉山 二〇〇四:四八―五三頁)、その後、帝国の拡大に伴い西方へ拡大したことは知られる通りである。末子トルイはチンギス・カンの生前には封地をもたなかったとの考え(愛宕 一九四一:六八頁、佐口 一九七〇:七九頁)もあったが、トルイやその一家は一二二四年以後、後に帝都となるカラコルムやその西側のハンガイ山脈一帯を牧地としていた(松田 一九九四)。

三弟の牧地は、モンゴル高原の東端の大興安嶺西側に所在し、北からカサル、オッチギン、カチウンの順に配置されていたことが知られる[5](杉山 二〇〇四:四〇―四八頁)。カサルの牧地はフルン湖から北へ流れるエルグネ河(アルグン河)水系流域で、カサルの王宮址といわれる黒山頭古城、カサルの息子のイスンゲの弓の妙技を記す『チンギス・カン碑石』の所在地近傍のカサル家の都城址とされているクンドゥイ古城を含む一帯である。オッチギンの牧地は、フルン湖より南に比定され、カチウンの牧地はさらに南、ウルクイ河や金朝の国境に展開していた(杉山 二〇〇四:四〇―四八頁、堀江 一九八二:三八〇―三八四頁)。

以上の牧地の配置からチンギス・カンの三子とその子孫は西道諸王、三弟とその子孫は東道諸王と呼ばれた。トルイは、『秘史』にはオゴデイの第二代大カンへの即位の場に参集した際に、西道諸王や東道諸王と区別して「コル」（中央）所属の諸王の「頭」と記されている（後述）。トルイやコルゲンはチンギス・カンの生前、西道に属したのか、中央に属したのかを明記した記録はないものの、モンゴル高原での牧地の東西の配置を引き写したことが明らかとなっている、漢地（旧金朝領）で金朝征服後にモンゴル諸王侯が配分された分地の配置図［**図1**］を見ると、トルイもコルゲンも中央に属したと判断される。その判断を含めて大モンゴル・ウルスのチンギス・カンのケシクテンと「本隊」と五子三弟の合計八ウルスを図示すれば**図2**のような模式構造図となろう。

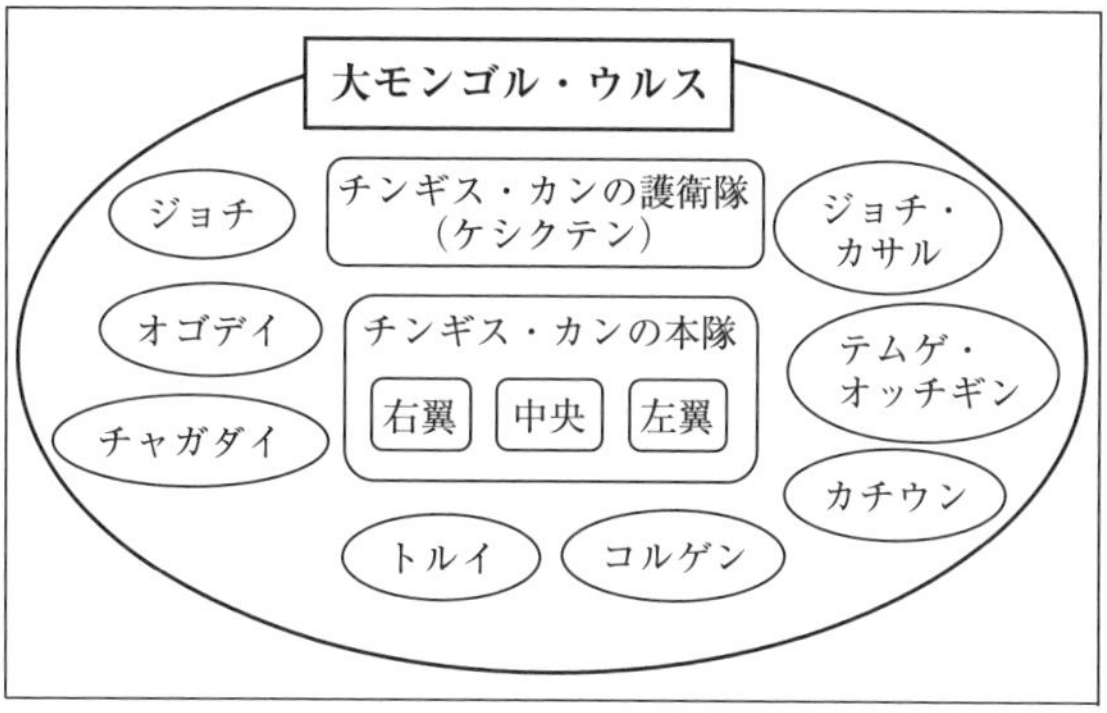

図2　大モンゴル・ウルスの内部の模式構造図
チンギス・カンの護衛隊，本隊と8個の子弟ウルス

二、ウルスとは

ウルスの語義：人々（人間の集団）

「ウルス」は『秘史』や『集史』に頻出する語で、[6]『秘史』の「ウルス」の語には、「百姓」（民、人々の意）や「国」などの傍訳が付されている。[7] 出現回数は「百姓」が七三回、「国」が二九回で、主たる意味は「百姓」である。ただ、これは傍訳を付した際に、叙述の場面に応じて適宜選ばれた訳語であって、「ウルス」の語は、本来はそのような複数の意味を持っているのではなく、それらを統合した単一の概念であったと思われる。

「ウルス」の語について、ウラジミルツォフは、遊牧民であるモンゴル人は領土よりも「人々」(люди)により関心を持ち、「ウルス」は、本来は「人々」を意味し、「封建領を形成する民」(народ)の意味でもあり、また後には「国家‐封建領を構成した民」「国家」などの意味となった(筆者要約)と解説する(Владимирцов 1934: 97; ウラヂミルツォフ 一九三七:一一〇頁、吉田 二〇一九:二七四頁)。ウラジミルツォフは『秘史』の記述に依拠して「人々、民」と「国家」の両様の意味が存在するとしつつも、本来の意味は「人間の集団」であることを強調した点が重要である。

佐口透は、「ウルス」についての『秘史』の示す概念を「部族民」(つまり、人々)ととらえる一方、『集史』の示す「ウルス」は、ジョチなどチンギス・カンの四子とその子孫の王家の政体(要するに「王国」)であるとし、「遊牧民＝戦士」(本来の「ウルス」)のみならず、千人隊長たち支配層、王家、遊牧所領地の組織を含めて考えている(佐口 一九四二:八〇、一〇九‐一一〇頁)。ジャクソンは、「ウルス」を、appanage(王子の封建領)と表現し、概略佐口と同方向の考えである(Jackson 1999; 2005: 367; 2009: 37-38, 2017: 101-104)。佐口、ジャクソンは、「ウルス」の概念に「ウルス」の当主の支配下にある牧地(領地)などを含めているが、「ウルス」の語が領域概念をも持つにいたるのは、本論の後半で述べるように、クビライの提案した帝国の分割区分が出現して以後のことである。ラケヴィルツは「ウルス」の意味について「人々(people)／部族(tribe)→世襲財産(patrimony)→領地(domain)、領土(dominion)、国家(nation)／国家(state)、帝国(empire)」とし(Rachewiltz 2004: 758)、「意味の拡張」ないしは「変容」があったと考えているが、「ウルス」が本来は「人間の集団」としての国家であったことを考慮していないように見える。

「ウルス」の語が領域概念をもつ以前、クビライとアリク・ボコ(本巻一七頁)兄弟が、第五代の大カン位をめぐる抗争をしていた時期(一二六〇‐六四年)の出来事として、アリク・ボコが、自分を裏切ったチャガダイ家の当主アルグを攻撃した際「アルグのウルスを捕えた」(8)、「カアンの軍隊とウルスを殺し、略奪した」、「カアンの軍隊とウルスを殺した」という一連の記述(『集史』クビライ紀：Rawshan: 883-884)があり、また抗争がアリク・ボコの降伏で終結した後、アリク・ボコ派の弾劾審問の場面で「カアンのウルスのうちの多数を殺した」という表現(『集史』クビライ紀：Rawshan: 889)も見られる。これらの表現では、「ウルス」は「捕らえ」「殺す」対象となる「人々」であることを示している。『集史』においても「ウルス」は、本来は『秘史』の示す主たる概念である「人々」であったのである。

護雅夫とデルファーと川本正知の「ウルス」の定義——主人を持つ人間の集団

『秘史』で「百姓」と傍訳される単語として「ウルス」以外に「イルゲ(ン)」がある(栗林 二〇〇九：二一三―二一七頁)。子弟のウルスは上述のようにチンギス・カンが配下の全国民(九五個の千人隊)の一部を「クビ《分け前》・イルゲ[ン]」として分配してつくったものである(『秘史』巻八(三〇葉三行)／二〇三節)。「イルゲン」と「ウルス」は「百姓」という同じ意味を有しながら、「クビ・イルゲン」は、分配されて「分隊」になると「ウルス」という名称に変化しており、「ウルス」には「イルゲン」にない固有の別の意味があることが想定される。

この別の意味について、護雅夫は「ウルス」の語だけに見られ、「イルゲン」(一般的な意味の「民」(人々))に見られない用法として、おもにウルスと結びつく動詞に注目して、「ウルス」は「集め、まとめ、定め、立てられたもので、主人を持つものである」(筆者要約)と分析した。その上で「ウルス」とは自然成長的な基礎的社会集団ではなく、一ejen(＝主人)の下に、人為的にまとめあわされたところの《百姓》の集団、つまり《国民》、《国》なのである、と結論している(護 一九五五：六四―六七頁)。護の分析方法は明解であり、「一人の主人の下に人為的にまとめられた人間の集団」という点が、ウルスの「実態的な意味」ということとなる。護の議論は、帝国建国以前のウルスを含む「ウルス」一般を論じたものであるが、大モンゴル・ウルスや、チンギス・カンの子弟の八個(のち一一個)の分隊の実態とも整合した意味づけといえる。

デルファーは「ウルス」を「支配者の臣下の総体」(Inbegriff der Untertanen eines Herrschers)(TMEN I: 175)、川本正知

も「部族的組織と首長をもつ……社会集団」(川本 二〇一三：一四頁)としており、ウルスの解釈として、護と同じ主旨の定義づけになっている。この「主人をもつ人間の集団」や「臣下の総体」という内部の人々に『秘史』の漢語傍訳者は注目して「百姓」、または主人を持つ組織的まとまり、すなわち総体として「国」と翻訳したものと考えられる。ただ「国」と表現されていたとしても人間の集団であって、領域としての「国」ではないことを重ねて付言しておく。川本は「大モンゴル・ウルスという言葉でハン〔大カン〕の掌握する巨大な人間集団である「くに」をあらわす」とする(同上)。その表現通り帝国全体も「人間の集団」としての「国」である。

「ウルス」の数の固定

五子三弟の合計八個の「分隊」(ウルス)は、その相続によって分割され、細分が続くことが想定されるが、遊牧集団は細分されても、細分された遊牧集団すべてが「ウルス」と呼ばれたわけではない。チンギス・カンは、子弟それぞれの一門の子孫たちが代々、一門の当主を選び(『秘史』巻一一／二五五節)、当主は一門の子孫とウルスを統率下におくこととさせた(『集史』イェスゲイ紀：Rawshan: 276, 杉山 二〇〇四：二五九頁)。チンギス・カンは五子三弟合計八ウルスの枠組みを将来も変更させず、統治区分として固定、存続する方針であったのである(村岡 一九九二：二四頁、川本 二〇一三：六七頁)。いわば「ウルス数固定の原則」があったということである。

ただ、チンギス・カンの生前に、ジョチが死去したため、ジョチのウルスは長男のオルダと次男のバトゥに二分された。両ウルスは、その後バトゥ家当主を上位(宗主)、オルダ家当主を下位とする関係(『集史』ジョチ紀：Rawshan: 710-711, 720)で長く存続した(堀川 一九九一、川口・長峰 二〇一三、Kenzheahmet 2017)。つまり、チンギス・カン時代に生じたバトゥのウルスとオルダのウルスの二区分はそのまま固定されたということである。また、カサルはチンギス・カンの生前に死去しているが、カサルのウルスはチンギス・カンからカサルの息子に分与された後「息子一人のものの統率下にあり」(『集史』イェスゲイ紀：Rawshan: 276; 川本 二〇一三：七一頁)、その後もそれらのウルスは分割されることはなく、固定されたままであった。チンギス・カンの時代に分割されたものも、分割されなかったものもそのまま固定され、変更されなかったのである。チンギス・カン時代の形が祖法として遵守されたと言っても良いだろう。

オゴデイによる新ウルスの創設

上述のように『集史』によれば、トルイはチンギス・カンの命じた通り、その死後、「チンギス・カンの本隊」「表1(二)欄の右翼、中央、左翼」を相続した。また『秘史』によれば、オゴデイが第二代大カンへの即位の際に、チャガダイがトルイとともにチンギス・カンのケシクテンとあわせて「コルン・ウルス」(中央のウルス)なるものをオゴデイに献上している(後述)。

その他の変化として、オゴデイの即位に際してオゴデイ自身のウルスはその長男のグユクにより継承された。これら相続以外に「ウルス数固定の原則」にもかかわらず、オゴデイ時代にさらに二つのウルスの創設があった。チンギス・カンの異母弟ベルグテイのウルスと、オゴデイの次男コデンのウルスの創設である。ベルグテイのウルスは、千人隊長としてそれまで自身が指揮していた千人隊をそのままウルスとしたものと見られる(松田 二〇一〇：五五―五六頁)。牧地もチンギス・カンの大オルドの所在地とカチウンの牧地との間に設定された(『元史』巻一一七、別里古台伝)。

他方、「コデンのウルス」は、オゴデイがトルイの死後、トルイ家所属のウルスより三個の千人隊を強制的に移籍させて(『集史』部族編 ジャライル部族：Rawshan: 72;『集史』チンギス紀：Rawshan: 613)、河西地方の西涼州方面の牧地を与えて(杉山 二〇〇四：四六二頁)創設したものである。[9] この強制移籍には、トルイ妃ソルカクタニ・ベキと息子たちに所属したチンギス・カンの大将軍《アミール》たち(名前の記される者はシギ・クトクら七人、それ以外にも万人隊長、千人隊長)が、

（トルイの所属と決めた）チンギス・カンの命令に違反することになると、拒否の姿勢をオゴデイにぶつけようとソルカクタニ・ベキに許可を求めた（高木 二〇一四b：三二頁）。しかし、ソルカクタニ・ベキは、汝らの言葉は正しいが、（中略）我らもまた（オゴデイ）カアンのものだ、かれは君主だ、ととりなしたため反対は鎮静化した（『集史』チンギス紀：Rawshan: 612-613; 本田 一九九一：二七頁、注二五）。こうしてコデン配下のウルスが生まれ、これらにより帝国のウルスはジョチ家の二分されたものを個数に加えて計一一個となった。

「コルン・ウルス」（中央のウルス）とは何か

上記のオゴデイの即位の場でチャガダイとトルイの二人が「ケシクテン」とともにオゴデイに献上した「コルン・ウルス」（qol-un ulus）とは何であったのか。「コルン・ウルス」は『秘史』のそこにただ一回出現する表現であり（後述）、『秘史』には明確な説明がなく、意味の同定の材料に乏しい用語で、何の論証もなされないまま、さまざまな解釈がなされてきた。

この語を、愛宕松男は「内地の国民」（『秘史』の那珂通世の翻訳（那珂 一九四三：五一四頁）と同じ表記）と記すものの「チンギス・カンの直轄地モンゴリア本国」「モンゴリア本地」と繰り返し領域概念でも理解した（愛宕 一九四一：六八―七一頁）。またジャクソン、ラケヴィルツは「カラコルムの地域」と解釈し、キムも「帝国の最高支配者としてのチンギス・カンの国土」（domain）とし、いずれも領域概念で理解している（Jackson 1999: 23-24, 2015: 102; Rachewiltz 2004: 988; Kim 2019: 297）。しかし、「コルン・ウルス」は「ウルス」に領域の概念がない時期の用例として出現するものであるため、それらの考えは当てはまらない。

「コル」の語は『秘史』と『集史』に別の意味で現れる。『秘史』では「コルン・ウルス」の語が記載される直前の文脈（次の「記事A」）で、大モンゴル国の中央の統治区分を表すために「コル」という用語が使用されている。

（記事A）鼠の年、チャアダイ、バトゥ〔ら〕を頭《かしら》とせる右手の王子《みこ》たち、オッチギン・ノヤン、〔ジョチ・カサルの遺子〕イェクゥ、イェスンゲ〔ら〕を頭とせる左手の王子たち、トゥルイを頭とせる内地《コル》（の）王子《みこ》たち、王女《ひめぎみ》たち、万〔戸〕の、千〔戸〕のノヤンたちは、……チンギス・カハンが名指し給える、かの聖旨《みことのり》〔の御旨〕に従って、オゴデイ・カハンをカンにいただいたのであった。

（『秘史』巻一二／二六九節、村上 一九七六：二八七頁）

この記事の続きにオゴデイの即位が行われ、それに続けてチャガダイとトルイが「ケシクテン」と「コルン・ウルス」をオゴデイに献上した件が次のように記載されている。

（記事B）チャアダイ兄者《いろせ》は弟のオゴデイ・カハンをカンにいただくと、父君、チンギス・カハンの黄金《こがね》の玉の緒を守り来たった〔一千の〕宿衛《とのい》の士、〔一千の〕靫負《ゆげい》の士、八千の衛士《えじ》ら、父君の御側《おそば》に仕え申せし〔一〕万の内廷勤番の士を、チャアダイ兄者は〔弟の〕トゥルイと二人にて、オゴデイ・カハンにお手渡し申し、内地の国民《くにたみ》（コルン・ウルス＝筆者補）も同じようにしてお手渡し申し上げた次第であった。

（『秘史』巻一二／二六九節、村上 一九七六：二八七－二八八頁）

両記事をつなぐと「コルン・ウルス」の「コル」は、「記事A」に示されている、王子（諸王）たちの区分として、「右手」（＝西道）と、「左手」（＝東道）の間の部分、「コル」を指すものと理解される（杉山 二〇〇四：五七頁）。この理解にもとづき、**図2**で「コルン・ウルス」に対応する人間の集団としては、（前述部分でコルの部分に所属すると判断した）トルイやコルゲンのウルスが見えるが、それらの献上は想定され難く、それらと（「コルン・ウルス」とともに献上された）ケシクテンを仮に除くと「チンギス・カンの本隊」のみが残る。

本田実信は、『集史』のチンギス・カンの本隊（右翼、中央《コル》、左翼）のうちから「中央《コル》」を除外して「右翼」と「左翼」だけを「コルン・ウルス」とする説を述べた。除外した「中央《コル》」の一千人隊を本田はケシクテンの「宿衛」一千人隊に比定した（本田 一九九一：二三－二七頁）。この比定について、宇野伸浩は、宿衛などケシクテンの千人隊は（チンギス・カンの本隊の）千人隊から選び出された人々によって組織された集団で、宿衛が（本隊の）千人隊になることはなく、両者は別組織であると本田の解釈を否定した（宇野 二〇一八：二五五―二五八頁）。

また、杉山正明は「王国の東西両縁に諸子弟の左右両翼六ウルスが位置し、その間の、チンギス・カンが直轄する「中央《コルン》ウルス」が、さらに一万の近衛軍団 tümen kešigten を中心にはさんで、ムカリ所轄の左翼軍、ボオルチュ所轄の右翼軍に分かれる――という仕組みになっていたのである」と述べている（杉山 二〇〇四：五五頁）。杉山は西道諸王と東道諸王の六ウルスに挟まれた間が「コルン・ウルス」で、その中身部分は、左翼軍と中央のケシクテンと右翼軍であると考えた。「中央」をケシクテンとする杉山の考えは、本田が「中央」の千人隊一個をケシクテンのケプテウル（宿衛隊一千人）に比定したのをケシクテン全体一万人に広げた解釈となっている。本田の考えは上述のように宇野によって否定されており、同様に杉山の解釈も成り立たないことになる。ケシクテンは「コルン・ウルス」とともに、オゴデイの即位にあたり、チャガダイとトルイの二人がオゴデイ・カアンに献上した二つの別個の存在であって、ケシクテンを「コルン・ウルス」に重ねることはできない。ただ、諸子弟の左右両翼六ウルスの間の統治区分を「中央《コルン》ウルス」とする杉山の考え方は『秘史』の文脈に沿って順当に導かれたものである。

献上された「コルン・ウルス」の内容

すでに述べたように、『集史』はチンギス・カンが死去した時にチンギス・カンの手元に残っていた軍隊などすべての財産をトルイが末子の権利で相続したとしている。上掲の「記事A」に、「トゥルイを頭とする内地《コル》の王子たち」という記述があり、西道（右翼）諸王と東道（左翼）諸王の間に位置する、「コル」の長はトルイであることが示されている。本来、この部分はチンギス・カンが直轄していた統治区分であったと考えられるから、トルイは『集史』のいうようにチンギス・カンの死後、この「コル」の部分の長の地位を継承していることをこの記述は示していると判断される。すなわち「コル」に属する人間の集団（「コルン・ウルス」）の主要部分であるチンギス・カンの本隊はこの時点ではトルイの配下にあったということになる。

そして、『秘史』の記述（「記事B」）にもとづくと、トルイはオゴデイの即位の際に「コルン・ウルス」をオゴデイに献上したことになる。献上後、当然トルイのウルスは縮減したことになり（『秘史』の伝えるトルイへの本来の分民数は五個の千人隊であるから、縮減が事実ならその個数に戻ったことになる）、それとは逆にオゴデイは大規模なチンギス・カンの本隊（の一〇一個からトルイのウルスの五個を差し引いた個数の千人隊）を配下に持つことになったことになる。オゴデイは、そのような状況の下、コデン・ウルス創設の際、献上されたその大規模な配下からではなく、縮減されたトルイ家の配下から三個の千人隊を強制的に移籍させたことになる。計算上はトルイ家所属の千人隊は残り二個となる。しかし、それは事実に反する。その移籍で縮減したはずのトルイ家の配下には、上述のようにその移籍に反対の声をあげたシギ・クトクら名前のわかる七人をはじめ、本来チンギス・カンの本隊の長である万人隊長やその配下の千人隊長が多数いたことが記載されており、縮減していない。

反対の声をあげた筆頭のシギ・クトクは、チンギス・カンからすべてのモンゴル人がだれのもとに所属しているかを記載した戸籍簿（青い《ココ・》帳簿《デプテル》）を作成して、その内容を変更させないように管理し、変えようとするものを罰する権限を与えられたとされる（『秘史』巻八／二〇三節）。シギ・クトクは、上述のようにオゴデイがコデンへ三個の千人隊を移籍しようとしたことに対して、それはチンギス・カンの命令に違反することになると、拒否の姿勢をオゴデイにぶつけようとしてソルカクタニ・ベキに止められている（高木 二〇一四b：三一頁）。もし、献上が実質的な意味を持っていたとすれば、シギ・クトクの管理している戸籍簿のトルイ家所属のものたちは献上後にはオゴデイ家に所属が変更されていたはずである。シギ・クトクの与えられた権限や反対の発言、そして反対の列に並んだ将軍たちを見る限り、そのような所属変更が行われてはいなかったことがわかる。

ただ、一部には献上されたものが存在する。『集史』のチンギス・カンの本隊の「中央《コル》」の一千人隊はケシクテンの必要物（食糧、馬など）の生産にあたっており（宇野 二〇一八：二五六頁）、ケシクテンとともに献上される必然性がある。またその長チャガンはその後、オゴデイ配下の所属として、さらに後にはオゴデイの子のクチュの下で活動しており（『集史』チンギス紀：Rawshan: 592-593;『元史』巻一二〇、察罕《チャガン》伝）、所属変更があったことは確実である。献上された「コルン・ウルス」の「コル」をこのチンギス・カンの本隊の「中央《コル》」に当てることも想定される。しかし、『秘史』の文脈から想定される帝国の統治区分の「コル」（トルイやコルゲンの本来のウルス及びチンギス・カンの本隊）とは一致していない。『秘史』と『集史』の伝えることをすべて正しいとすると、オゴデイの即位に当たって、チャガダイとトルイはチンギス・カンが直轄した帝国の統治区分の「コル」の長をオゴデイとしたが、実質的にはチンギス・カンの本隊の「中央《コル》」を献上しただけであったと理解される。この献上問題については後考を俟ちたい。

なお、チンギス・カンの本隊、一〇一個の千人隊すべてをトルイが相続して保有しているとする考えに対して、村岡倫は、独自の勢力を形成していた千人隊長などトルイのウルスには含まれないものがあるとしており、結論としてトルイは一〇一個の千人隊のうちわずか二二個[10]を保有したにすぎないことになる注目すべき見解を示している（村岡一九九六：七七頁）。これはトルイ自身はチンギス・カンの本隊すべてを実質的に保有していたのではなく、形式的に支配下に置いていた部分もあるという見解である。村岡の見解に賛同するが、トルイのこれら「コルン・ウルス」内の独自の勢力への形式的支配関係は、トルイが相続する以前、チンギス・カン時代からすでに存在した状況であったとも想定され、そのより詳しい探求は今後にゆだねたい。

三、ウルスの領域概念の出現

帝国南部三地区の属領地

帝国はチンギス・カンの金朝遠征以後、漢地、中央アジア、イランの都市と農村の地域を支配下に組み込み、帝国の統治単位にウルスとは別の、莫大な富をもたらす属領地の要素が加わった。属領地では、チンギス・カン一族をはじめとする「支配層」の諸王侯それぞれに権益が分配され、漢地（**図1**）、中央アジア、イランの三地区には、徴税と諸王侯への権益配分を行うための大カンの「出張統治機関」[11]がそれぞれ設立された（『集史』オゴディ紀：Rawshan: 705）。モンケ時代のそれらの機関は『元史』に「燕京等処行尚書省、ビシュバリク等処行尚書省、アム河等処行尚書省」という名称（以下「燕京行省」などと省略）で記録されている（『元史』巻三、憲宗本紀）。

トルイ家モンケの帝国再編

オゴディの後、その長男グユクの短い治世（在位一二四六—四八年）があり、トルイ家の長男のモンケ（在位一二五一—五九年）が、ジョチ家の当主のバトゥの支援を受けて即位した。この即位はオゴディの子孫が代々大カン位を継承するというチンギス・カンの命令と一族の約束を反故としたものであった。モンケはオゴディ家やチャガダイ家の王族たちのうち自身の即位に反対し、クーデタを計画したものたちを弾圧し（村岡 一九九二：二五—二六、四二—四三頁）、さらにグユク配下の「オゴデイのウルス（民）」を回収して、オゴディの息子たちに分割、分散させ（『集史』オゴディ紀、Ali-zade 1980: 20）、またその一方、モンケ即位を支持したオゴディの次男のコデン家などには優遇を加えるなど、チャガダイ、オゴディ両家を強圧と懐柔のもとに置いた。またモンケは漢地とイランに弟のクビライとフレグを軍事司令官として派遣し、トルイ家一門で帝国を牽引する体制を確立しようとしたのである。

クビライの帝国四分割統治体制

モンケはその後、自ら南宋遠征に出陣し、一二五九年遠征先の四川で死去した。後継の大カンの地位をめぐって、クビライは南モンゴルの自身の牧地に建設した都市、開平府(後の上都)で一二六〇年に即位し、同時期北モンゴルの首都カラコルム付近で即位した末弟アリク・ボコと争い、一二六四年のアリク・ボコのクビライへの投降まで両者は対立を続けた(杉山 二〇〇四:一〇五―一二二頁)。その間、クビライは帝国の分割統治体制を西アジア遠征中のフレグと、中央アジアのチャガダイ家の当主としてアリク・ボコから送り込まれていたアルグの二人に提案した。

その分割案とは、帝国を、エジプトの境からアム河までの区分をフレグが、アム河(チンギス・カンが与えたチャガダイの領土である東西トルキスタンの西境(Qazwīnī 1912: 31; 佐口 一九四二:一〇五―一〇八頁))からアルタイ山脈までの「中央区分」をアルグが、そしてアルタイから東の区分をクビライが支配する提案(『集史』クビライ紀:Rawshan: 880)で、これ以外にジョチ家の勢力圏があるので、これを西北部の区分とすると、この提案は、帝国南部の東西三分割プラス西北部の全体四分割案である。

なお、この提案には、それまで大カンが管理していたイラン、中央アジアの属領地の管理権を、それぞれフレグ、アルグに譲渡することを含んでいた(Kim 2019: 302)。つまり、クビライが漢地の出張統治機関を中書省に接収した(牧野 一九六六)のと合わせて、帝国の属領地を三分して管理することとしたのである。属領地には帝国の王族の権益が設定されてはいたが、それまで中央の大カンの取り分となっていたものをフレグ、アルグに引き渡すもので、クビライの提案は、両者に莫大な税収を約束するものであったはずである。

フレグは、モンケの死去当初は自身も大カン即位の意思があったが、即位を断念し、イランの地に自身の支配圏を確保する方向に転換した。その転換には、クビライの提案が大きく作用し(*Ibid.*: 296)、フレグのアム河以西の支配は一二六三年、クビライとの間で相互に承認されたとされ(北川 一九八七:四二、五一頁、注一)、クビライは、アリク・

ボコの投降後(一二六四年)にフレグをアム河以西の王とする命令をフレグに発給している(高木 二〇〇九:一四一頁、Rawshan: 1047)。

また、当時、チャガダイ家の当主アルグは、アリク・ボコが送り込んだものであったが、クビライ側に寝返った(『集史』クビライ紀:Rawshan: 883; Kim 2019: 296)。アリク・ボコは、アルグに対して懲罰の軍を起こして、アルマリクに攻め込み、先に言及したように、アルグのウルスを捕らえ、その後殺戮したと思われ、「チンギス・カンが集めた軍隊を思慮なく殺した」結果、配下の離反を招き、万策尽き、クビライに投降した(『集史』クビライ紀:Rawshan: 884-886)。クビライはアリク・ボコの処遇を決めるためのクリルタイを計画したが、出席を予定していたフレグ、アルグ、ジョチ家の当主ベルケ、さらにはアリク・ボコまでもがあいついで死去し、クビライ自身の大カンへの即位は公式に承認される機会のないまま、帝国南部の東西三分割プラス西北部、全体四分割案は既成事実となった。

この東西三分割・全体四分割は、子弟ウルスを帝国の統治区分とする思想とは異なり、帝国を地域で分割して統治区分とするものであった。三分割された帝国南部の「中央区分」にはチャガダイのウルスだけでなく、モンケ時代に回収し、分割再配分されたオゴデイのウルスを保有するオゴデイ家の一門王族も含まれることになった。東方クビライの領域には、トルイ・ウルスの継承者であるアリク・ボコが保有したと想定されるウルスやコルゲンのウルス、東道諸王の三ウルスとコデンのウルスが含まれている。それらは、本来は帝国の統治区分であったが、帝国南部の東西三分割によって新しい領域区分の中に包摂される一段下の統治区分に繰り下がったのである。西北部のジョチのウルスは南部東西三分割の外にあり、以前通りにひとつの統治区分のまま上位の統治区分のひとつとなった。

中央モンゴル・ウルスの成立

クビライが「中央区分」を領域として与えたチャガダイ家のアルグが死んだ後、「中央区分」はオルクナ妃とその子ムバーラク・シャーが治めていたが、クビライは新たな当主としてバラクを送った。バラクは権力を掌握するとクビライに反旗を翻し、反クビライのオゴデイ家のカイドゥ、さらにはジョチ家の当主モンケ・テムルとも手を結び、一二六九年に大カンであるクビライ抜きでいわゆる「タラス会盟」を行い、従来から「ビシュバリク行省」のマスード・ベクが管轄していた中央アジア(トルキスタン)の税収をバラクが三分の二、カイドゥとモンケ・テムルが三分の一を取ることに決定した(村岡 一九八八:一八一頁)。この中央アジアの税収はトルイ家も当然一定の権益を保有していたはずであったが、それが否定された。それまで、フレグ家第二代アバカ・ハンの指示の下で、アム河行省がバラク(チャガダイ家)やカイドゥ(オゴデイ家)のイランにおける権益を認めて両者の会計監査に対応してきたこと(高木 二〇〇九:一四九頁)、あるいはクビライの中書省がカイドゥの漢地における権益を保全し続けた(『元史』巻二三、武宗本紀)のとまったく逆の対応である。

タラス会盟の席でバラクは「彼(クビライ)は現在東方、すなわちヒタイとマチン[12](中略)を征服している。そしてアム河の流れからシリアとエジプトの果てまでの西方はアバカと彼の兄弟たちが父の遺産相続により受け取っている。そして「双方のウルス」の間に「トルキスタンとキプチャク・バシの地方(wilāyat)」がある」(『集史』アバカ紀:Rawshan: 1068-69)と述べた。「トルキスタン」は、チンギス・カンがチャガダイの領土としたところである(本稿九四頁)。また、「キプチャク・バシ」(キプチャクの頭)は、ジョチ家が支配する領域を表すペルシア語のダシュティ・キプチャク(Dasht-i Qipchāq, キプチャク草原)のトルコ語表現といわれ(Kenzheahmet 2017: 771)、また、ジョチ家の当主トクタが「ジョチのウルスとキプチャク・バシの諸都市(bilād)の君主」と呼ばれており(Qāshānī: 198b; 大塚他 二〇二二:二七五頁)、キプチャク・バシはジョチ家の領域を示す名称と考えられる。バラクは、帝国をクビライ、フレグ家の「双方のウルス」の二要素と、それらに挟まれた「トルキスタンとキプチャク・バシの地方(wilāyat)」、すなわち、チャガダイ家の領域とジョチ家の領域の二要素とに大きく分けて見ており、帝国は四分割されていることを認識していたことがわかる。ここでは「ウルス」の語は、従来の統治区分として機能する「一人の主人の下に人為的にまとめられた人間の集団」の意味ではなく、東方のクビライの支配圏、西方のフレグの支配圏を表している。そしてまたそれはトルキスタンとキプチャク・バシ(ダシュティ・キプチャク)の地方と並立する「領域区分」として使われている。

同時期のイエメンのラスール朝で作成された六言語対訳語彙集 *King's Dictionary*(Golden et al. 2000)では、「ウルス」の語に wilāyathā(「地方 wilāyat」の複数形)をペルシア語対訳としている(*Ibid*.: 248)。「双方のウルス」の「ウルス」はこの対訳にもとづけば、「諸地方」という領域概念となり、逆に「トルキスタンとキプチャク・バシの地方(wilāyat)」の「地方」は「ウルス」と対訳されうる。実際、カーシャーニーは「キプチャク・バシのウルス」という表現も記している(Qāshānī: 207b; 大塚他 二〇二二:三〇八頁)。また、一六世紀のウテミシュ・ハージーの『チンギス・ナーマ』には、トルコ語でジョチ・ウルスを Sarāy wilāyati(サライ地方)と表現している(Kenzheahmet 2017: 771; 赤坂 二〇〇五:一一三頁)。「ウルス」は領域概念をもつものとなったのである。

大トゥルキー国、中央モンゴル国

大カンの権限とトルイ家の権益を無視したタラス会盟の後、クビライはアルマリクに息子ノモガンを総大将として、トルイ家の王侯などモンゴル高原の諸王侯の軍を大規模に動員して進駐させ圧迫を加えた。しかし、その進駐軍は内部から起きた「シリギの乱」で崩壊した(村岡 一九八五:三一〇—三一二頁)。カイドゥはバラクの死後はその息子のドゥアとともに、またシリギの乱以後、クビライ側から合流したアリク・ボコやモンケの一門も加えて「カイドゥの国」を形成、クビライへの反抗を続けた。マルコ・ポーロはこの中央アジアの勢力を「大トゥルキー国」と呼んだ(村岡 一九八八:一八九—一九四頁)。

カイドゥの死後、ドゥアがこの「中央区分」の領域、「カイドゥの国」の覇権を奪取した。この帝国中央部のカイドゥ、ドゥアの帝国の名称は、ラテン語資料で「中央帝国」と表記され、松井太は、トゥルファン出土モンゴル語文書の断片から「Dumdadu Mongγol Ulus 中央モンゴル・ウルス」(Matsui 2009)という名称であったことを復元している。この名称の起源はまさにこのクビライの帝国南部三分割におけるクビライとフレグの双方のウルスに挟まれた「中央区分」にあると考えられる。

結び

チンギス・カンは建国後に帝国を構成する九五個の千人隊から、彼の子弟に数個ずつ千人隊を分配し、八個(ジョチ家の二分割を考慮すると九個)のウルスを作った。「子弟のウルス」は子弟それぞれの一門の当主の支配のもと帝国内部の統治区分として機能した。「ウルス」は、本来は「一人の主人の下に人為的にまとめられた人間の集団」という意味であった。『秘史』は「百姓」(人々)と「国」の主に二つの訳語で表現するが、その訳語の「国」は領域的な「国家」ではなく、一まとまりの「人間の集団」を「国」と表現したものである。遊牧集団は時代の経過とともに細分されていったが、チンギス・カンはウルスの数を固定する方針で、基本的にはその原則は守られた。ただ、第二代大カンのオゴデイの時代にチンギス・カンの異母弟ベルグテイとオゴデイの次男コデンのウルスが新たに作られ、ウルスの総数は一一個となった。(13)

第四代モンケの死後、クビライの覇権成立過程で、クビライは帝国南部を弟フレグの支配するイラン、チャガダイ家のアルグが支配する中央アジア、そして自身の支配するモンゴル高原と漢地に三分した。帝国の属領地であったイラン、中央アジア、漢地の三地区には従来中央政府の出張機関がそれぞれに設立されて属領地の徴税・管理を行っていたが、クビライはイランをフレグ、中央アジアをアルグ、そして漢地をクビライ自らの配下に置くこととした。こうして帝国は、その南部の東西三区分に、西北部のジョチ家の支配する領域を加えて四分割された。この分割された領域を表すのにやがて「ウルス」の語が適用されるようになり、「ウルス」は領域概念を持つようになり、ペルシア語では、「wilāyat」(地方)で翻訳されるようになる。以上のような経緯で、本来、領域概念のなかった「ウルス」は、クビライの覇権掌握以後、帝国南部三分割、全体四分割により領域概念を持つに至ったのである。

その後、帝国の中央区分ではオゴデイ家のカイドゥが台頭し、「カイドゥの国」、「大トゥルキー国」が作られ、クビライに反旗を翻し、抗争が続いた。カイドゥの死後、チャガダイ家のドゥアがこの「中央区分」の覇権を握り、「中央モンゴル・ウルス」という領域区分を明示した国名を称するに至ったのである。

注

(1) 兵士の家族や随従者(家内奴隷)によって構成される兵士の世帯は、モンゴル語でアウルク aʾuruq(漢語で「奥魯 au-lu」と音写(村上 一九九三)といい、「奥魯盖本朝軍人族属之名」(『山右石刻』巻二七、「故左副元帥権四州都元帥宣授征行千戸周侯神道碑」)、「老小営」、「営盤」、「家」(『秘史』)と漢語で説明ないし翻訳される。

(2) オヨンジャルガル(Очирын Оюунжаргал)氏のご教示による。記して謝意を述べたい。

(3) 「投下」は契丹以来の君主直属軍を表し(周藤 一九六九：六五八、六七六－六七七頁)、モンゴル語「アイマク」の対訳(小林 一九八三：二八頁、吉田他 二〇〇八：五七頁)。

(4) 李治安は、『秘史』にチンギス・カンがトルイへの分民の際に王傅(政治顧問)として与えたジェディとバラについて、王傅に千人隊長が任命される慣例があるとして二人をトルイの千人隊長に比定している(李 二〇〇三：三六六頁)。

(5) オッチギンの牧地を最北とする考えもある(Jackson 1999: 17; 川本 二〇一三：六九頁)。

(6) ウルス ulus の語源である古代トルコ語の uluš については、村上(一九七〇：一三一－一三四頁)、Clauson(1972: 152)に詳しい。

(7) 「国土」と「人烟」という訳語も各一回見える(栗林 二〇〇九：四八五－四八七頁)。なお「ウルス」の語は漢語では通常、古来遊牧民の諸勢力を表現する「部」という語(山田 一九八九：七－一五頁)も用いられた(村岡 一九九二：三九－四〇頁、中村 二〇〇五)。

(8)『集史』の「軍隊(lashkar)とウルス(ulūs)」という表現は、同一の意味のペルシア語とモンゴル語語彙による「二詞一意」の表現とみなす。

(9) 移籍したのはジャライル部の千人隊長ドゥラダイとスニト部の千人隊一個とスルドス部の千人隊二個である(本田 一九九一:二七頁、注二五)。ドゥラダイに千人隊を付したとの記事(『集史』部族編、ジャライル部族:Rawshan: 72)の千人隊を他の三個の千人隊とは別と考えると千人隊の数は四個となる。またコデンの漢地の分民数が四・七万戸で、諸子の分民数はモンゴルの兵数の一〇倍程度の場合が多いのでコデンの兵数は四個の千人隊との推算もあり得る(松田 一九七八:三九頁)。

(10) 村岡は二万一〇〇〇(二一個の千人隊)とするが、村岡の論旨で計算すると二万二〇〇〇(二二個の千人隊)になる。ただ、村岡はチンギス・カンの本隊の「中央《コル》」の一千人隊をトルイ家の所属のままとしているが、それはオゴデイの下へ移籍したと見なして減額すれば、村岡の提示した二万一〇〇〇に帰結する。

(11)「出張統治機関」については、前田(一九七三:一四五―一六〇頁)、本田(一九九一:一〇一―一二六頁)、海老沢(一九七二)、松田(一九七八)、四日市(二〇〇二)、高木(二〇〇九)、同(二〇一四 a)を参照。

(12) Rawshan のテキストの当該個所は khotan ختن となっているが、アリー・ザーデの校訂に従い、Māchīn ماچين とする(Ali-zade 1957: 110)。

(13) なお、本論で言及していない「ウルス」として、一四世紀初頭、河西地方(旧タングート王国領土)に勢力をもつ安西王アーナンダの「ウルス」(Rawshan: 950-953; Qāshānī: 9; 29; Kim 2019: 303)、及び同じ河西地方のチュベイ家(チャガダイの子孫)の一四世紀二〇年代の当主ノムタシュのウイグル語で「イル・ウルス」(il ulus)と表現されるものがある(「重修文殊寺碑」(耿世民他 一九八六)、Kim 2019: 303-304)。これらふたつのウルスは、ウルス数固定の原則から外れる例外的なもので、その出現の経緯は後考としたい。

参考文献

〈一次資料〉

大塚修・赤坂恒明・高木小苗・水上遼・渡部良子(二〇二二)『カーシャーニー オルジェイトゥ史――イランのモンゴル政権イル・ハン国の宮廷年代記』名古屋大学出版会。

『元史』(一九七六)宋濂等撰、中華書局。

『元朝秘史』(二〇〇一) 栗林均・确精扎布編『『元朝秘史』モンゴル語全単語・語尾索引』東北大学東北アジア研究センター。
『元典章』『大元聖政国朝典章』(一九七六) 景印元本、中文出版社。
『山右石刻』(一九七七) 胡聘之編『山右石刻叢編』石刻史料新編第一輯、二〇一二、景光緒二十五年至二十七年刊本、新文豊出版公司。
那珂通世訳注(一九四三)『成吉思汗実録』(新版)筑摩書房。
村上正二訳注(一九七〇、七二、七六)『モンゴル秘史――チンギス・カン物語』一―三、平凡社。
Ali-zade, Arends (1957), А. А. Али-заде, А. К. Арендс, *Фазлуллах Рашид ад-Дин: Джами-ат-таварих*, том III, Издательство Академии Наук Азербайжанской ССР, Баку.
Ali-zade (1980), А. А. Али-заде, *Фазлаллāх Рашӣд ад-Дӣн: Джāмиʻ ат-тавāрӣх*, том II, часть 1, Наука, Москва.
Boyle (1958): John A. Boyle, *The History of the World-Conqueror by 'Ala-ad-Din 'Ata-Malik Juvaini*, 2 vols., Manchester, Manchester University Press.
Boyle (1971): John A. Boyle, *The Successors of Genghis Khan*, New York and London, Columbia University Press.
Qāshānī: Jamāl al-Dīn Abū'l-Qāsim 'Abd-Allāh b. Muḥammad al-Qāshānī, *Tārīkh-i Ūljāītū Sulṭān*, Ms.: İstanbul, Süleymaniye kütüphanesi, Aya-sofya 3019.
Qazwīnī (1912, 16, 37), Mīrzā Muḥammad Qazwīnī (ed.), *The Ta'rīkh-i-Jahān-gushā of 'Alā'u 'd-Dīn 'Atā Malik-i-Juwaynī*, 3 vols., Leiden, Brill and London, Luzac.
Rawshan: Muḥammad Rawshan & Muṣṭafā Mūsawī (1373/1994), *Jāmiʻ al-Tawārīkh*, 4 vols., Tehran, Nashr Alborz.

〈二次資料〉


赤坂恒明(二〇〇五)『ジュチ裔諸政権史の研究』風間書房。

宇野伸浩(二〇一八)「モンゴル帝国の宮廷のケシクテンとチンギス・カンの中央の千戸」『桜文論叢』九六巻。

ウラヂミルツォフ、ボリス(一九三七)『蒙古社会制度史』外務省調査部訳、日本国際協会。

海老沢哲雄(一九七二)「モンゴル帝国の東方三王家に関する諸問題」『埼玉大学紀要(教育学部)』二一巻。

愛宕松男(一九四一)『忽必烈汗』冨山房。

川口琢司・長峰博人(二〇一三)「ジョチ・ウルス史再考」『内陸アジア史研究』二八号。

川本正知(二〇一三)『モンゴル帝国の軍隊と戦争』山川出版社。

北川誠一(一九八七)「イル・ハン称号考」『オリエント』三〇巻―一号。

栗林均(二〇〇九)『『元朝秘史』モンゴル語漢字音訳・傍訳漢語対照語彙』東北大学東北アジア研究センター。

小林高四郎(一九八三)『モンゴル史論考』雄山閣出版。

佐口透(一九四二)「チャガタイ・ハンとその時代――十三、四世紀トルケスタン史序説として」(上・下)、『東洋学報』二九巻―一・二号。

佐口透(一九七〇)『モンゴル帝国と西洋』〈東西文明の交流 四巻〉、平凡社。

杉山正明(二〇〇四)『モンゴル帝国と大元ウルス』京都大学学術出版会。

周藤吉之(一九六九)『宋代史研究』東洋文庫。

高木小苗(二〇〇九)「フレグ遠征時のイランにおけるモンゴル王族の権限と私財」『史滴』三一号。

高木小苗(二〇一四a)「二つの「ディーワーン」――イルハン国初期のイラン地域支配をめぐって」『多元文化』三号。

高木小苗(二〇一四b)「フレグのウルスと西征軍」『内陸アジア史研究』二九号。

中村淳(二〇〇五)「オゴデイ・ウルス」小松久男他編『中央ユーラシアを知る事典』平凡社。

中村淳(二〇一一)「大モンゴル国の成立――一二〇六年と一二一一年」『駒沢史学』九六号。

堀江雅明(一九八二)「モンゴル=元朝時代の東方三ウルス研究序説」『小野勝年博士頌寿記念東方学論集』。

堀川徹(一九九一)「遊牧ウズベク史研究(一)」『京都外国語大学　コスミカ』二〇。

本田実信(一九九一)『モンゴル時代史研究』東京大学出版会。

前田直典(一九七三)『元朝史の研究』東京大学出版会。

牧野修二(一九六六)「元朝中書省の成立」『東洋史研究』二五巻―三号(藤野彪・牧野修二『元朝史論集』二〇一二に増補)。

松田孝一(一九七八)「モンゴルの漢地統治制度――分地分民制度を中心として」『待兼山論叢』一一編、史学篇。

松田孝一(一九九四)「トゥルイ家のハンガイの遊牧地」『立命館文学』五三七号。

松田孝一（二〇一〇）「オゴデイ・カンの「丙申年分撥」再考（2）――分撥記事考証」『立命館文学』六一九号。

村岡倫（一九八五）「シリギの亂――元初モンゴリアの爭亂」『東洋史苑』二四・二五合併号。

村岡倫（一九八八）「カイドゥと中央アジア――タラスのクリルタイをめぐって」『東洋史苑』三〇・三一合併号。

村岡倫（一九九二）「オゴデイ＝ウルスの分立」『東洋史苑』三九号。

村岡倫（一九九六）「トルイ＝ウルスとモンゴリアの遊牧集団」『龍谷史壇』一〇五号。

村岡倫（二〇〇一）「モンゴル時代初期の河西・山西地方――右翼ウルスの分地成立をめぐって」『龍谷史壇』一一七号。

村岡倫（二〇一七）「チンギス・カンの庶子コルゲンと北安王」『13－14世紀モンゴル史研究』二号。

村上正二（一九九三）「元朝兵制史上における奥魯の制度」『モンゴル帝国史研究』風間書房。

護雅夫（一九五五）「元朝秘史における《oboq》の語義について」ユーラシア学会編『内陸アジアの研究』ユーラシア学会。

箭内亙（一九三〇）『蒙古史研究』刀江書院。

山田信夫（一九八九）『北アジア遊牧民族史研究』東京大学出版会。

吉田順一（二〇一九）『モンゴルの歴史と社会』風間書房。

吉田順一・チメドドルジ編（二〇〇八）『ハラホト出土モンゴル文書の研究』雄山閣。

四日市康博（二〇〇五）「ジャルグチ考――モンゴル帝国の重層的国家構造および分配システムとの関わりから」『史学雑誌』一一四巻一四号。

耿世民・張宝璽（一九八六）「元回鶻文《重修文殊寺碑》初釈」『考古学報』一。

李治安（二〇〇三）『元代政治制度研究』人民出版社。

Allsen, Thomas T.（1987）, *Mongol Imperialism: The Policies of the Grand Qan Möngke in China, Russia, and the Islamic Lands, 1251-1259*, Berkeley, Univ. of California Press.

Clauson, Gerard（1972）, *An Eymological Dictionary of Pre-Thirteenth-Century Turkish*, Oxford, Clarendon Press.

Golden, Peter et al.（eds.）（2000）, *The King's Dictionary: The Rasūlid Hexaglot: Fourteent Century Vocabularies in Arabic, Persian, Turkic, Greek,*

Armenian and Mongol, Leiden, Brill.

Jackson, Peter (1999), "From Ulus to Khanate: The Making of the Mongol States c. 1220-c. 1290", Reuven Amitai-Preiss and David O. Morgan (eds.), *The Mongol Empire and Its Legacy*, Leiden, Boston, and Köln, Brill.

Jackson, Peter (2005), *The Mongols and the West 1221-1440*, Harlow, Pearson Longman.

Jackson, Peter (2009), "The Mongol Age in Eastern Inner Asia", N. Di Cosmo et al. (eds.), *The Cambridge Hsitory of Inner Asia: the Chinggisid Age*, Cambridge, Cambridge Univ. Press.

Jackson, Peter (2017), *The Mongols and the Islamic World: from conquest to conversion*, New Haven and London, Yale Univ. Press.

Kim, Hodong (2019), "Formation and Changes of Uluses in the Mongol Empire", *Journal of the Economic and Social History of the Orient*, 62.

Matsui, Dai (2009), "Dumdadu Mongγol Ulus 'The Middle Mongolian Empire'". Volker Rybatzki et al. (eds.), *The Early Mongols: Language, Culture and History: Studies in Honor of Igor de Rachewiltz on the Occasion of His 80th Birthday*, Bloomington, Indiana Univ. press.

Nurlan Kenzheakhmet (2017), "The Tūqmāq and the Ming China: The Tūqmāq and the Chinese Relations during the Ming Period (1394-1456)", *Golden Horde Review*, Vol. 5, no. 4.

Rachewiltz, Igor de (2004), *The Secret History of the Mongols: a Mongolian epic chronicle of the thirteenth century*, 2 vols., Leiden-Boston, Brill.

TMEN: Doerfer, Gerhard (1963-75), *Türkische und mongolische Elemente im Neupersischen*, I-IV, Wiesbaden, Franz Steiner.

Равдан, Өшгөг овгийн Энхбаярын (2004), Хариуцан эрхэлж эмхэтгэсэн, *Монгол газар нутгийн нэрийн зүйлчилсэн толь*, V, тэргүүн дэвтэр, Улаанбаатар, BCI.

Тэлмэн, А. (2012), МУ-ын Алдарт уяач Д. Пүрэвдорж: Морины хийморийн хөшөөг босгоё гэсэн хүсэл мөрөөдөл маань биелсэн, *Тод магнай*, 2012 3. 22.(http://www.todmagnai.mn/n/9k) 最終閲覧日二〇二二年五月二一日。

Владимирцов, Б. Яковлевич (1934), *Общественный строй монголов. Монгольский кочевой феодализм*, Издательство Академии наук СССР, reprint, Tokyo, NAUKA, 1979.

Сампилдэндэв, Х. et al. (1992), *Эзен богд Чингис хааны домог оршвой*, УБ, Эрдэм пүүс.

コラム｜*Column*

モンゴル高原のメトロポリスとしてのカラコルム

松川　節

モンゴル帝国の首都カラコルムの研究は、一九世紀末以来、東西の歴史資料の記述を考古学的現地調査で検証するかたちで進められ、その位置と築城年代、市街地の状況などが明らかにされてきた。中でも一九四九年にキセリョフらが太宗オゴデイ・カアンの万安宮を発見したことは、二〇世紀最大の考古学的発掘成果となった。しかし二一世紀になるとその成果は塗り替えられた。オゴデイの万安宮と見なされてきた遺跡をモンゴル・ドイツ共同調査隊が再発掘した結果、カアンの宮殿ではなく、初めから仏教寺院(後述の「興元閣」)として造営されたことが確定され、カラコルムにおける仏教の伝播と流行を示す新たな知見となったのである。

それでは「万安宮」はどこに造られたかについては、仏教寺院エルデネ・ゾーの一辺約五〇〇メートルの方形城壁の真下に同じ大きさの旧い城壁が発見され、出土磚の熱ルミネッセンス年代が一三世紀前半であった結果、カラコルム城は南に隣接するエルデネ・ゾーの敷地を含む形で造営され、カアンの宮殿は現存のエルデネ・ゾーの敷地内のどこかに位置していた可能性が高まった。そこで、筆者らは二〇〇九年、広大なエルデネ・ゾー院内で、ゴルバン・ゾー寺院周辺と、ツォクチン堂宇跡地を選んで試掘調査を行った。古い堂宇の心柱に接ぎ木して新たな堂宇を建てるという伝統的な建立方法に着目したわけである。結果として、より古い建造物の基壇を見出すには至らなかったが、その一方でゴルバン・ゾー寺院周辺で発掘した最下層から八・九世紀ウイグル時代の陶器破片を含む文化層が出土したため、エルデネ・ゾーの地はオルドバリク(=カラバルガス)と並んでウイグル時代に最初に利用され始め、まさにその地を選んでオゴデイの宮殿が造営された可能性もが高まった。

さて、カラコルムの歴史研究には現地出土の石刻二〇件も裨益した。その多くは一九世紀末のラドロフ探検隊によって拓影が公表され、李文田『和林金石録』に著録されたが、二〇世紀末よりモンゴル日本共同「ビチェース(碑文)プロジェクト」によって悉皆的再調査と、漢語、モンゴル語、ペルシア語テキストの解読研究がなされた。これらの碑文は大都・上都への遷都によってカラコルムが嶺北の拠点都市となった後の一三三〇—四〇年代に立石されたもので、三霊侯廟などの中国式祠廟やイスラームの修道場開設に関わるものがあり、カラコルムが宗教上のメトロポリスであり続けたことを示していて興味深い。中でも順帝トゴン・テムルの勅令をうけて許有壬が漢文で著し、モンゴル語訳を伴って一三四七年に立石された「勅賜興元閣碑」は、一四世紀のモンゴル語資料と

日本の文化無償協力で建設されたカラコルム博物館に立つ興元閣碑原寸大レプリカ（2022年完成）

しても注目された。この碑文は、五層九〇メートルという壮麗な仏塔を伴う興元閣という仏閣がオゴデイの時代にまず基壇が築かれ、憲宗モンケの時代に竣工し、仁宗アユルバルワダが登位した一三一一年に修築され、さらに三一年経過したトゴン・テムルの時代に重修された経緯を記しており、またその冒頭には「太祖聖武皇帝之十五年歳在庚辰定都和林」すなわちチンギス・カンが一二二〇年にカラコルムに都を定めたとあるため、カラコルムの誕生から最後の栄華の時代までを証言する生の資料とみなしうる。

一二五四年にカラコルムを訪問したカトリックの宣教師ギヨーム・ド・ルブルクは、メトロポリスの宗教施設として仏教寺院一二、モスク二、キリスト教会一があるとした。このうち発掘によって見つかったのは興元閣のみである（なお二〇〇七年に別の建物址からネストリウス派の十字架が出土し、注目を集めている）。現在、興元閣址は基壇のみが残り、五層の仏塔は跡形もないため、それが契丹様式の楼閣式塼塔であったのか否か定かではない。根本五仏の塑像、夥しい数のツァツ（陶製小型仏塔）、舎利容器が出土し、中国系の華北・契丹仏教、中央アジア系のウイグル仏教、チベット系の西夏仏教のいずれに由来するものか、研究が俟たれている。

「勅賜興元閣碑」の碑石そのものは一六世紀末に廃墟となっていたカラコルムにエルデネ・ゾーが建立された際に建材として分断・再利用されたため、断片のかたちでしか残っていない。我々が二〇〇九年に「再発見」した断片を含めて七断片をジグソーパズルのように組み合わせた結果、この碑文は碑身のみで高さ二五〇センチに及ぶカラコルム最大の勅建碑であり、カラコルム遺跡に残る巨大な亀趺（碑文の台座）に載っていたことが明らかになった。

二〇一一年、カラコルム遺跡に隣接して日本国政府の一般文化無償資金協力によって国立カラコルム博物館が建設された。石刻二〇件も収蔵され、興元閣碑断片は国宝級文化財の扱いとなっている。二〇二〇年、コロナ禍の下でカラコルムは建都八〇〇周年をひっそりと迎えたが、その後二〇二二年になって興元閣碑の原寸大レプリカが竣工し、カラコルム博物館前庭に設置された。モンゴルと日本の学術共同研究の成果とみなせよう。その一方で二〇一〇年以降、エルデネ・ゾー院内での万安宮の探索は進められていない。現在も活動中の宗教施設でもあるためである。

問題群｜Inquiry

モンゴル支配下の中国と多民族国家
――官位獲得をめぐる諸相

飯山知保

はじめに

征服した地域の長期的かつ安定的な統治が、征服そのものよりはるかに複雑で困難な過程を要することは、歴史上普遍的な現象だろう。モンゴル帝国の中国統治も例外ではない。モンゴルの統治は、在来の文化・宗教伝統の庇護とその実践者の登用(宮 二〇〇六、二〇一八、森田 二〇〇四)、金国・南宋の官制や行政機構の継承、その一方での自らの政治慣習・文化的伝統による様々な制度や統治原則の多層的な併存と混淆により特徴づけられる。

本稿に与えられた課題は、在来の文化・社会的伝統の継承と新制度の導入の両面からみたモンゴルの中国統治と、それに対する統治下の人々の対応について、家系・氏族の視野から論じることである。換言すれば、それは被征服者たちが征服者たちと接触し、彼らを理解し、そしてその統治に順応した経緯を明らかにすることであろう。郷村統治制度などは第七巻で扱われているので、本稿はおもに被征服者がどのように統治システムを理解し、参与したのか(つまりは官位を得たのか)に主眼をおき、前述の課題を考察する。

モンゴルの「中国」征服の過程は、数段階にわかれた。金国(一一一五―一二三四年)の統治下にあった中国北部(以下

「華北」)の征服(一二一一―三四年)と、南宋(一一二七―一二七六年)との対峙、そして南宋の征服である。こうした六〇年以上におよぶ征服活動(一二一一―七九年)は、華北と旧南宋領におけるモンゴルの支配とそれへの対応に明確な差異を生んだが、本稿の紙幅ではその全貌を論じることはできない。そこで本稿ではまず華北・江南で、モンゴル支配下での出仕状況の変化をよく表すと思われる家系の事例をそれぞれ一つとりあげ、モンゴルの中国支配とそれへの対応の地域的差異を確認する。そして、モンゴルに仕えた人々が、在来の文化伝統の中で自らの立場をいかに表現したのかを、「先塋碑《せんえいひ》」という碑刻類型を中心にして論じる。さらに、モンゴルとともに中国に来住した人々のモンゴル支配への対応を、やはり一つの家系の事例を中心に考察する。なお、近代的な外部観察となる「民族」概念で当時の人々を区分することは困難であり、本稿では「多民族」を「多様な文化・社会的出自をもつ人々」として定義する。

本稿が考察の出発点として念頭に置いたのは、一九九七年刊行『岩波講座 世界歴史』巻一一所収の、宋代から明代に至る江南史の通時的把握である(中砂 一九九七)。本稿の執筆者の研究対象地域は華北であるが、その背景には、この二五年間の研究による華北からの視点で、江南史の流れとは異なるモンゴル支配の景色がみえるのかという関心もある。

一、モンゴルの金国・南宋征服とその後の支配

チンギス・カンの鎧職人になった農民

山西省北部の主要都市である大同《だいどう》から東南におよそ三〇キロに、渾源《こんげん》という県があり、県北部の西留村《せいりゅうそん》の西郊に、「孫公亮墓《そんこうりょう》」(あるいは「孫家墳」)と呼ばれるモンゴル時代の家族墓地がある。この墳墓の中心に現在でも屹立するのが、劉因の撰述による「大元正議大夫浙西道宣慰使兼行工部尚書渾源孫公先塋碑銘」(一二九九年)である。高さ三二八セン

チ、幅一二一センチ、厚さ二四センチのこの堂々とした碑は、一見すると、故人の事績を顕彰する「神道碑《しんとうひ》」などの他の類型の碑刻と見分けがつかない。しかし、その碑文と、碑陰（碑の裏面）に刻まれた詳細な系図「孫氏世譜」を読むと、その第一印象は覆る。個人の事績を主に顕彰する神道碑や墓誌銘と異なり、碑文は孫氏一族のモンゴルへの奉仕の歴史を叙述するからである。

「孫公亮墓」に現存するその他の孫氏一族の碑刻（王惲『秋澗先生大全集』巻五八、『三晋石刻大全　大同市渾源県巻』にも所収）に記される孫氏の経歴を要約すれば、次のようになる。

金代後半の渾源に生まれ、その祖父や父と同じく、自らも農民であった孫威《そんい》（一一八三－一二四〇年）の人生は、一二一一年に開始されたチンギス・カンの金国侵攻により激変した。孫威は大同で金国の軍隊に入り、モンゴル軍が大同を占領すると「義軍千戸」に任じられ、平山府《へいざんふ》（おそらく現在の河北省平山県）の「甲工《こうこう》」（鎧職人）の統括者となる。当時の華北で「義軍」とは、民間で結成された武装集団を多く指し、それらは往々にして金国・モンゴルの支配下に組み込まれた。

そして、彼の人生を決定づける出来事が起きる。義兄から鎧の製造を学んでいた孫威は、経緯は不明だが、ある日チンギス・カンに鎧を献上する機会を得る。チンギス・カンはその精巧さを褒め称え、「イェケ・ウラン」（yeke uran 也可兀蘭）というモンゴル語の名前（あるいは称号）を与えた。「大いなるたくみ」ほどの意味である。この後、孫威は主にモンゴル軍の捕虜から鎧職人を選び出してその統括者となる。オゴデイ・カアン（在位一二二九－四一年）は孫威が献上した鎧を自ら射て、矢が貫通しないことを称賛して金符を与えた。

孫威の息子で、一二九九年に前述の碑を立てた孫公亮（一二二一－一三〇〇年）は、おそらくはカアンの近侍に加わる質子（モンゴル語で「トルカク turγaγ」）となるべく、「漠北」で生まれ育った。一〇歳ほどの時、孫威に伴われて謁見した公亮に、オゴデイは自らの食事を与え、身辺に仕えることを許した。父の死後はその職務を継承してチンギス・カンの後裔に鎧を提供し、モンケ・カアン(在位一二五一―五九年)に「イェケ・ウラン」名を嗣ぐよう命じられる。一二六一年、カアン位を争うクビライとアリク・ブケとの間で戦われたシムルト・ノールの戦いに際して、クビライに六〇領の鎧を献上し、その後監察御史《かんさつぎょし》に任命され、監察・行政の職位を累進してゆく。

孫公亮の長男孫拱《そんきょう》(一二四一―一三〇六年)は鎧製造を引き継ぎ、順天路《じゅんてんろ》(治所は現在の河北省保定)と河間路《かかんろ》(治所は同省河間)などで鎧職人を監督した。一二七〇年代初頭、襄陽《じょうよう》・樊城《はんじょう》の戦いに際しては、やはりクビライに鎧を献上する。そして公亮が引退すると、行政官としての職務を継承し、保定路治中《ほていろじちゅう》(保定路[現在の河北省保定市を中心とした行政単位]の上級官員)に就任した。クビライの死後は、「イェケ・ウランの孫」として新カアンのテムル(在位一二九四―一三〇七年)に謁見している。

その間、孫公亮墓に現存する碑刻の一つ「大元故保定等路軍器人匠提挙孫君墓碑有序」(「墓碑」とは故人の事跡の顕彰のため、通常は地上に立てられる碑)によれば、孫拱の息子孫謙《そんけん》(一二五五―九八年)は、孫拱がクビライに直接「これなる臣の息子謙は成長しました。皇太子に仕えさせてください」と請願し、クビライの子息チンキム(一二四三―八六年)に仕え、たびたび鎧を献上した。その後孫拱の職務を継承して保定等処甲匠提挙《ほていとうしょこうしょうていきょ》(保定の鎧職人の統括者)となり、一二八七年にナヤンの乱がおきると、鎧などを迅速に供給して称賛され、テムルの即位後にはまた鎧を献上している。孫謙が死去すると、その従弟孫諧《そんかい》は地方行政官となり、孫諧の弟の孫誼《そんぎ》が鎧職人の監督を引き継いだ。こうした状況を「大元故保定等路軍器人匠提挙孫君墓碑有序」は次のように述べる。「はじめ孫威がその技能をチンギス・カンに捧げ、イェケ・ウラン号を賜ったが、中国の言葉で将作大匠《しょうさくたいしょう》(宮殿の造営などを司る官職)のような意味である。孫威が死去すると、孫公亮が[その任務を]嗣いだ。公亮が他の官位に就くと、孫拱が嗣いだ。孫拱が他の官位に就くと、君(孫謙)が嗣いだ。君が死去すると、その従弟孫誼が嗣いだ」。このような出仕のあり方は、孫威の子孫たちがケシクテン(ケシク[輪番、当直]を行う人々の意)の一員であり、カアンやその一族のための生産活動に専従する隷属民(モンゴル語で

「ger-ün kö'ün」（直訳すると「家の子」）、漢語ではその音写の「怯憐口」と呼ばれた）の鎧職人を統括したことを示唆する（片山 一九八〇：二五一―二七、二八一―二九頁、宇野 二〇一八）。

モンゴル語と漢語を幼少から話した公亮は、「大元故正議大夫浙西道宣慰使行工部尚書孫公神道碑銘并序」によれば「モンゴル語の流行語に精通し、通訳する間にも関係のない冗談をまじえた」（閑習時体訳語、闌翻雑以談謔）。その子孫たちも両言語を話し、孫拱はクビライからタイ・テムル（太帖穆而）というモンゴル語名で呼ばれ、孫謙はベイ・ブカ（伯不華）と自称した。典型的な「モンゴル化」（堤 一九九五）した漢人一族といえよう。

華北におけるモンゴル支配の確立と「根脚」

チンギス・カンの金国侵攻ののち、一二三四年の金国滅亡まで、華北の大部分は二〇年以上の戦乱による既存の社会秩序の崩壊を経験した。まさしく中華の文明が消滅するかのような衝撃が当時の知識人をおそう中（高橋 二〇二二）、科挙及第により官位を得ていた家系の多くは同時代の史料から姿を消す。その一方で、金国の統治制度が崩壊した地域では、前述した「義軍」のような、自衛のため在地の有力者を中心に組織された武装勢力が勃興する。これらの集団は、やがて同盟・統合・攻伐を繰り返し、山東などでは多くの州県を支配するまでに成長してゆく。こうした武装勢力を「漢人軍閥」とよぶ。

モンゴルの王侯や有力な将領は征服した地域の漢人軍閥をその支配下におき、漢人軍閥はモンゴル王侯にかわって征服された人々を管轄し、その子孫から官員・軍官を輩出する。チンギス・カンの生前に、すでに華北の征服された住人はモンゴル王侯などに分配されたが、その後モンゴル王侯や漢人軍閥が入り乱れて状況が錯綜したため、オゴデイ・カアンは人口調査を行い、一二三五年に「乙未《いつび》籍冊《せきさつ》」が作成される。翌一二三六年には華北の住人の再分配が行われた（「丙申年分撥《へいしんねんぶんはつ》」）。一二五二年にはいわゆる「壬子《じんし》年籍《ねんせき》」が作成されてさらに住民の分配が行われ、華北におけるモンゴル王侯の投下《とうか》(分配された人々とその統治機構。モンゴル語のアイマク(ayimay)を音写した「愛馬」や、「位下《いか》」などとも呼ばれる)が確定される。カアンとその一族に仕えるケシクテンのように、モンゴル王侯も側近集団を擁しており、そうした側近らが華北・旧南宋領の投下の管理に従事した(杉山 二〇〇四：一八七—二四〇頁)。

その征服活動の多くの過程で、モンゴルは遠征に参加した有力者とカアンとの間で、征服された人々を分配した。その際、職能などにより征服地の住人は識別され、とくに有用な技能の持ち主とその家族は、それ以外の人々とは別途に分類された。中国では、職能・技能あるいは宗教的職能などによる戸籍登録の区分が実施される。各種職人の匠《しょう》戸《こ》、軍人の軍戸《ぐんこ》、狩猟に従事する打捕戸《だほこ》、鷹狩りに従事する鷹房戸《ようぼうこ》、儒学の学習を行う儒戸《じゅこ》などは、特殊な技能をもたない「民戸《みんこ》」とは区別された。こうした戸計は、州県とは異なる独自の行政機構により管轄され、その内部での官位獲得・昇進の経路も設定された(黄 一九七七)。モンゴル王侯は各自に分配された人々の中にこうした職能者の戸計を擁し、還俗した僧侶・道士や元駆口《くこう》(奴隷)などの戸籍登録から漏れた人々を召募して新たに職能集団に加えもした(海老沢 一九六六)。

また、医学・天文学や様々な科学技術知識、語学能力、宗教実践などの「実学」に熟達した人々は高く評価され、カアンやモンゴル王侯に召し抱えられた(宮 二〇〇六、二〇一八)。モンゴル時代最初の科挙の進士である許有壬《きょゆうじん》(一二八七—一三六四年)によれば、科挙再開後でも、「東南(江南)の人士」を含む多勢の人々が、大都の午門外で朝夕に通りかかる王侯や高官に文章を渡したり、様々な技芸を披露したりしていた。そして、いったん評価されれば、その任用の誓願書が朝に朝廷に提出され、夕方には職位に召されることもありえたという(『文翰類選大成』巻一一六「送朱安甫遊大都序」)。僧侶や道士なども宗教・宗派ごとに独自の統括組織に編成され、その内部で職位を獲得する一方、在地社会においては金末元初の戦乱で荒廃した社会の復興の一翼を担った(高橋 二〇一一、二〇二一、Wang 2018)。寺院・道観(道教の寺院)所在地に投下をもつモンゴル王侯らも宗教集団を庇護し、その権益を承認した(舩田 二〇一四)。

このように、「人間の集団それぞれに対して、その長たるものを選定し、彼を通じて各集団内部のルール(本俗法)に拠って支配を貫徹するというシステム」は「集団主義」とよばれる(森田 二〇〇四：四四―四六頁)。金国の官制を引継ぎ、吏員からの昇進による官位獲得経路を維持しつつ、前述の諸新制度を導入したモンゴルの官吏登用の特色は、複数の統治機構の併存と、出仕経路の多元化にある。そして、異なる出仕経路の全てを通じて重要であったのが、チンギス・カンとその後裔に対する奉仕の経歴であり、これは漢語で「根脚《こんきゃく》」などとよばれた。一般的に、奉仕の経歴の時間(世代)が長いほど、その人物の地位は高く、出仕などで優遇された。これら「集団主義」と「根脚」の重要性は、モンゴルの支配を考えるうえで要点となる概念であった(杉山 一九九二：二七六―二八〇頁、志茂・志茂 二〇二一)。この二点をふまえて渾源孫氏の職能(鎧製造)と根脚(チンギス・カンとの直接の関係とその後裔への四世代にわたる奉仕)をみると、彼らの栄達が当然であったことがわかる。

海運を監督する儒学者

嘉靖《かせい》三九年(一五六〇)の序文をもつ『寧波府志《ねいはふし》』の巻三五「義行」に、童金《どうきん》(生没年不詳)という人物の小伝がある。慈渓《じけい》県の裕福な家に生まれた童金は、至元《しげん》年間(一二六四―九四年)にその才覚により推薦されて進義副尉《しんぎふくい》(後述)を授けられ、毎年海運の監督をした(「以才能薦授進義副尉、歳督海運」)。南宋の首都臨安《りんあん》の開城が一二七六年なので、童金はモンゴルの旧南宋領統治のごく初期に、おそらく家財の豊かさと地元での名望によって、新たな統治機構に組み込まれた人物であった。引退後は祖父の草庵の傍に義塾を築き、学田を整備して教師を招き、のちに杜洲《としゅう》書院として公認を受けた。大徳《だいとく》年間(一二九七―一三〇七年)の飢饉に際しては、私財を投じて救済を行い、地方官により表彰された。童金の祖父であり、先に見た孫威と同時代人の童居易《どうきょい》(生没年不詳。嘉靖『寧波府志』巻二七「列伝二」に小伝)は南宋嘉《か》定《てい》年間(一二〇八―一二二四年)の進士であり、楊簡《ようかん》(一一四一―一二二六年)に学び、「杜洲先生」と呼ばれた。童金はその家系と、自らが地元で行った活動からみて、「士」(儒学教養を備えた知識人)とよばれるべき(そしておそらく自らもそう認識していた)人物である。ではなぜそのような人物が、海運の監督をしたのだろうか。

華北と同様、モンゴルは主に府・州・県のレベルで南宋の行政機構を継承する一方、旧南宋領でも人口調査と戸計の設定を順次行ったが、出仕という点に関して、江南と華北の人々(以下それぞれ「南人」「漢人」)の間には、重要な差異があった。第一に、南宋征服後には従来の行政組織が接収され、華北のような軍閥の割拠はみられなかった。接収された旧南宋軍は「新附軍」として再配置され、日本遠征などに転用されたが、日本遠征の後、一二八一年末ごろから江浙・江西に展開された駐屯軍の多くは華北に本拠地をもつ軍団の分遣部隊であった(大葉 一九九〇、堤 一九九八)。一二八五年には三七の万戸府が設置されるが、その指導部も華北から派遣された(舩田 二〇一六)。大元ウルス・元朝の領域拡大も停滞する中、南人には従軍による立身の機会がほぼなかったのである。

第二に、モンゴルへの服属が華北にくらべて二世代ほど遅れたため、たとえモンゴル王侯に奉仕したとしても、「根脚」の長さの面で漢人には及ばなかった。孫威がチンギス・カンに出会ったころ、童居易は科挙受験を行う南宋の知識人であったが、この来歴の差が、両者の孫のモンゴル支配下における出仕形態や政治的地位の違いに帰結した。モンゴル王侯との個人的な結びつきにより大都で官位を得る南人も少なくなかったが、出仕に関する全体的な状況は漢人にくらべて不利であった。モンゴル支配下での「根脚人」への優遇に対する明初の権衡《けんこう》(江西吉安[現在の江西省吉安市]の人)の激しい批判(『庚申外史《こうしんがいし》』)は、至極当然であったといえよう。行枢密院《こうすうみついん》(軍政を担う最高機関「枢密院」に相当する行省レベルの機関)など、モンゴル支配下で旧南宋領に新設された行政・軍事機関においても、正規の官員への昇進が可能な上級吏員であってさえ、官位獲得には相応の歳月を要し、さらには限られた官員の職位に対する吏員の増加により、その時間は不断に長大化していった(牧野 一九七九)。

南宋征服の後、シリギの乱(一二七六―八二年)鎮圧の目処が立ってから、モンゴルはいわゆる「江南三省」(江淮《こうわい》・江《こう》西《せい》・湖広《ここう》の路・州・県に管轄される戸口の中から一定数をモンゴル王侯や功臣たちに分配した。ここに至り、モンゴル高原・華北・江南を結びつけるモンゴル王侯の投下の構造が構築される(杉山 二〇〇四:一八七―二四〇頁)。こうした旧南宋領の投下に対して、その所有者は管理者を派遣し、時として裁判への介入や銭糧徴収を行うなど、路・州・県の行政組織と紛争を起こしたが(植松 一九九七)、管理者の多くは、華北から派遣された漢人であった。そもそもモンゴル王侯は旧南宋領にあまり赴かなかったと思われるので、南人が王侯への奉仕の機会を得ること自体が容易ではなかった。前述した許有壬の「送朱安甫遊大都序」は、「東南の人士」が旅費や生活費の負担に苦しむさまを記すが、それでも南方からはるばる大都までやって来る官位獲得希望者は少なくなかったのである。

旧南宋領の戸計について最も研究の蓄積があるのは、儒戸についてである。華北ではその全域で統一的な儒人(儒戸を構成する人々)の認定は行われなかった(高橋 二〇二一:一七〇―一八四頁)。一方、旧南宋領においてもおそらくは統一的な儒戸認定は行われなかったが(太田 一九九二、牧野 二〇〇〇・二〇〇一)、華北にくらべれば認定数は多く、たとえば明州だけで三〇四五戸を数えた。しかし、儒戸の免差(賦役免除)特権は一四世紀初めには有名無実となり(Lee 2014: 204-216)、就任の可能性があった州県学校の教員などの官位は低く、上級官職への昇進にも長大な時間を要した。一三一四年に再開された科挙も、合格者枠の少なさから、華北と同様、受験者数は少なかったと推測される(飯山 二〇一一:三一四―三二五頁)。

南人が高位官職を獲得する相対的な困難さ、官員任用における科挙の役割の低さ、モンゴルへの出仕を拒否する人士の存在をもって、かつてはモンゴル支配といえば知識人の悲惨な境遇が強調される傾向にあった。もちろん、旧南宋領で科挙の停止が大きな失望と不満を引き起こしたことは確かだが、一方でモンゴルは江南における人材の推挙と登用を積極的に行っており(櫻井 二〇〇〇、二〇〇二、宮 二〇〇六)、新たな統治機関の設置に反応する江南の人々が少なからずいたこともまた確かである(于 二〇一二)。

海道運糧の設立とその影響

モンゴルが旧南宋領に設置した新たな統治機構の一つに、海道運糧万戸府《かいどううんりょうばんこふ》がある。南宋征服後、大元ウルス・元朝の財政は「江浙―大都―モンゴル高原」を結ぶ財政的物流を基軸として構築されたとされるが(宮澤 二〇一三)、その中で重要な役割を果たしたのが、主に太倉《たいそう》の劉家港《りゅうかこう》(現在の江蘇省太倉市《こうそしょうたいそうし》瀏河鎮《りゅうかちん》)と大都とを結ぶ海運であった(檀上 二〇〇一、植松 二〇〇一、二〇〇三)。海賊あるいは塩賊であったとされる朱清《しゅせい》(一二三七―一三〇三年)や張瑄《ちょうせん》(?―一三〇二年)はモンゴルに帰附して、海道運糧万戸として大都への米などの海上輸送を確立・運営し、やがて関連する人事権も掌握した。彼らは行政組織でも要職を歴任し、張瑄とその息子張文虎《ちょうぶんこ》、そして朱清はそれぞれ江浙行省左丞《こうせつこうしょうさじょう》・江浙《こうせつ》行省参知政事《こうしょうさんちせいじ》・河南行省左丞《かなんこうしょうさじょう》(それぞれ、現在の浙江省と河南省を含む広域行政機関の高官)にまで至る(植松 二〇〇四)。南宋征服以前から南方中国の沿海地域で交易・海運などに従事していた人々にとって、モンゴル支配は新たな機会の到来を意味した(陳 一九九五)。南宋時代まで科挙受験をしていた一族の中にも、吏員として出仕するほかに、海道運糧万戸府への出仕に方向転換する例が少なからずみられる(Lee 2014: 216-226)。前述の童金が帯びた「進義副尉」という武散官《ぶさんかん》(武官の位階をあらわす称号。進義副尉は従八品)は、彼が海道運糧万戸府に属していたことを示すと思われるが、明州《めいしゅう》は福建から劉家港へと輸送される米などの集積地であり(寺地 一九九九)、彼が「毎年監督した」のは、こうした海運であっただろう。彼がどのような思惑でモンゴル支配下の海運の監督に従事したのか、彼の小伝からは窺い知れないが、当時の状況下で出仕を考えるならば、モンゴル支配の進展に順応した対応であったといえよう。

最後に、二〇年以上の戦乱により在来の社会秩序が崩壊した華北と比較した、旧南宋領の状況のもう一つの特徴について述べて、本節の結びとしたい。知識人だけでなく、商業的・社会的に大きな影響力をもつ在地の有力者層が排除されなかった旧南宋領では、モンゴルの支配も彼らの協力なしでは立ち行かなかった。科挙の中断など、在来の出仕制度の強権的な否定を行う一方で、州県などでの地方統治の現場では、地方官たちは在来の在地有力者たちと協議を行い、その協力を得なければ、円滑な統治を行うことは難しかった(Lee 2014: 202-263)。前述した朱清・張瑄による漕糧海運はそうした構造を典型的に示すとされるが、こうした統治のあり方が、旧南宋領に根づいた「豪民」とよばれる強大な勢力の成長を促進したとされる(植松 一九九七)。童金の事例も、そうした歴史的経緯の一端を示すのかもしれない。今後、大都市を地盤とした商人、江南各地の大土地所有者や、江南の経済政策を実施した南人官僚・吏員などの官民を包摂した人々の結びつき、あるいは南宋時代からの農業・水利政策の連続性を解明することにより、モンゴル支配の実像や歴史的意義はさらに明らかになるだろう。当然ながら、宋金時代からの継続性を中心として、同様の展望は華北にもあてはまる(小林 二〇一九、矢澤 二〇一五)。なお、モンゴル支配下の南方中国を考えるうえで重要な海外交易については、本巻四日市論文、関論文、向論文などを参照されたい。

二、「根脚」の記録と保存

系譜資料の形態

モンゴル支配下においては、モンゴルに仕えた家系の歴史の保存が、政治的地位などの保持・継承において非常に重要であった。前節でみた渾源孫氏の事例からも明らかなように、ケシクテンの成員はカアンの代替わりごとに自らの家系の奉仕の歴史を確認する必要があったようであるし、恩蔭《おんいん》(ある程度の高位に達した官員に、その子孫への任官機会を与える特権)などにより父祖の職位を継承する場合には、「父祖の出仕経歴と根脚」(父祖前後歴仕、根脚)の提示が求められた(『元典章』吏部巻二、典章八、官制二、承蔭「民官子孫承蔭」)。当然、官員を出した家系では、系譜資料の保存に細心の注意を払った。この際、それらの人々が採用した保存媒体のあり方は、モンゴルの統治原則を、中国の人々がいかに理解し、自分たちの文化伝統の中で表現したのかを示し、非常に興味深い。

中国における系譜資料といえば、「族譜」「家譜」などの冊子形態がまず思い浮かぶ。実際、この時代の多くの文集には、南人の家系が編纂した族譜に対する序文が収録される(常 二〇一三)。華北においても官員を出した家系は紙媒体で「家伝」「千秋録《せんしゅうろく》」「先世状《せんせいじょう》」などの系譜資料を作成し、時として族譜・家譜も編纂した。例えば、南宋時代の名臣虞允文《ぐいんぶん》(一一一〇—七四年)の五世孫として江西撫州《こうせいぶしゅう》に生まれ、のちに大都に赴いて大都路儒学教授に任じられたのを皮切りに、中央政府の官位を歴任した虞集《ぐしゅう》(一二七二—一三四八年)は、多くの族譜への序文を執筆したが、洛陽《らくよう》の楊氏《ようし》という漢人官僚の家系にも「雒陽楊氏族譜」(『道園類稿』巻一九)を記している。そこには「系譜を書き、それを板木に彫って印刷して、成人した子孫がそれぞれ受け取って保管すれば、歳月がたっても〔一族の〕根源を忘れず、他の家系と混じり合うこともない。とても遠くにいても、数十年がすぎても、お互い会う機会があれば、それぞれ系譜を出し合い、昭穆《しょうぼく》(埋葬や位牌の設置の順序)や長幼の秩序が乱れることも、〔一族の〕根本が失われることもない」と記される。ここで述べられる族譜の携帯性や保管上の利点、遠隔地への赴任などによる一族の結合解消への不安は、南方中国でも一般的な、族譜編纂の重要な動機であった(Ebrey 1986)。同時に、華北では石に系譜情報を刻む慣習も広まるが、前節でみた渾源孫氏の「大元正議大夫浙西道宣慰使兼行工部尚書渾源孫公先塋碑銘」はその典型例である。

「先塋碑」からみる文化変容

常建華・森田憲司の両氏が指摘したように、系譜を碑刻の上に刻む行為はモンゴル時代独特の現象ではない(常 一九九二:七八頁、森田 二〇〇四:二〇五頁)。早くも魏晋南北朝時代には、主に華北において、族人の官位や婚姻相手、そして子供の性別・名前などの墓誌銘への記録が始まる(陳 二〇一五)。北宋時代には、韓琦《かんき》(一〇〇八—七五年)、蘇洵《そじゅん》(一〇〇九—六六年)、欧陽脩《おうようしゅう》(一〇〇七—七二年)などがそれぞれの先塋《せんえい》(一族の墓地)に系譜を刻んだ碑を立てた。金代になると、華北では「先塋碑」「先徳碑《せんとくひ》」「一氏墓表」「一氏阡表《せんひょう》」などの、一族の来歴を強調する題名をもつ碑刻が、主に家系の系譜を記録するために立てられるが(以後本稿ではこうした碑刻を「先塋碑」と総称する)、興味深いことに立石者のほとんどは官職をもたない人々であり、ある金代先塋碑では「先塋碑の設立は礼にかなうのか」という疑念への反駁がわざわざ記される(『山左金石志』巻二〇「済寧李氏祖塋碑」)。

しかしモンゴル時代に入ると、まず「先塋碑」の数量が激増するうえ、立石者に文武の官員が多くなる。そして、一四世紀になると、天暦の内乱(一三二八年)などの内乱に勝利して即位したカアンたちが、自らの支持者たちの功績や「根脚」を称揚するため、「先塋碑」の碑文を下賜するようになる。「先塋碑」とはモンゴル支配を契機として、平民や下級官員のものであった碑刻慣習が、政治的に高位の集団に受容されていった、中国史上あまり類をみない碑刻類型である。その背景には、モンゴル時代華北で官位を得た家系の多くが、それまで官員を出したことのない家系であった点がある。つまり、彼らの政治的地位の上昇が、「先塋碑」の拡散を促進したのである(Iiyama 2016)。

一族の紐帯としての先塋

なお、旧南宋領において「先塋碑」が普及した痕跡はみられない。この背景には、同一の先塋に埋葬されることが一族(宗族)の成員である証という強固な、少なからぬ「先塋碑」から看取される観念の存在があると思われる。一例として、山東淄川《しせん》の人である楊弘道《ようこうどう》(一一八九―一二八〇年頃)の「李氏遷祖之碑」(『益都金石記』巻三)は先塋を、現世の一族および祖先と交歓する唯一無二の場として描写する。モンゴル時代の華北における「先塋碑」の設立年代として一三世紀後半が一つの頂点をなすのは、まずもって戦乱が収束し、官職を得た家系に、先塋を修復し、その祖先を顕彰する余裕が生じたからだろう。モンゴル時代華北では、南方中国で拡散しつつあった祠堂の建設は極めて少ない一方、人々は清明節《せいめいせつ》などに先塋に集うことにより、一族としての紐帯を確認した。一族での墓地(当然、相応の面積となる）の共同所有と共同埋葬（族葬）と、それによる族人間の関係規定・確認は、古来中国における宗族認識の基調の一つであった（滋賀 一九六七：二七四―二七五頁）。華北ではこうした慣習がモンゴル時代にも普遍的にみられ、一族の系譜を確認する絶好の（そしておそらく唯一の）場所として、「先塋碑」が盛んに立てられた（Iiyama 2023: chapter 4）。

このため、ある先塋碑文の中で虞集は、功臣の系譜が国史院（国史の編纂機関）に保管されていることを述べたうえで、「〔それ以外で〕世の中で〔系譜を〕わずかに知らしめるのは、金石の刻文がこれを後世に伝えるのみである」（四方之所僅知者、亦惟金石之刻、可以伝信而不忘）（『道園類稿』巻四五「蒙古拓抜公先塋碑銘」）と、保存媒体としての碑刻の重要性を指摘している。華北で碑刻の調査をしていると、神道碑など先塋碑以外の碑刻類型にも、その碑陰には系図が刻まれている事例をまま目にするが、自身もいくつかの先塋碑文を執筆した胡祗遹《こしいつ》（一二二七―九五年）は、複数の文武官を輩出した寧晋《ねいしん》（現在の河北省寧晋県）の王氏という家系と神道碑の作成についてやりとりしている手紙の中で、「王氏世系図」を作成してその碑陰に刻むことを建言している（『紫山大全集』巻一二「寄王彦才総管書」）。碑刻への系図の刻入は、かなり広汎に行われた慣習であったと思われる。

さらに、熾烈な金末の戦乱を経験した華北では、最も堅固な記録媒体の一つである碑刻への思い入れがあったと思われる（例えば、元好問『遺山先生文集』巻一八「嘉議大夫陝西東路転運使剛敏王公神道碑銘」を参照）。前述した、族譜を編纂した洛陽楊氏の場合でも、実は「雒陽楊氏族譜」の引用箇所の直前には、「〔虞集に〕洛陽の先塋碑〔の執筆〕をお願いし、それはすでに大書して〔碑に〕深く刻みました。そしてまた、子孫が華北や江南に赴任して、適時先塋に来られないことを考慮して」という一文がある。つまり、洛陽楊氏は紙媒体での族譜を編纂する前提として、すでに先塋碑を立てていたのである。

撰文依頼の背景

もちろん、「根脚」の重要性は、南人にとっても同様であった。漢人にくらべれば様々な面で出仕に不利であった南人であるが、当然ながら迅速に征服者たちと良好な関係を構築し、それにもとづいて大都で官職を得る者も多くいた。『元典章《げんてんしょう》』新集、吏部、官制「重惜名爵《じゅうせきめいしゃく》」(一三一八年)では、建康路《けんこうろ》句容《くよう》県の「豪民」王訓《おうくん》と叔父の王熙《おうき》が、おそらく高官との関係により無位無官からそれぞれ大都で高い職位を得たことが弾劾される。またモンゴル語名を名乗り、モンゴルあるいは色目としてダルガチ(行政長官)に就任する南人すら存在した(Endicott-West 1989)。その一方で、多くの南人の任官希望者にとって、まず関係を構築すべきは、こうしたすでにモンゴル王侯や有力な官僚と関係をもつ南人であった。こうした視点から先述した族譜に対する序文撰述をみると、州県の政府での吏員や学校の教授、書院(もともとは私塾だが、政府の管理下に置かれた学校の一種)の統括者である「山長」など、望ましい職位に影響力を及ぼしうる、江南三省あるいは中央政府にすでに出仕している南人官僚に対して、南宋時代に遡る自らの学問・政治的成功を示す南人家系の思惑が看取されるといわれる(Hymes 1986)。すなわち、科挙という、学術・文化的な身分保障の基準ともなる制度が中断・規模縮小される中、江南ではお互いの素養や能力を保障し合う交友の輪の中に参入することが、士としての立場を顕示する重要な手段であり、その際に交わされる詩文が、身分保障に大きな意味をもった(Chen 2007: chapter 4)。族譜の編纂とそれに対する序文の撰述依頼は、宗族の構築・維持だけではなく、モンゴル支配下で新設・変容した様々な制度の中で官位獲得、あるいは既得権益の保持などの目標を追求する方途でもあったのである。

華北においても、先塋碑文の撰述依頼は、相手が有力な庇護者になりうる場合、同様な思惑のもとで行われた。モンゴル王侯のみならず、その庇護を受ける漢人官僚も、自らが庇護する人々に官職を斡旋したが(飯山 二〇一一)、彼らに面会する際に、序文の撰述依頼は格好の契機となった。例えば劉敏中《りゅうびんちゅう》(一二四三―一三一八年)は、翰林学士《かんりんがくし》承旨《しょうし》(翰林院の高官。従一品)であった大徳八年(一三〇四)に、自らの出身地である山東章丘県《さんとうしょうきゅうけん》の隣県である鄒平《すうへい》県の王思《おうし》哲《てつ》という人物に「東皐王氏新塋碣銘」(『中庵集』巻一〇)を執筆した。王思哲自身は官職をもたなかったが、その父祖はモンゴル支配下で州県の地方官や軍官・吏員を輩出した、劉敏中の家系とほぼ同じ背景をもつ一族の出身である。その後、王思哲は歴城柴氏《れきじょうさいし》・鄒平田氏《すうへいでんし》・鄒平胡氏《すうへいこし》という三つの家系の「事状《じじょう》」(碑文撰述の資料となる家系の歴史を記した文章)を執筆し、それぞれを劉敏中に引き合わせた(『中庵集』巻一〇「東皐田氏新塋之記」「東皐胡氏新塋記」、同巻一一「歴山柴氏阡表」)。劉敏中は山東で地方官を歴任しており、在地での官員輩出層との結びつきは、彼自身の職務遂行にとっても有益であっただろう。

モンゴルは金国・南宋の官僚・統治制度とその運用を継承する一方、科挙の扱いに示されるように、とくに高位官職の人事面では自らの慣行を維持した。ある意味、中国におけるモンゴル支配の核心とは、チンギス・カンそしてクビライの一族・後裔たちを頂点とし、巨大な立錐形の蜘蛛の巣のように、モンゴル王侯や漢人・南人官僚たち、そしてそれぞれの被庇護者の間に張り巡らされた主従・縁故関係であった。文章の贈答を通じた関係の構築は、長らく中国で行われてきた慣行であったが、科挙を通じた国家との関係構築が機能しない中、こうした関係の網の目を辿って出仕を願った人々が頼ったのは、在来の文化的伝統だったのである。

三、モンゴル支配下の「征服者」たち

モンゴル王侯と中国支配

モンゴルの征服により中国に到来した人々の中で、最も史料の光が当たるのが、カアンとその一族、そして譜代の功臣とその子孫たちである。ただし、華北・江南に投下・位下を有していても、こうした王侯らは少なからず大都・上都やモンゴル高原におり、中国の投下の管理は、譜代の家臣などに委ねたことが、山東般陽路《さんとうはんようろ》におけるカサル王家

（チンギス・カンの次弟ジョチ・カサルの子孫たち）の投下の事例から明らかにされている（杉山 二〇〇四：一八七―二四〇頁）。実際に中国に来住した王侯もおり、京兆府《けいちょうふ》（現在の陝西省西安市）を拠点に、現在の陝西・甘粛・四川などにわたる広大な領域を管轄したクビライの三男マンガラ（？―一二八〇年）は、京兆に赴いた（松田 一九七九）。仇鍔《きゅうがく》（一二五〇―一三〇〇年）という人物は布衣（平民）の身分でマンガラに謁見して気に入られ、「邸中」で王に仕えた（『国朝文類』巻六六「福建廉訪副使仇公神道碑」）。また、遊牧集団を従えて山西に来住した王侯が、支配下の紙職人の賦役を免除した事例もある（『定襄金石攷』巻三「故邢氏節行之銘」）。ただし、こうした事例はあくまで例外的であった。そもそもモンゴル王侯の統治機構は、路・州・県といった行政系統からは独立しており、双方の利害調整は定期的に開催された、投下・州県そしてやはり独自の行政機構を有していた仏教・道教教団などの代表者が集う「約会」により行われた（森田 二〇〇四：一三六―一六五頁）。つまり、モンゴル王侯らは、支配下の社会と直接接点をもたないことが多かったと考えられる。

本稿の課題にとってより重要なのは、征服活動に兵卒や士官などとして参加した、より低位の「征服者」たちである。モンゴルの征服活動は、ユーラシア規模でのモンゴルとその軍隊に参加した人々の大移動を引き起こしたが、彼らも征服した現地社会でモンゴル支配に対応した人々であった。

儒学習得を行う駐屯軍士官たち

河南省北部の濮陽県楊什八郎村《ぼくようけんようじゅうはちろうそん》には、モンゴル時代に同地に移住してきたタングートの後裔を名乗る楊氏一族が住み、村の南にある先塋には、「大元贈敦武校尉軍民万戸府百夫長唐兀公碑銘并序」（一三五四年）が立つ。またこの一族には『述善集』という、モンゴル時代に初纂された詩文集（現存するのはおそらく一九世紀半ばから二〇世紀の抄本）も伝存し（陳 二〇〇二）、この家系のモンゴル時代の来歴はある程度明らかにできる。

チンギス・カンの治世、金国征服とその後の駐屯のため、既存の軍団から一定の割合で兵員を供出させ、三つの千人隊が編成された。同様な編成による遠征軍の派遣は、遼東・高麗方面や、オゴデイ治世のイラン・ロシアなど多方面に対して行われ、こうした軍団は漢語「探馬」(騎乗した斥候)にモンゴル語の行為者を示す語尾 -či/-čin をつけて「タンマチ」(tammači, 探馬赤)とよばれた。オゴデイ治世の金国侵攻でも、既存の千戸・百戸などから一定数の兵員が抽出され、すでに占領された華北の諸地域で徴発された兵員とともにタンマチを編成した。金国征服後、タンマチは征服地に駐屯し、その後の南宋遠征などでも主力の一部となる。クビライの治世以降、これらのタンマチは駐屯する地域により「河南淮北蒙古軍都万戸府」「山東河北蒙古軍万戸府」「陝西蒙古軍都万戸府」などに組織された(松田 一九八七、一九九六、川本 二〇一三)。濮陽が位置する河南北部は、こうしたタンマチに起源をもつ軍人家系が多く駐屯した地域であった。

モンゴルの金国征服に参加して華北にやって来たタングタイ(Tangγutai, 唐兀台、生没年不詳)という人物がいた。「タングートの男」というそのモンゴル語名が示す通り、彼は「賀蘭」、つまり西夏(一〇三八―一二二七年)の故地から来たという。タンマチにはモンゴルに服属した中央アジアの人々も参加し(櫻井 二〇〇九:一一七頁)、タングタイも西夏滅亡前後にモンゴル軍に参加したと考えられる。各地を転戦した後、クビライの治世にタングタイは「弾圧《だんあつ》」(百戸の下におかれた士官)として濮陽の十八郎寨に駐屯し、周辺に牧地を下賜された。その息子閭馬《りょま》(一二四八―一三二八年)は敦武校尉《とんぶこうい》(武官の位階。従七品)・左翊蒙古侍衛親軍百戸《さよくもうこじえいしんぐんひゃっこ》(クビライにより編成された軍団の百戸長)となるが、この職位はこの家系(以下「タングタイ家」)の軍職としての最高到達位であり、世襲されてゆく。閭馬の五名の息子タカイ(達海、?―一三四四年)・チンカタイ(鎮花台)・閭児・当児・買児のうち、父の職位はチンカタイに承襲され、閭児は「本《ほん》衛令史《えいれいし》」(左翊蒙古侍衛親軍の吏員)、タカイも百戸となったが、当児と買児は無官であった。

チンカタイの息子のタガチュ(塔哈出)は天暦の内乱での戦功により新たに百戸となり、タカイの二人の息子のうち崇喜《すうき》（一二九九年―?）は設立直後の国子監（国立の教育・官僚養成機関）に入学し、その後枢密院に推挙されて本衛百戸（おそらくは閭馬以来の百戸職位）、もう一人の息子である卜蘭台《ブラルダイ》は「大都で貴顕に会ったため」（因観光京師）、やはり新たに百戸となる（おそらくは大都にいた崇喜の斡旋による）。当児の子のテムル（帖木児）も無官であったが、その三人の息子のうち、バヤンブカ（伯顔不花）はやはり国子監の学生となり、一三五〇年代の飢饉に際しての食糧供出によって、その二人の兄弟のうちの一人エセンブカ（野仙不花）とともに、それぞれ県レベルの税務官と塩政担当官（正規の官員ながら官品を帯びない（未流入）職位と考えられる。徳永 一九八八）となる。兄弟最後の一人冀安《きあん》は同時期の戦功で固始《こし》県ダルガチという官職を得た。

本稿にとって重要なタングタイ家の来歴をまとめると、次のようになる。①モンゴルの中国征服に参加し、天暦の内乱（一三二八年）にも二人の族人が出征して戦功を挙げたが、軍官として百戸長以上に昇進した者はいない。②濮陽居住後の第四世代に至り、国子監への入学者（崇喜）があらわれ、第六世代にも国子監の学生（バヤンブカ）が存在する。③至正《しせい》一三年（一三五三）、書院（私設の教育機関）を創建し、至正一八年（一三五八）に「崇義書院」の号を朝廷から賜る。その基となったのは、至治《しじ》癸亥年（一三二三）に設立された家塾である。④儒学習得を始めた世代から、字の使用や郷社の運営など、在来習俗の受容が顕著になる。

一見すると、これは「漢化」とよばれる、外来の人々の中国への文化・社会的同化にみえるが、しかし儒学の学習は元来の言語（西夏語・モンゴル語など）・習俗の放棄を単純に意味するものではない。むしろ、モンゴル時代の「非中国人」の儒学習得は、文化的嗜好によるほかに、人脈構築や官位獲得、そして在来の文化的文脈の中での地位向上など、複雑な意図により選択的に行われた（蕭 二〇〇八：五五―八四頁）。

タングタイ家の場合に念頭に置くべきなのは、大元ウルス・元朝の領域拡大が停滞する一三世紀末から顕在化する、軍官家系の困窮と昇進機会の激減である。軍役にかかる費用は重い負担となり、一つの職位を承襲するだけでは、増加する族人を支えるのは難しかった(松田 二〇一二：四二―四四頁)。モンゴル王侯との縁故もない中、こうした外来の軍官家系が頼れるのは、逆説的であるが、中国在来の制度である国子監と科挙であった。本来は三品以上の官員の子弟のみ入学が許された国子監であったが、しかるべき推薦者を得、入学金と生活費を払えば「陪堂生」(聴講生)となれ、学内試験により正規の学生に昇格できた。そして、同じく学内試験に合格すれば、科挙会試に進むか、下級の官位を得ることもできた(Iiyama 2014)。また、合格枠は狭かったとはいえ、モンゴル時代の科挙及第者には軍戸出身者が少なくなく、この制度が軍官家系に魅力的であったことを示す(櫻井 二〇〇九)。

タングタイ家などの事例は、中国在来の人々が「根脚」などの概念を受容するのと同時に、征服者である彼らもモンゴル支配に対応するなかで中国在来の制度や文化伝統を理解・受容したことを示す。「先塋碑」を立てる碑刻慣習を受容した軍官家系も複数存在した(民国『昌楽県続志』巻一七「右都威衛管軍百戸太納先塋之碑」「脱脱木児先塋之記」など)。

婚姻・言語使用・自己認識

一方で、タングタイ家についてさらに注目すべきは、女性・男性の族人が世代を超えて「カルルク」(哈魯)、「ケレイト」(克烈)、「ナイマン」(乃満)、「フウシン」(忽神)など、同じく駐屯軍に属した外来集団の人々と婚姻関係を結んだ点である。王氏・袁氏など漢人とおぼしき女性も多いが、比率はほぼ半々である。もちろん、男性軍人のみで部隊が編成され、駐屯後は現地の女性と結婚した事例もあり(村岡 二〇一一)、実情は様々であったが、タングタイ家のような事例は、駐屯軍への家族の同伴を示唆する。また駐屯軍の軍人は、農業と馬・羊・牛の飼育により出征費用を捻出したが、彼らの土地と周辺の人々との土地の境界は入り組んでおり、訴訟も多かった(松田 二〇一二：四四―四七頁)。

駐屯軍の軍員家系は、外来の人々であればモンゴル語やテュルク諸語あるいは西夏語などのほかに、近隣住民との意思疎通のために、近世漢語の諸方言を習得したと思われる。中には、タングタイ家の人々のように、古典漢語の読み書きを習得する場合もあった。こうした言語使用の面で指摘すべきは、彼らが作成した碑文のほぼ全てが、古典漢語で書かれた点である。もちろん、ウイグル式モンゴル文字やパクパ文字によるモンゴル語と漢語の合璧《がっぺき》碑文、あるいはモンゴル語の語彙・統語構造の強い影響を受けた「蒙文直訳体」の漢語碑文はモンゴル時代の特徴的な碑文類型であるが(中村・松川 一九九三、舩田 二〇一二)、制作(撰述)主体はカアン・モンゴル王侯や、その庇護・命令を受けた宗教団体などが多く、駐屯軍の軍官家系が主体的に立てた碑刻では主に古典漢語が使われた。

しかし、これをもって自己認識の「漢化」を論じるのは難しい。むしろここから読み取るべきなのは、書写言語としての古典漢語の通用性であろう。碑文を刻む際には、できるだけ多くの人々に理解される言語が選択される。パクパ文字やモンゴル語は盛んに学ばれたが、それが書写言語として漢語にひろく置き換わるとは、思われていなかったのだろう。総じて言えば、在地社会の中での外来家系は、必要に応じて在来の言語・文化を受容しつつ、在来の住人とは一線を画した集団として存在していたと考えられる。

なお、モンゴル支配下中国の「多民族社会」を論じる際には、蒙古・色目・漢・南の「四階級制」が以前は強調されたが、近年の研究によれば、「民族」区分にもとづいた「階級」の重要な構成要素とされてきた「色目人」は、実際には漢人により自他の区別のために創造された概念であり、漢語史料のみにあらわれて、個々人の立場や任官に際しての基準を示したもので、「民族」「階級」ではない(舩田 一九九九、二〇一二)。人々は宗教・血統・戸計などにより様々に区分された。しかしその一方、モンゴル支配下中国の人々の自己認識の変遷については、まだわからないことが多い。タングタイ家についても、始祖のタングタイは旧西夏領の出身と思われるが、その「タングートの男」というモンゴル語名が何を意味したのかは、興味深い問題である。現存する史料の中で、内部観察がある程度担保される墓誌や神道碑で看取されるのは、史料の性質上、圧倒的に血統にもとづく自己認識であるが、そこでの「オングト」などの概念は可変的であり(Atwood 2014)、その変遷の背景には、チンギス・カンとその一族とのより近い関係張り巡らされた関係の中で自らの地位を最適化する試みといえるかもしれないが、その考察は今後の課題であろう。

の誇示、あるいは不都合な歴史の隠蔽などが想定される(Dunnell 2015)。自己認識の変化自体も、モンゴル支配下で

おわりに

明朝の統治・軍事制度には、モンゴル時代の諸制度が様々な影響を及ぼした(檀上 二〇二〇、于 一九八七)。また、長期にわたる社会経済的な変遷の中でのモンゴル支配の位置づけに関しても、主に江南での状況について、基本的には在来の連続性が強調される(Smith and von Glahn 2003)。さらに、とくに初期の明朝は大元ウルス・元朝のそれを代替する形で自らの権威を周辺諸地域に演出した(Robinson 2019; 2020)。一方で、本稿が論じた統治システムへの参与という面では、譜代の主従関係の重視が、明代の出仕制度に与えた影響は少ない。この断絶は、モンゴル支配の原則により順応した華北の漢人官僚家系の多くが、明代に入ると史料から姿を消すことによって端的に示される。金末元初・元末明初と、とくに華北では官員輩出層の大幅な入れ替えが繰り返されたのである(飯山 二〇一八)。

しかしこの元明交替を境にした人的連続性の断絶は、その後の中国社会の歴史におけるモンゴル支配の影響を否定するものではない。華北では先塋碑などの碑刻、江南では族譜の記載などにより、モンゴル時代の記憶は、明代以降も家系の由来と自己認識の源泉となり、やがて宗族や近代的な「民族」認識の勃興の基礎の一つとなる(Iiyama 2014; 飯山 二〇二一)。この過程も、在来の文化・社会的伝統の継承と新制度の導入、それに対する人々の対応という点から通時代的に考察すべきだが、それは本稿の課題をこえる問題設定である。

参考文献(紙幅の都合上、初出論文の情報は割愛した)

飯山知保（二〇一一）『金元時代の華北社会と科挙制度――もう一つの士人層』早稲田大学出版部。

飯山知保（二〇二二）「回顧されるモンゴル時代――陝西省大茘県拝氏とその祖先顕彰」『元朝の歴史』勉誠出版。

于磊（二〇一二）「元代江南社会研究の現状と展望――知識人の問題を中心に」『九州大学東洋史論集』第四〇号。

植松正（一九九七）『元代江南政治社会史研究』汲古書院。

植松正（二〇〇一）「元代浙西地方の税糧管轄と海運との関係について」『史窓』第五八号。

植松正（二〇〇三）「元初における海事問題と海運体制」『東アジア海洋域圏の史的研究』京都女子大学東洋史研究室。

植松正（二〇〇四）「元代の海運万戸府と海運世家」『京都女子大学大学院文学研究科研究紀要』第三号。

宇野伸浩（二〇一八）「モンゴル帝国の宮廷のケシクテンとチンギス・カンの中央の千戸」『桜文論叢』第九六号。

海老沢哲雄（一九六六）「元朝の封邑制度に関する一考察」『史潮』第九五号。

太田弥一郎（一九九二）「元代の儒戸と儒籍」『東北大学東洋史論集』第五輯。

大葉昇一（一九九〇）「元代の江南デルタ地帯における屯戍」『栃木史学』第四号。

片山共夫（一九八〇）「元朝怯薛出身者の家柄について」『九州大学東洋史論集』第八号。

川本正知（二〇一三）『モンゴル帝国の軍隊と戦争』山川出版社。

小林晃（二〇一九）「元代浙西の財政的地位と水利政策の展開」宋代史研究会編『宋代史料への回帰と展開』汲古書院。

櫻井智美（二〇〇〇）「元代集賢院の成立」『史林』第八三巻第三号。

櫻井智美（二〇〇二）「元代の儒学提挙司――江浙儒学提挙を中心に」『東洋史研究』第六一巻第三号。

櫻井智美（二〇〇九）「元代カルルクの仕官と科挙――慶元路を中心に」『明大アジア史論集』第一三号。

滋賀秀三（一九六七）『中国家族法の原理』創文社。

志茂碩敏・志茂智子（二〇二二）『モンゴル帝国史研究　完篇――中央ユーラシア遊牧諸政権の国家構造』東京大学出版会。

杉山正明（一九九二）『大モンゴルの世界――陸と海の巨大帝国』角川書店。

杉山正明（二〇〇四）『モンゴル帝国と大元ウルス』京都大学出版会。

高橋文治（二〇一一）『モンゴル時代道教文書の研究』汲古書院。

高橋文治（二〇二一）『元好問とその時代』大阪大学出版会。

檀上寛（二〇〇一）「元末の海運と劉仁本――元朝滅亡前夜の江浙沿海事情」『史窓』第五八号。

檀上寛（二〇二〇）『陸海の交錯――明朝の興亡』（シリーズ中国の歴史④）、岩波書店。

堤一昭（一九九五）「李璮の乱後の漢人軍閥――済南張氏の事例」『史林』第七八巻第六号。

堤一昭（一九九八）「大元ウルスの江南駐屯軍」『大阪外国語大学論集』第一九号。

寺地遵（一九九九）「方国珍政権の性格――宋元期黄巌県事情素描　第三篇」『史学研究』第二二三号。

徳永洋介（一九八八）「元代税務官制考――ある贈収賄事件を手がかりとして」『史泉』第六八巻。

中砂明徳（一九九七）「江南史の水脈」『岩波講座　世界歴史11　中央ユーラシアの統合』岩波書店。

中村淳・松川節（一九九三）「新発現の蒙漢合璧少林寺聖旨碑」『内陸アジア言語の研究』八。

舩田善之（一九九九）「元朝治下の色目人について」『史学雑誌』第一〇八巻第九号。

舩田善之（二〇一一）「モンゴル語直訳体の漢語への影響――モンゴル帝国の言語政策と漢語世界」『歴史学研究』八七五巻。

舩田善之（二〇一四）「モンゴル時代華北地域社会における命令文とその刻石の意義――ダーリタイ家の活動とその投下領における全真教の事業」『東洋史研究』第七三巻第一号。

舩田善之（二〇一六）「孟津河渡司から沿海万戸府へ――ある水軍指揮官の履歴からみたモンゴル帝国の水運と戦争」『史淵』第一五三号。

舩田善之（二〇二一）「元代「四階級制」説のその後――「モンゴル人第一主義」と色目人をめぐって」『元朝の歴史』勉誠出版。

牧野修二（一九七九）『元代勾当官の体系的研究』大明館。

牧野修二（二〇〇〇・二〇〇一）「エケ・モンゴル時代における儒人戸の差発（差役）免除について（上・下）」『近畿福祉大学紀要』第一巻第四号、第二巻第一号。

松田孝一（一九七九）「元朝期の分封制――安西王の事例を中心として」『史学雑誌』第八八巻第八号。

松田孝一（一九八七）「河南淮北蒙古軍都万戸府考」『東洋学報』第六八号。

松田孝一（一九九六）「宋元軍制史上の探馬赤（タンマチ）問題」『宋元時代史の基本問題』汲古書院。

松田孝一（二〇一二）「モンゴル帝国時代の漢地の探馬赤とその草地について」『十三、十四世紀東アジア史料通信』第一九号。

宮紀子（二〇〇六）『モンゴル時代の出版文化』名古屋大学出版会。

宮紀子（二〇一八）『モンゴル時代の「知」の東西（上・下）』名古屋大学出版会。

宮澤知之（二〇一三）「元朝の商税と財政的物流」『唐宋変革研究通訊』第四輯。

村岡倫（二〇一一）「石刻史料から見た探馬赤軍の歴史」『十三、十四世紀東アジア史料通信』第一五号。

森田憲司（二〇〇四）『元代知識人と地域社会』汲古書院。

矢澤知行（二〇一五）「モンゴル元朝治下の江南地域社会をめぐる諸論点――元代中後期の社会経済史を中心として」『愛媛大学教育学部紀要』第六二巻。


常建華（一九九二）「元代族譜研究」『譜牒学研究』第三輯。

常建華（二〇一三）『宋以後宗族的形成及地域比較』人民出版社。

陳高華（一九九五）「元代的航海世家澉浦楊氏」『海交史研究』一九九五年第一期。

陳高華（二〇〇二）「『述善集』両篇碑伝所見元代探馬赤軍戸」『慶祝何茲全先生九十歳論文集』北京師範大学出版社。

陳爽（二〇一五）『出土墓誌所見中古譜牒研究』学林出版社。

飯山知保（二〇一八）「『西隠文稿』所見元明交替与北人官僚」『十至十三世紀東亜史的新可能性――首届中日青年学者遼宋西夏金元史研討会論文集』中西書局。

黄清連（一九七七）『元代戸計制度研究』国立台湾大学文学院。

蕭啓慶（二〇〇八）『元代的族群文化与科挙』聯経出版公司。

于志嘉（一九八七）『明代軍戸世襲制度』学生書局。

Atwood, Christopher P. (2014), "Historiography and Transformation of Ethnic Identity in the Mongol Empire: The Öng'üt Case", *Asian Ethnicity*, 15.
Chen Wen-yi (2007), "Networks, Communities, and Identities: On the Discursive Practices of Yuan Literati", Ph. D. dissertation, Harvard University.
Cleaves, Francis W. (1950), "The Sino-Mongolian Inscription of 1335 in Memory of Chang Ying-Jui", *Harvard Journal of Asiatic Studies*, vol.

13.

Dunnell, Ruth (2015), "Xili Gambu and the Myth of Shatuo Descent: Genealogical Anxiety and Family History in Yuan China", *Archivum Eurasiae Medii Aevi*, vol. 21.

Ebrey, Patricia Buckley (1986), "The Early Stages in the Development of Descent Group Organization", Patricia Buckley Ebrey and James L. Watson (eds.), *Kinship Organization in Late Imperial China 1000–1940*, Berkeley: University of California Press.

Endicott-West, Elizabeth (1989), *Mongolian Rule in China: Local Administration in the Yuan Dynasty*, Cambridge (MA): Harvard-Yenching Institute.

Hymes, Robert (1986), "Marriage, Descent Groups, and the Localist Strategy in Sung and Yuan Fu-chou", *Kinship Organization in Late Imperial China 1000–1940*.

Iiyama Tomoyasu (2014), "A Tangut Family's Community Compact and Rituals Aspects of the Society of North China, ca. 1350 to the Present", *Asia Major*, vol. 27, no. 1.

Iiyama Tomoyasu (2016), "Genealogical Steles in North China during the Jin and Yuan Dynasties", *The International Journal of Asian Studies*, vol. 13, issue 2.

Iiyama Tomoyasu (2023), *Genealogy and Status: Hereditary Office Holding and Kinship in North China under Mongol Rule*, Cambridge (MA): Harvard University Asia Center.

Lee Sukhee (2014), *Negotiated Power: The State, Elites, and Local Governance in Twelfth-to Fourteenth Century China*, Cambridge (MA): Harvard University Asia Center.

Robinson, David M. (2019), *Ming China and Its Allies: Imperial Rule in Eurasia*, Cambridge: Cambridge University Asia Center.

Robinson, David M. (2020), *In the Shadow of the Mongol Empire: Ming China and Eurasia*, Cambridge: Cambridge University Press.

Smith, Paul J. and Richard von Glahn (eds.) (2003), *The Song-Yuan-Ming Transition in Chinese History*, Cambridge (MA): Harvard University Asia Center.

Wang Jinping (2018), *In the Wake of the Mongols: The Making of a New Social Order in North China, 1200–1600*, Cambridge (MA): Harvard University Asia Center.

問題群｜*Inquiry*

トルキスタン・トルコ系諸集団とモンゴル帝国

松井　太

はじめに

モンゴル高原に覇を唱えた遊牧ウイグル帝国が西暦九世紀中葉に崩壊し、数十万のウイグル遊牧民が諸方に分散したことを契機として、ユーラシア草原地帯のトルコ系遊牧集団は玉突き状に移動して中央アジア・西アジアの定住農耕地帯に進出した。彼らは各地で騎馬軍団の軍事力を中核とする政権を確立するとともに、定住地帯のさまざまな文化——言語・宗教・行政制度・学術など——を摂取した。その代表的な政権として、甘粛河西の甘州ウイグル王国、東部天山・タリム盆地北半を占めた西ウイグル（天山ウイグル）王国、セミレチエ（ジェティスウ）からタリム盆地西南辺・アム河北岸にまで拡大したカルルク族集団を母体とするカラハン朝を挙げられる。これらの諸政権の支配下で、特に九世紀末以降、天山山脈と崑崙山脈に囲まれたタリム盆地、またパミール高原以西カスピ海以東のカザフ草原南方とヒンドゥークシュ以北を「トルキスタン」（トルコ人の住地）とみなす認識が確立した。(1) このうちカラハン朝は一〇世紀末までにはほぼ完全にイスラーム化し、さらに一一世紀以降には同じくトルコ系集団を中核支配層とするセルジューク朝・ガズナ朝・ホラズム＝シャー朝などのイスラーム諸王朝が西アジア・西北インドに成立したことで、天山山脈の東端からアナトリア半島に至るまでのユーラシア中央・西半域はトルコ系勢力の支配下に置かれることとなった。そして一三世紀初頭から中葉にかけて、彼らは相次いで新興のモンゴル帝国の支配下に統合されていった。

一三－一四世紀のモンゴル帝国時代をユーラシア世界史上における騎馬遊牧民の影響力が極大化した画期と捉える視点に立てば、トルコ系集団の第一の歴史的意義はモンゴル帝国の軍事拡大の協力者となったことに求められる。モンゴルに吸収・統合されたトルコ系遊牧集団は帝国の遠征事業に参加し、またときに再編を被りつつユーラシア各地の軍事支配に協力した。モンゴル支配圏の外縁に在ったマムルーク朝やデリー＝スルタン朝にとってさえ、モンゴルから亡命したり、あるいは軍事奴隷として輸出されるトルコ族が軍事的な価値を有したことも周知である。一方、頭書したように、「トルキスタン」を成立させたトルコ系集団は、草原地帯からユーラシア内陸の定住地帯に進出して農耕民・商業民を統治下に加えるという歴史的経験をモンゴル帝国に先んじて蓄積しており、多元的なユーラシア世界を統治するためのモデルをモンゴル帝国に提供することになった。

このような歴史現象としての「トルキスタン」の成立の過程と、そこで生じた多元的な人間集団の接触・融合がモンゴル帝国の拡大発展に与えた影響を確認することが、本稿の射程である。

ウイグル西遷からモンゴル帝国時代に及ぶ「トルキスタン」の歴史再構成には、ユーラシア東西の編纂史料（漢語・ペルシア語・アラビア語・チベット語など）に加えて、トルキスタン東半部（おおよそ現代中国の新疆ウイグル自治区に相当する）発現の古文献資料や考古遺物・美術資料が、現地出土の一次史料として重要な価値を有する。これらの古文献資料は、古代トルコ語（ウイグル語）、中世イラン諸語（ソグド語・中世ペルシア語など）、トカラ語、梵語、チベット語、漢語、モンゴル語などの各言語ごとに文献学的検討が進められるとともに、その歴史的な背景についての考察も精緻化されている。

そこで本稿では、九－一四世紀のトルキスタン東半部の歴史展開の主役となったトルコ系ウイグル族がユーラシア各地に遺した古代トルコ語(ウイグル語)文献の研究成果を軸に、(2)ユーラシア内陸部のトルコ化=トルキスタン化、さらにモンゴル帝国時代にウイグルをはじめとするトルコ系集団がユーラシア広域で展開した活動を概観する。

一、「トルキスタン」化の実態

一九七一年の第一次『岩波講座 世界歴史』では、「トルキスタンの成立」とその世界史的意義は山田信夫により論じられた(第六巻『古代六 東アジア世界の形成三』)。山田は、漠北ウイグル時代に進んでいたトルコ遊牧民の経典宗教の受容や草原地域での都城建設などの〝文明化〟が甘州ウイグル・西ウイグル・カラハン朝による定住地帯への進出の歴史的前提を用意しており、これらの諸政権の支配地域のトルキスタン化を「トルコ族が完全にオアシス都市の住民となりきっ」ていく過程として叙述した(山田 一九八九：一九三、二一一頁)。これに対し、一九九七年の第二次『岩波講座 世界歴史』(第一一巻『中央ユーラシアの統合』)で「《シルクロード》のウイグル商人」を扱った森安孝夫は、各種の古代ウイグル語・ソグド語文献と図像資料の分析を通じて、九―一一世紀頃の「ウイグル商人」の多くがむしろ血統的にはイラン系ソグド人であったことを示し、「トルキスタン化」を遊牧民の「文明化」(=定住化・都市化・商業化)とする単線的な理解を修正した(森安 二〇一五：四二二―四二七頁)。同巻では、吉田豊も、ソグド人・トルコ系諸族の言語文化交渉と、一〇世紀前後のソグド人とウイグル人の相互接近を論じた(吉田豊 一九九七)。吉田はその後も、ソグド人が自身のソグド語文法をウイグル語文法に従う形で創造的に改変したことを新発現資料から解明し、「ソグド人のウイグル化」の実態再構に貢献している(吉田豊 二〇一一)。

ソグド人と同じく西ウイグル支配下におかれた天山南麓のオアシス諸都市の住民には、印欧系のトカラ人や漢人などがあった。特に西ウイグル国の冬都となった高昌(カラホージャ)を中心とするトゥルファン地域は、四世紀以降に

図1 西ウイグル時代の漢語・ウイグル語両語による土地売買契の断片（ベルリン科学アカデミー所蔵）

まず漢人の植民地・都市国家として発展し、七世紀以降には唐の直轄地（西州）としてその西域進出の拠点となり、その居住人口は主に漢人であった。彼らの漢語文化は西遷してきたウイグル人にさまざまな影響を与えた。ウイグル語の各種契約証文類が唐代の漢文契を祖型としたことは護雅夫・山田信夫の先駆的な研究で解明されているが（護 一九六一、山田 一九九三、一九九四）、その実態はこの間に見出された漢語・ウイグル語合璧の土地売買契断片からも摘示される（Moriyasu and Zieme 1999）［**図1**］。この売買契は漢文を主文とし、行間に小字でウイグル訳を挿入するが、記載の限りの当事者（売主・立会人）はみなウイグル語名をもつ。彼らが「定住化・農耕化し、漢語文化を身につけたウイグル人」か、「ウイグル語化した漢人農民」かは即断できないが、定住社会の日常語や命名文化にウイグル語が定着した一方、書面語としては漢語がウイグル語に対してなお優位にあったという西ウイグル時代の初期の状況を反映する。

契約文書に比して手薄であったウイグル語の行政文書の研究も進展し、西ウイグルがウイグル文字ウイグル語文書によって運営した行政支配や税役制度は、ウイグル西遷の直前の八世紀末頃、唐の駐留軍政府が自給自足のために導入した雑多な物資徴発制度に淵源することが解明された（松井 一九九八、二〇一八b）。一〇世紀以降のイスラーム史料が西ウイグル国について「トルコ系諸集団で最も強力であり、かつすぐれた統治体制を有していた」と伝える（森安 一九九一：一六一―一六五頁）のも、このような文書行政の整備に関説するものと推定される。

西ウイグルは宗教文化の上でも漢語文化の影響を受けた。西遷当初のウイグル支配層は漠北帝国以来のマニ教信仰を維持していたが、その多くは一〇世紀末までに仏教に改宗し、ウイグル仏教文化を本格的に確立させた。ウイグル語仏典の圧倒的多数は直接には漢文仏典から翻訳されたものであり、特に東隣の敦煌仏教教団との密接な交流が指摘されている(百濟 一九八三、森安 一九八五、二〇一五：三三六—三五四頁、橘堂 二〇一〇)。ウイグル仏教徒は漢文仏典の翻訳を通じて独自の漢語音体系(「ウイグル字音」)を確立し、漢文仏典を音読さらには「訓読」するなど、漢語文化を包摂的に受容していた(高田 一九八五、吉田豊 一九九四、庄垣内 二〇〇三)。

ただし、ウイグルの仏教改宗を初期段階で主導したのは、アグニ(焉耆、カラシャール)やクチャ(亀茲、庫車)に拠っていた印欧系のトカラ人仏教徒であった。梵語由来のウイグル語仏教用語の多くが直接にはトカラ語(アグニ語・クチャ語)借用形式をもつことはその有力な挙証であり(庄垣内 一九七八)、早期のウイグル仏教文献にはトカラ人仏教徒の間に優勢だった有部系の要素が色濃く看取される(森安 一九八五、橘堂 二〇一〇)。後述するように、ウイグル仏教におけるトカラ的要素は、モンゴルの仏教受容におけるウイグルの影響を考える上でも重要である。

一方、カラハン朝時代はトルコ系支配層にイスラーム文化が浸透し、トルコ＝イスラーム文化が萌芽した時期と位置づけられる。一〇七〇年頃にカラハン朝宮廷の侍従ユースフが著わした君主鑑文学『クタドゥグ＝ビリグ(*Qutadγu Bilig*)』、一〇七七年頃にカラハン朝王族出身のマフムード・カーシュガリーが編纂したトルコ語＝アラビア語辞典『トルコ語諸方言集成(*Dīwān Luġhāt al-Turk*)』がカラハン朝期の代表的なトルコ語文献とされる。特に後者は「トルコの文字」としてウイグル文字の一覧表を掲載し、また「君主の書簡をトルコの文字(khaṭṭi 'l-Turkiya)で起草する書記」の存在や、首都バラサグン在住のソグド人のトルコ化も伝える(Dankoff and Kelly 1982)。九—一〇世紀にカラハン朝がタリム盆地西部・南部に進出して当地のトルコ化を進めたことは、一一世紀後半—一二世紀初頭のヤルカンド出土ウイグル文字トルコ語文書群から傍証される(Erdal 1984)。同種のトルコ語文書はカシュガル東隣のマラルバシ(巴楚)からも発見された(迪拉娜・伊斯拉非爾 二〇一四)。敦煌蔵経洞出土のブラーフミー文字コータン語＝トルコ語語彙集(Clauson 1973)も、コータンに迫るカラハン朝(あるいはその前身のカルルク集団)との接触を通じて作成されたのかもしれない。

とはいえカラハン朝期のトルコ語資料は孤立的かつ僅少で、特にパミール高原以西の西トルキスタン(マー＝ワラー＝アンナフル・ホラズム・フェルガナ)でカラハン朝治下のイラン系・アラブ系住民のトルコ語化が大きく進展した様子はうかがえない。前述の『クタドゥグ＝ビリグ』『トルコ語諸方言集成』の両作品も、後代のトルコ語(特にチャガタイ語)文学や辞書編纂の伝統とは隔絶しているとされる(菅原 二〇一四)。ガズナ朝やセルジューク朝、さらに一一世紀末から台頭するホラズム＝シャー朝などでも、中核支配層をなすトルコ系遊牧民・軍事集団の日常語はトルコ語であったが、官房実務や各種の文書行政はイラン系官僚の用いるペルシア語により運営された(Horst 1964; Vasáry 2016)。すなわち、支配下住民のトルコ語受容や行政用語としてのトルコ語使用という観点からは、東・西トルキスタンの懸隔は大きい(濱田 二〇〇〇、二〇〇八)。

西ウイグルとカラハン朝の関係は、仏教・イスラーム教という宗教信仰の相違からも対立的に捉えられてきたが、両国の交易・通商は決して低調ではなかった(松井 二〇一三、Duturaeva 2022)。さらに近年の研究成果は、仏教・イスラーム教以外の要素をもふまえて両国の通交を複眼的に捉え直す必要を示す。西ウイグル支配層の大半がマニ教から仏教に改宗したことは前述したが、同国内のマニ教教団は一一世紀中葉まではなお一定の勢力を保ち、カラハン朝領内で生き延びていたマニ教教団とも通交していた(森安 二〇一五：五九二―六〇六頁、Yoshida 2019)。また、カラハン朝の母体となったセミレチエ地方のカルルク族は、八世紀末に東シリア＝キリスト教(景教、いわゆるネストリウス派)に集団改宗していた(Dickens 2010)。このキリスト教徒集団も、カルルク・カラハン朝のイスラーム化後にも残存し、西ウイグル国内のキリスト教徒とも交流していたことが、彼らの用いたキリスト教ソグド語文献の方言的分析によって解明された(吉田豊 二〇一七)。

以上の新知見は、イスラーム化の進展を軸とする従来のカラハン朝史叙述を根本的に覆すものではないものの、東・西トルキスタンの歴史相の多様性を示す。ちなみに、モンゴル高原とその周縁地帯では、モンゴル系のケレイト王国やトルコ系のナイマン王国・オングト王国が一二世紀末までに東シリア＝キリスト教を受容し、後のモンゴル帝国における東方キリスト教勢力の母体となった。西ウイグルやカルルク族・カラハン朝支配下のキリスト教の実態は、モンゴル高原の遊牧集団へのキリスト教の拡大の前史として注目される（森安 二〇二二）。一二五三―五四年にモンゴル帝国を訪れたルブルクのギョーム修道士は「ネストリウス教徒」がみなウイグル文字に通じているとも伝えており（Jackson and Morgan 1990）、仏教徒ウイグル人とトルコ系東方キリスト教徒とが文化的に接近していたことを示唆する（Borbone 2005; 松井 二〇一六a、白・松井 二〇一六）。

西ウイグル国は一二世紀前半に西遷してきた西遼（いわゆるカラ＝キタイ）の間接支配下におかれ、カラハン朝は西遼に滅ぼされるが、金末からモンゴル初期の漢籍資料は西遼およびホラズム＝シャー朝の旧領とその出身者をしばしば「回鶻《ウイグル》／回紇《ウイグル》」と称する。これは、中華世界と地理的に近接している「（西）ウイグル」の呼称を西トルキスタンの住民にまで単純・不正確に敷延したものとみなされてきた。しかし上述の西ウイグル・カラハン朝の交流に関する新知見をもふまえれば、東西トルキスタンのトルコ系住民について、仏教・キリスト教・イスラーム教信仰の相違を捨象しつつ、その文化的共通性や日常的な交流に留意した総称として「ウイグル」が採用された可能性もあるだろう。

二、モンゴルの行政支配におけるウイグルの遺産

一三世紀初頭にモンゴル帝国が勃興すると、西ウイグルは西遼から離反して率先臣従した（一二〇九年）。ウイグル王バルチュクはチンギスの公主を娶って「第五子」に擬せられ、以降の歴代ウイグル王はチンギス帝室の姻族としておおむね厚遇された。また多数の西ウイグル国人がモンゴル帝国の部将や行政・財務官僚に登用され、彼らの後裔は

クビライ以降の大元ウルス政権でも多く中央政府の要職を占めた（安部 一九五五）。

モンゴル帝国に対する西ウイグル国人の最も重要な貢献は、彼らが獲得していた定住民支配のノウハウと漢語・印欧系諸語のリテラシー、および「公用文字」としてのウイグル文字を、ユーラシア広域支配のツールとして提供したことにある。西ウイグルの投降に先んじる一二〇四年、チンギスはナイマン王国を滅ぼし、同国で文書行政や財務を司っていたウイグル人タタル＝トンガ（塔塔統阿 ＜ Tatar-Tonga）を配下に加え、ウイグル文字モンゴル語による各種の文書行政を導入させた。その結果、モンゴル行政官として立身するためにはウイグル文字によるモンゴル語（およびトルコ語）の運用・書写技能が必須条件となり、伝統的にウイグル文字に親しむウイグル人はモンゴル支配層に接近するうえで大きなアドヴァンテージを得た。ウイグル人は多く書記《ビチクチ》（トルコ語ではbitigči, モンゴル語ではbičigeči）としてモンゴル政権に出仕し、帝国の財政・文書行政を実質的に掌った。オゴデイ・グユク時代の筆頭書記官＝宰相とされたチンカイ（鎮海 ＜ Činqay）はその代表的な存在であり、オゴデイ政府の漢語行政命令文書は彼の検閲とウイグル文字添書を得てはじめて発効したと同時代の南宋使節は証言する。同様にモンゴル投下領主の代官・属僚によるウイグル文字モンゴル語添書をもつ漢語行政文書の例も複数確認され（杉山 二〇〇四：三七三、四五三頁、松井 二〇二〇、二〇二二）、ウイグル文字はモンゴル権力を象徴する機能をもったといえる。

モンゴル王族・貴族へのウイグル文字教育のために各王家や千人隊にはウイグル＝バフシ（Uyγur baxšï ＞ 畏吾児八哈赤）すなわち「ウイグルの教師《バフシ》」が配置され（『元典章』巻三一・礼部四・学校一・蒙古学・蒙古学校の条）、彼らは同時に王族・貴族らの側近・代官として家政や投下領統治を掌った。「バフシ（baxšï）」は漢語「博士」に由来するウイグル語であるから、この「ウイグル＝バフシ」も旧西ウイグル出身の仏教徒が多く任命されたものと推測される。ルブルクによればモンケ宮廷の主要な書記官は「ウイグル人」から輩出されており、一七世紀のヒヴァ＝ハン国君主アブルガーズィー＝ハンの『トルコ系譜』も「チンギス＝カンの子孫の時代、マー＝ワラー＝アンナフル、ホラーサーン、イラクでは財務官や会計官はみなウイグルであった。中国《キタイ》の諸国でもチンギス＝カンの子孫はウイグルの民から事務官と会計官を選んでいた」と伝える。ただし、これらの「ウイグル」書記官・行政官には、旧カラハン朝やナイマン・オングト・ケレイトの東シリア教徒ほか、ウイグル文字に通じるトルコ系諸族の出身者も含まれたであろう。

セルジューク朝やホラズム＝シャー朝などのトルコ系勢力の支配下ではなおペルシア語文化が優勢であったイラン地域でも、モンゴル支配期にはペルシア語に大量のモンゴル語・トルコ語由来の語彙が流入した(Doerfer 1963-75; 本田 一九九一：四〇五–四五六頁、濱田 二〇〇〇)。シル河北方から黒海北岸に及ぶ草原地帯のトルコ系遊牧民を多数吸収したジョチ＝ウルスの支配層は、早くも一二八〇年代にはトルコ語話者に変容していた(Vásáry 2016)。これに対して、チャガタイ・フレグ両ウルスの支配層は一四世紀後半においてもモンゴル語使用を維持し、前者の発行した行政命令文書はもっぱらウイグル文字モンゴル語により、後者ではこれとアラビア文字ペルシア語が併用されるが(Tumurtogoo 2006)、ウイグル文字トルコ語単行のものは確認されていない。ただしチャガタイ＝ウルス王族へのトルコ語文化の一定程度の浸透を示す傍証はいくつか確認され(Biran 2009: 65)、またフレグ＝ウルス発行ペルシア語命令文書でも「某の命令(sūzī ∧ sözi)」というトルコ語が冒頭定型句として頻用され、さらに東方の漢語文書と同様にウイグル文字添書をトルコ語で加えた例も見出される(Herrmann 2004; Matsui and Watabe 2015)。

なおジョチ＝ウルスの行政文書に使用されたトルコ語は、その配下のトルコ系諸族の口語であった西方方言(キプチャク語・クマン語)ではなく、後のホラズム語・チャガタイ語に近い東方方言の特徴を有した。マムルーク朝でも、ジョチ＝ウルスやフレグ＝ウルスに派遣する外交使節の選抜に際してはモンゴル語と並んでトルコ語・ホラズム語の知識が重視された(Broadbridge 2019)。イラン撰述のペルシア語文献に導入されたトルコ語借用語彙も、サファヴィー朝期以降には南西方言(オグズ語・アゼリー語)の特徴が顕著になるが、モンゴル時代には東方トルコ語の形式が一般的であった。これらの諸点も、モンゴル諸政権のトルコ語文書行政をウイグルほか中央アジア出身のトルコ系官僚が主に担ったことを反映する(Vásáry 2016)。チンギス即位後にモンゴル帝国に加わったトルコ系諸集団のうち、フレグ＝ウルス政権の中核で終始恒常的に座を占めたのはウイグル部族出身者のみであり、その多くはやはりバフシや「師父(atābak < ata bäg)」、書記《ビチクチ》の地位にあった(志茂 一九九五、二〇一三)。

一二六九年に国師パクパ('Phags-pa > 八思巴)の創製した「蒙古新字」、いわゆるパクパ文字をクビライが公布した後も、モンゴル人はウイグル文字を引き続き常用した。元代の亦集乃《イシナ》路総管府の遺址であるカラホト(黒水城)遺跡出土のモンゴル語行政文書にはパクパ文字と並んでウイグル文字のものも多数含まれる(Kara 2003; 吉田順一・チメドドルジ 二〇〇八)。また、同地出土のモンゴル語契約文書の書式や術語がトゥルファンのウイグル契に由来することも確認されている(Cleaves 1955; 松井 二〇一六b)。

モンゴル人に定着したウイグル文字は帝国崩壊後には「モンゴル文字」と称されるようになり、一七世紀以降の満洲《マンジュ》文字やトド文字の淵源ともなった。一方、一四世紀後半のジョチ＝ウルス・チャガタイ＝ウルス・フレグ＝ウルスの分裂・瓦解後、それらの旧領に成立した「モンゴル後継国家」の宮廷官房は、なおウイグル文字(トルコ語・モンゴル語)を用いて勅令・命令文書を発出した(Sertkaya 1977; 久保 二〇一二、Matsui, Watabe, and Ono 2015; Šayḫ al-Ḥukamāʾī・渡部・松井 二〇一七)。北西イランのジャライル朝はトルコ・モンゴル系遊牧集団むけのウイグル文字文書行政のために「モンゴル＝バフシ」職を設けており(宮 二〇一八：上巻五〇〇―五〇八頁)、これは明らかにモンゴル帝国のウイグル＝バフシ職の後身である。ウイグル＝バフシ職は中央アジアのティムール朝にも直接に継受され、彼らは初代君主ティムールに常時随行して各種の記録を担当した。ティムールに近侍したイブン・アラブシャーによれば、ウイグル文字はティムール朝で「モンゴルの文字(qalam al-Mughūlī)」と認識され、「勅令・勅書、公式の書簡、(私的な)書簡、台帳、封印、年代記、頌詩、伝記、通達、記録や年報、財務庁の業務に関するあらゆる案件と、チンギス＝カンの慣習法(töre)」の筆写に用いられた(久保 二〇一二)。同じくティムール朝編纂の『ウイグル文書教本』[図2]は、ウイグル文字が「高貴な人々の間で……用いられ、語られ、受け入れられており、現在全ての諸都市・諸地方・左右の地域に広まり、存在し、有用かつ有益であ」ると強調しており、そこで指南されるウイグル文字トルコ語文書作成の体例は西ウイグル時代にまで遡る伝統を保つ(松井 二〇一八 a)。ティムール朝の遣明使節によれば、明朝からティムール朝への国書も漢語・ペルシア語・ウイグル文字トルコ語の三言語で作成されていた(小野 二〇一〇)。一五世紀のモスクワ公国発行のロシア語行政文書にもトルコ語やロシア語のウイグル文字添書が確認され(Морозов 2006; 2016)、ジョチ＝ウルスとルーシの通信にウイグル文字が常用されていたことの名残とみなされる。

ジュワイニー『世界征服者史』は、チンギス＝カンがモンゴル王族にウイグル文字学習を命じたことを、チンギスの定めたジャサク(jasaγ, トルコ語ではヤサ yasa～ヤサク yasaq, 漢訳は「大法令」)がウイグル文字で記録・文書化され、統治の最重要規範とされたことに関連させている(宇野 二〇〇二)。前述のイブン・アラブシャーのいうウイグル文字の「チンギス＝カンの慣習法」も明らかにチンギスの定めたジャサクをさし、またティムールもジャサクに準拠した支配体制を布いていた(川口 二〇〇七)。モンゴル帝国・モンゴル後継国家でのウイグル文字使用は、これがチンギスにより公用字とされ、また彼の定めたジャサクを記した「聖なる文字」という認識に起因する可能性がある(松井 二〇一八 a)。ポスト＝モンゴル期西方ユーラシアのウイグル文字資料は数的になお僅少ながら、モンゴル帝国の伝統継承という視点から通時的に分析する必要もあろう。

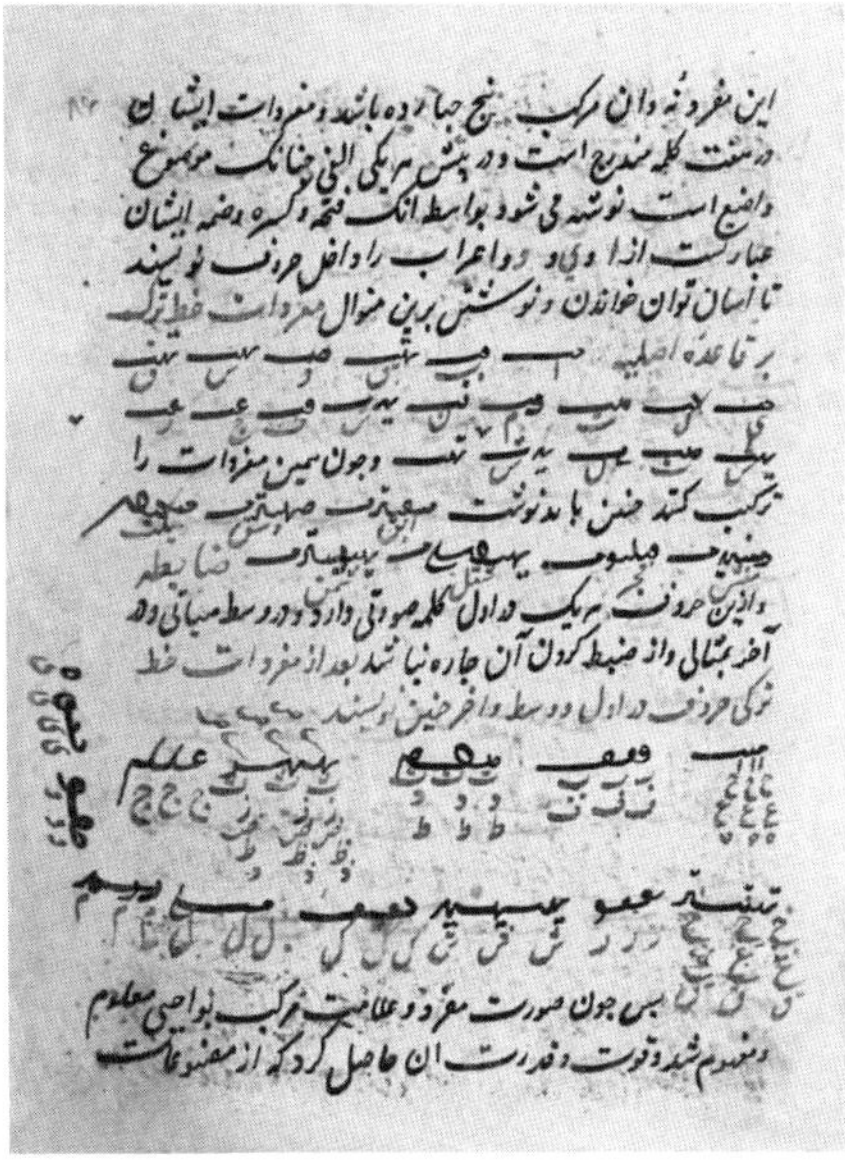

図2 ティムール朝の『ウイグル文書教本』(イラン＝イスラーム議会図書館所蔵)

三、モンゴル支配下の東トルキスタン・ウイグル社会

モンゴル帝国支配下の東方中華地域・西方イラン地域については、それぞれ漢籍史料・イスラーム史料に主拠して政治制度や社会・経済の歴史的実態が分析されているが、これらの編纂史料にはトルキスタン・中央アジア地域についての情報は僅少である。一方、長らくトルコ言語文献学の視点から研究されてきたトゥルファン地域出土のウイグル語世俗文書の多くはモンゴル期に属する。一次史料としてのウイグル語文書から再構されるトゥルファン・東トルキスタン地域社会の諸相が、中華・イラン両地域との比較検討を通じて、モンゴル時代ユーラシア史像の総体的把握に貢献し得ることは、近年のモンゴル史学界でもあらためて認識されている(Matsui 2023b)。

モンゴル帝国への投降後のウイグル社会とその住民には、早くもオゴデイ時代にはモンゴル皇帝を最高権力者とする認識が浸透し、旧来のウイグル王の権威は低落した(梅村 一九七七)。全モンゴルの宗主としてのモンゴル(大元ウルス)皇帝が他のチンギス王族とは別格の最高権威を有したことは、いわゆる「モンゴル命令文」の言語横断的分析からも知られ、一三世紀後半以降にも帝国がなお一体性を保っていた挙証ともなる(杉山 二〇〇四：三七二―三七三頁)。トゥルファン地域のウイグル人在地官僚層も、このようなモンゴル皇帝と一般王族の権威・序列の差異を厳密に認識し、行政命令文書の書写上の体例に反映させていた(松井 二〇一五)。一方、一三二〇年代後半には大元ウルスに代わりチャガタイ＝ウルスがウイグル王国領を実効支配することになる。これ以降に作成されたウイグル語行政命令文書の発給者の印章には、チャガタイ＝ウルス支配層の印章に共通して用いられた「チャガタイ紋章」が多く導入されており(Matsui 2023a)、ウイグル在地官僚がモンゴル支配層の権威に敏感であったことを示唆する。

モンゴル支配下のユーラシア東西を通じて、定住社会は人口調査に基づいて十進法的住民組織に再編成され、その

上で正税(地税と商税)・徭役労働・付加税の三本立ての税役制度が導入された(Matsui 2005)。付加税のうち、モンゴル支配の要となる駅伝(站赤《ジャムチ》)経費と軍事費調達を目的とした銀納人頭税クプチル(コプチュル)は定住民にとって大きな負担となった(本田 一九九一:二〇九―二一一頁、川本 二〇一三)。ウイグル王国でも十進法的住民組織が徴税単位として機能しており、一二五〇年代までにクプチル税が導入されたことも確認できる。ただし現金で年一回のみ徴収するという原則は徹底されず、駅伝運用に必要な物資(主に馬匹)を逐次に徴発し、それを適宜に銀建ての税額に換算するのが常態に近かった(松井 二〇〇二、二〇一五、二〇一八b)。また一三世紀後半以降のウイグル語行政命令文書では、物資徴発によって換算される税目としてもクプチル税は言及されなくなり、その負担は地税その他の物納税や徭役労働に吸収されたと考えられる(Matsui 2023a)。クプチル税はフレグ＝ウルスでも一四世紀以降には財政的な重要性を失ったとされ(渡部 二〇一五)、東トルキスタンとイランの両地域で共時的な現象が生じていたといえる。一方、大元ウルスやフレグ＝ウルスの税収に大きな比重を占めた商税(タムガ tamγa ~ tamghā)も、トゥルファン出土のウイグル語文書中に僅少ながら用例が確認される。

人頭税クプチルと並んで大きな負担となったのが、モンゴル語でアルバ(alba ~ alban)、ウイグル語・ペルシア語ではカラン(qalan ~ qalān)と呼ばれた徭役労働である。ペルシア語史料ではカランは主に軍役をさしたが(本田 一九九一:二九七―二九九頁)、ウイグル語文書では所有地に応じて課される雑多な労役の総称としてみえ、しばしば金銭・現物の納入で代替された。カラン負担のために多大な債務を抱え逃散に追い込まれたウイグル住民の事例がウイグル契から知られる。一方、ユーラシア東西のモンゴル支配層は、仏教・道教・イスラーム教・キリスト教などの宗教教団に対してはクプチル税とカラン(両者は漢語では「差発科斂・雑泛差役」などと総称された)を免除する原則を採用していたので、これを逆手にとって、仏教教団に所有地を寄進してその小作農となり、寄進地に課される地税(sang)と若干の小作料を支払う代わりにカランの負担を逃れる、という名義貸し脱税もウイグル社会では横行したらしい。中華地域の仏教教団も同様の寄進を通じて土地兼併を進めたことが漢籍資料に確認される(松井 二〇〇四b)。

税役科徴の基礎をなす通貨制度や度量衡制度にもモンゴル支配は変容をもたらした。既知のウイグル文書のうち貨幣・交換手段としての銀に言及するものは全てモンゴル時代に属する(森安 二〇一五:四三六—四八九頁)。銀を基本とする通貨体制の導入は中華地域の通史におけるモンゴル支配の画期性として強調されるが、ウイグル社会も同様の変容を経験したことになる。モンゴル時代の貨幣単位(=銀の重量単位)がモンゴル語・ウイグル語・ペルシア語・漢語をまたいで単一体系に収斂していたことは前田直典の先駆的な研究により知られるが(前田 一九七三:一九—三九頁)、同様の単一体系化は穀物・液体の計量単位(容量単位・重量単位)についても確認され、モンゴルの税役制度・駅伝制度が広域に導入されたことと連動する(松井 二〇〇四a、二〇二二)。

以上のように、東トルキスタン・ウイグル社会にモンゴル支配が与えた影響や変化は中華地域・イラン地域の状況とも多くの点で整合し、モンゴルのユーラシア支配の共時性を示すといえる。その一方で、モンゴルの税役制度は西ウイグルのそれと大枠で共通する(Matsui 2005)。初期モンゴルの行政支配確立におけるウイグルの貢献に鑑みれば、モンゴルの税役制度はウイグルのそれを濫觴とした可能性が高い。

四、ユーラシア交流のなかのトルコ系集団

第二次『岩波講座 世界歴史』の森安孝夫「《シルクロード》のウイグル商人」では、モンゴル帝国時代に特権商人集団をさしたオルトク(ortoq)>斡脱)の語も論点の一つとされた。オルトクとは元来「仲間、パートナー」を意味するウイグル語であり、その「特権商人」への転義は、八世紀以来ウイグル帝国と共生関係にあったソグド商人がウイグル西遷後にトルコ化して「ウイグル商人」となり、ムスリム商業勢力に先行してモンゴル支配層の「パートナー」

として帝国の経済運営に協力しつつ特権的保護を得たことを歴史的な背景とした。このような史的展開は、敦煌・トゥルファン出土の諸種のウイグル語資料をもとに森安が提唱した「ウイグル＝コネクション」、すなわち東部天山から甘粛河西・モンゴル高原を経て華北・江南に及ぶウイグル商人のネットワークの形成とも密接に関連する（森安 二〇一五：四〇七―四三五、四九〇―五三三頁）。この間にユーラシア東半から見出された諸種のウイグル語文献資料も、ウイグルをはじめとするトルコ系集団の活動圏がモンゴル時代に東方へ拡大したという状況を示す。

近年の研究関心を集めている資料群の一つに、トゥルファン地域以東の仏教聖地に書き残されたウイグル語題記銘文がある。特に東アジア随一の仏教聖地であった敦煌地域の諸石窟（莫高窟・楡林窟など）には、モンゴル時代のウイグル仏教徒の題記が多数残されている。同様の題記銘文はフフホト近郊に遼代に建設された白塔（万部華厳経塔）にも確認され、ウイグル仏教徒の巡礼ネットワークや交通圏を反映する。これらの題記銘文の筆者の出発地もしくは本貫地として言及されるウイグル王国の地名には、高昌・トゥルファン・ナプチク（現ラプチュク）・チャムバリク（昌吉）・トクスン・カミル（現コムル、哈密）などを確認できる。一方、敦煌（沙州）やその東隣の瓜州さらに東方の粛州（酒泉）・甘州（張掖）からの参詣者による題記は、一三世紀後半にカイドゥ勢力の圧迫を受けたウイグル王家が甘粛の永昌に亡命したのに従い、相当数のウイグル人が東遷して甘粛各地にコロニーを設けていたという従来の推測を傍証する。さらに東方の「西夏路（Tangut-čölgä）」すなわち元代の寧夏府路（銀川）や河北の真定（正定）からの参詣者や、逆に敦煌から山西の五臺山へ向かう巡礼者による銘文も存在する（白・松井 二〇一六、松井 二〇一七）。

敦煌石窟題記にみえるウイグル人参詣者にはチベット語名をもつ者も多く、敦煌の元代窟の壁画にチベット仏教の影響が濃厚にみられること、またモンゴル支配層のチベット仏教への傾倒がウイグル仏典にも影響したこと（ツィーメ 一九九五）とも整合的である。敦煌出土のウイグル語『八十四大成就者伝』写本は通行のチベット大蔵経版とは異なる順序で成就者たちを紹介するが、これと同じ順序がトゥルファン近郊の仏教石窟に遺るチベット様式の八十四大成就者像でも採用されており、東部天山と敦煌のウイグル仏教徒に同一内容の経典が流布していたことを示す（陳愛峰・陳玉珍・松井 二〇二〇）。同じく敦煌出土の一四世紀後半のモンゴル語特許状は、東部天山の諸処を巡錫して法会を設ける元廷のチベット仏教高僧のためにチャガタイ＝ウルス治下の高昌で発給され、さらに敦煌まで携行されたもので、チャガタイ＝ウルス支配下の東部天山のウイグル仏教徒が元廷および敦煌で盛行したチベット仏教と直接に結びついていたことを実証する。同時期の甘粛河西には中央アジアから東遷したチャガタイ系王族が割拠しており、彼らも当地のウイグル人仏教徒を通じてチベット仏教に接近していた（松井 二〇〇八）。

そもそもモンゴル支配層へのチベット仏教の伝道自体も、チベットに先んじてモンゴル政権に参画していたウイグル仏教徒たちにより媒介されていた。一二八五―八七年にクビライが実施させた漢語・チベット語大蔵経の校勘事業においても、全スタッフ二九名のうちウイグル人仏僧は七名を占めてチベット人六名と数的に拮抗しており、元廷における彼らのプレゼンスをうかがわせる。現代モンゴル語でも使用されるインド来源の仏教術語には、トカラ語仲介形式をとるウイグル語からの借用語が多く含まれており、モンゴル仏教がウイグル仏教を直接の揺籃としたことを示す（庄垣内 一九九〇）。トゥルファン出土のウイグル語仏典との比較分析からも、モンゴル語仏典にはウイグル仏教に由来する要素（透写表現、識語書式など）が多数見出され、ウイグルの文字文化・書写文化がモンゴルに与えた大きな影響を傍証する（松川 二〇〇四、中村健太郎 二〇〇七、橘堂 二〇一七）。

前述したような敦煌石窟へのウイグル人参詣者には、出家僧だけでなくモンゴル支配層の属僚も多く含まれていた。さらに彼らが遠隔地交易に従事する商人をも伴っていた――あるいは仏僧や官人自身が交易に従事していた――という状況も十分に推測される。モンゴル時代のウイグル語書簡には、仏僧・仏教徒による商品・仏典の授受に関するものが多数存在し（森安 二〇一五：五一一―五三三頁、Moriyasu 2019）、遠隔地を往来する巡礼僧・商人によって送達されたことを想像させる。『元典章』でも、元廷への伺候と進呈品輸送のために駅伝を利用する「西番《チベット》大師・色目人員」

が進呈品以外の私物を（おそらく交易のために）多数携行することが問題視されている（巻一六・戸部二・分例・官吏・差箚内開写分例草料）。チベット仏教とウイグル仏教徒の接近に鑑みれば、この「西番大師」に随行する「色目人員」には、少なからずウイグル人官吏・客商が含まれたと考えられる（松井 二〇〇八）。

クビライ時代後期の権臣サンガ（Sangga ＞ 桑哥）は『集史』によればウイグル人であり、帝師パクパの随従・通訳から立身して仏教とチベット地域を統轄する総制院（のち宣政院）の長官となり、さらに尚書右丞相をも兼務して帝国の財務を一手に握った。彼は権勢を藉りて私腹を肥やしたことで悪名高いが、その蓄財の重要な機会の一つは毎年二月に帝師の居所たる大護国仁王寺で開催される大法会であった（中村淳 一九九三）。すなわち、モンゴル宮廷におけるサンガの蓄財活動の背景にも、チベット仏教とウイグル仏教徒・ウイグル商業網の結合を想定できる。やはりクビライ時代に台頭したウイグル人官僚イグミシュ（Yiγmïš ＞ 亦黒迷失）は、至元九年（一二七二）の「海外八羅孛国」への派遣を皮切りに東南アジア・南アジア諸国に出使し、帰国後にはオルトクの海上交易を管轄する行泉府司の長官職に任じられ、泉州を拠点に公・私両面での交易を行なった。延祐三年（一三一六）に泉州で立石された『一百大寺看経記』は、元治下の仏寺百カ所に対するイグミシュの寄進を称揚する。その寄進額は一寺につき中統鈔一〇〇錠という莫大なもので、イグミシュがオルトク商人と提携した交易活動を通じて巨万の富を蓄えたことを示す。また寄進先の仏寺には「真定」「寧夏路」「甘州」の仏寺が含まれる。泉州を拠点とするイグミシュの仏教活動は、ウイグル語題記銘文から再構されるウイグル仏教徒の活動圏と重層するものであった（陳得芝 二〇〇八、松井 二〇一六a）。

ウイグル仏教徒がユーラシア東半で展開したネットワークは、おそらくトルコ系キリスト教徒によっても共有された。マルコ・ポーロ『世界の記』はトルコ系キリスト教徒の居住地として高昌・敦煌・粛州・甘州・寧夏などウイグル仏教巡礼の結節点となった都市を列挙し、また「ウイグリスタン」（旧ウイグル王国）のキリスト教徒が頻繁に仏教徒と通婚するという。元代江南の官撰地方志では「畏吾児《ウイグル》（仏教徒ウイグル）」と「也里可温《エルケウン》（erkegün, キリスト教徒）」は戸籍上で区別されていたが、トゥルファン地域からは仏教徒とキリスト教徒が同一の住民組織内に混在したことを示唆するウイグル語文書も発見されている（松井 二〇〇二）。仏教聖地としてのフフホト白塔や敦煌石窟にはキリスト教徒によるシリア文字・ウイグル文字トルコ語題記も少数ながら確認される（Borbone 2008; 白・松井 二〇一六）。特に楡林窟第一六窟のシリア文字トルコ語題記は、キリスト教徒が仏教行事に参加して布施を残したことを記念するもので、書式もウイグル仏教徒の題記とほぼ完全に並行し、ウイグル仏教徒とトルコ系キリスト教徒の文化的近親性と日常生活上の交流を仄示する（松井 二〇一八 c）。揚州・泉州に多数遺存するシリア文字トルコ語のキリスト教徒墓誌では、「高昌」を出身地（もしくは本貫地）とする人物も言及され（松井 二〇一六 a）、仏教徒ウイグルと同様にトルキスタンから活動圏を拡大したトルコ系キリスト教徒の存在が明証される。大元ウルスの「市舶則法」（『元典章』巻二二）は仏僧（和尚）・道士（先生）・ムスリム（荅失蛮 ＜ dānišmand）とともにキリスト教徒をも規制の対象としており、泉州のトルコ系キリスト教徒たちが海上交易に参入していたことを反映する。

トルコ系キリスト教徒集団のネットワークは内陸経由で中東にも及んでいた。クビライ治下の中都を発して聖地イェルサレムへ向う途上、バグダードで東シリア教会の総主教に選出されヤブアラーハー三世となったオングト出身の（「ウイグル」出身とも伝えられる）マルコスの伝記によれば、内モンゴルのオングト王家はバグダードの総主教座に対して師僧の派遣を頻繁に要請していた（Borbone 2021）。ヴァティカン図書館所蔵のシリア語福音書の写本の一つはオングト王ギワルギス（闊里吉思、一二九八年没）の姉妹の依頼により中東で作成されたと推定され、オングト王家と西方との緊密な連絡を傍証する（Borbone 2003; 2005）。旧カルルク領のセミレチエやアルマリクに大量に墓誌銘を遺した東シリア教徒集団もこのネットワークに包摂されていたと考えられる（Klein 2000: 204; 森安 二〇二二）。イラク以西の東方キリスト教会におけるウイグル文字トルコ語文化は、モスル近郊のシリア正教会マール＝ベフナム修道院に残されていたフレグ＝ウルス当主バイドゥへの頌詩が、単行の孤例ながら一端を示す（Harrak and Niu 2004）。

一方、ウイグル仏教徒のネットワークがユーラシア西半に及んだことも、若干の資料から仄示される。フレグ＝ウルス宮廷にウイグル、インド、カシミール、キタイ出身の（すなわち仏教的なバックグラウンドをもつ）バフシが多数仕えたこと、第四代当主アルグンの仏教・呪術の師としてのバフシへの傾倒、その子ガザンの仏教信仰・仏寺建設などを『集史』は特筆する。イランのイスラーム写本絵画の仏教的要素には、ウイグル仏教との関連を指摘されているものもある（Kadoi 2009: 176）。しかしガザンがイスラーム改宗後に徹底的な廃仏を断行したこともあり、イランに移住したウイグル人の仏教文化や信仰は徐々に希薄化したと推定される。(3)

おわりに

東西トルキスタンを支配下に収めたチャガタイ＝ウルスは一四世紀後半には解体し、西半にはトルコ化したティムール帝国が成立し、東半のモグール＝ウルスでも一五世紀を通じてイスラーム化が進行する。モグールの圧迫を受けた東部天山地方のウイグル仏教徒は、一六世紀初頭までに明の治下の甘粛へと移住した。ここに東西トルキスタンは完全にトルコ系イスラーム教徒の世界となって現在に至る（濱田 一九九八）。

東遷したウイグル仏教徒集団はモンゴル期以前に移住していた集団と合流してサリク＝ウイグル（Sarïγ Uyγur「黄色いウイグル」）と称された。現在の甘粛省のユグル（裕固）族は彼らの後裔とされるが、ウイグル文字文化は一八世紀初頭以降には忘失され、また人口の三分の一は言語的なモンゴル語化を被った。近現代までに「漢族」に同化・吸収されたウイグル人集団も多数にのぼると推測され、これは中華本土に移住していたウイグル仏教徒・トルコ系キリスト教徒も同様の運命を辿ったと思われる。

注

（1）ペルシア語の「トルキスタン」のさす具体的な地理範囲は、トルコ系集団の住地の歴史的変遷に応じて変化する（山田 一九八九：一八九―一九〇頁、森安 二〇一五：一二七頁）。ペルシア語と同じくイラン系のソグド語では、七―九世紀の「トルキスタン」(twrkstn)はセミレチエ地域を限定的にさした可能性が高い（吉田豊 二〇一八）。一方、当時のトルコ系集団の居住地域はいわゆる「トルキスタン」に限定されない。すでに六―七世紀にはブルガルやハザルなどのトルコ系集団がアゾフ海・黒海北岸に達しており（Golden 1992）、またヒンドゥークシュ山脈の南側にも七世紀後半にはトルコ系ハラジュ族が進出していた（稲葉 二〇〇四）。

（2）八世紀からモンゴル帝国時代までのウイグル集団の通史概説としては、梅村（一九九九）、梅村（二〇〇〇）、森安（二〇一六）、森安（二〇二〇）が有用である。

（3）ガザン・オルジェイトゥ時代に重用されたウイグル人部将ダルマダス（Ṭarmaṭaz << Dharmadāsa）・サンガダス（Sanggaṭaz << Saṅghadāsa）・アラトナ（Aratna < Ratna）兄弟がみな梵語由来の仏教ウイグル語名をもつことは十分に認識されていない（志茂 二〇一三：八〇四―八〇六頁）。ただし、これらの人名も彼らの仏教信仰を傍証しない。『オルジェイトゥ史』によればダルマダスはシーア派に傾倒していた。末弟アラトナもアラーウッディーンというムスリム名をもち、フレグ＝ウルス解体後にアナトリアで自立してアラトナ侯国を建国する。

参考文献

安部健夫（一九五五）『西ウイグル国史の研究』彙文堂書店。

稲葉穣（二〇〇四）「アフガニスタンにおけるハラジュの王国」『東方学報』七六号。

宇野伸浩（二〇〇二）「チンギス・カンの大ヤサ再考」『中国史学』一二号。

梅村坦（一九七七）「一三世紀ウィグリスタンの公権力」『東洋学報』第五九巻一・二号。

梅村坦（一九九九）「中央アジアのトルコ化」間野英二編『アジアの歴史と文化8　中央アジア史』同朋舎。

梅村坦（二〇〇〇）「オアシス世界の展開」小松久男編『中央ユーラシア史』山川出版社。

小野浩（二〇一〇）「ギヤースッディーン・ナッカーシュのティムール朝遣明使節行記録全訳・註解」窪田順平編『ユーラシア中央域の歴史構図――一三―一五世紀の東西』総合地球環境学研究所。

川口琢司（二〇〇七）『ティムール帝国支配層の研究』北海道大学出版会。

川本正知（二〇一三）『モンゴル帝国の軍隊と戦争』山川出版社。

橘堂晃一（二〇一〇）「東トルキスタンにおける仏教の受容とその展開」奈良康明・石井公成編『新アジア仏教史05 中央アジア――文明・文化の交差点』佼成出版社。

橘堂晃一（二〇一七）「新発現のウイグル訳『仏説善悪因果経』」『内陸アジア言語の研究』三七号。

百濟康義（一九八三）「妙法蓮華経玄賛のウイグル語訳」護雅夫編『内陸アジア・西アジアの社会と文化』山川出版社。

久保一之（二〇一二）「ミール・アリーシールと〝ウイグルのバフシ〟」『西南アジア研究』七七号。

志茂碩敏（一九九五）『モンゴル帝国史研究序説――イル汗国の中核部族』東京大学出版会。

志茂碩敏（二〇一三）『モンゴル帝国史研究正篇――中央ユーラシア遊牧諸政権の国家構造』東京大学出版会。

庄垣内正弘（一九七八）「'古代ウイグル語'におけるインド来源借用語彙の導入経路について」『アジア・アフリカ言語文化研究』一五号。

庄垣内正弘（一九九〇）「モンゴル語仏典中のウイグル語仏教用語について」崎山理・佐藤昭裕編『アジアの諸言語と一般言語学』三省堂。

庄垣内正弘（二〇〇三）「文献研究と言語学」『言語研究』一二四号。

菅原睦（二〇一四）「ユースフ『クタドゥグ・ビリグ』とカーシュガリー『チュルク語諸方言集成』」柳橋博之編『イスラーム 知の遺産』東京大学出版会。

杉山正明（二〇〇四）『モンゴル帝国と大元ウルス』京都大学学術出版会。

高田時雄（一九八五）「ウイグル字音考」『東方学』七〇輯。

ツィーメ、ペーター（一九九五）「高昌ウイグル王国の宗教と社会（三）」小田壽典訳、『豊橋短期大学研究紀要』一二号。

中村健太郎（二〇〇七）「ウイグル語仏典からモンゴル語仏典へ」『内陸アジア言語の研究』二二号。

中村淳（一九九三）「元代法旨に見える歴代帝師の居所」『待兼山論叢』史学篇二七号。

白玉冬・松井太（二〇一六）「フフホト白塔のウイグル語題記銘文」『内陸アジア言語の研究』三一号。

濱田正美（一九九八）「モグール・ウルスから新疆へ」岸本美緒ほか編『岩波講座 世界歴史13 東アジア・東南アジア伝統社会の形

成　一六―一八世紀』岩波書店。

濱田正美(二〇〇〇)「中央ユーラシアの「イスラーム化」と「テュルク化」」小松久男編『中央ユーラシア史』山川出版社。

濱田正美(二〇〇八)『中央アジアのイスラーム』山川出版社。

本田実信(一九九一)『モンゴル時代史研究』東京大学出版会。

前田直典(一九七三)『元朝史の研究』東京大学出版会。

松井太(一九九八)「モンゴル時代ウイグリスタン税役制度とその淵源」『東洋学報』七九巻四号。

松井太(二〇〇二)「モンゴル時代ウイグリスタンの税役制度と徴税システム」松田孝一編『碑刻等史料の総合的分析によるモンゴル帝国・元朝の政治・経済システムの基礎的研究』大阪国際大学。

松井太(二〇〇四a)「モンゴル時代の度量衡」『東方学』一〇七輯。

松井太(二〇〇四b)「モンゴル時代のウイグル農民と仏教教団」『東洋史研究』六三巻一号。

松井太(二〇〇八)「東西チャガタイ系諸王家とウイグル人チベット仏教徒」『内陸アジア史研究』二三号。

松井太(二〇一三)「契丹とウイグルの関係」荒川慎太郎・澤本光弘・高井康典行・渡辺健哉編『契丹[遼]と一〇~一二世紀の東部ユーラシア』勉誠出版。

松井太(二〇一五)「古ウイグル語行政命令文書に「みえない」ヤルリグ」『人文社会論叢(人文科学篇)』三三号。

松井太(二〇一六a)「蒙元時代回鶻仏教徒和景教徒的網絡」徐忠文・栄新江編『馬可・波羅　揚州　絲綢之路』北京大学出版社。

松井太(二〇一六b)「黒城出土蒙古語契約文書与吐魯番出土回鶻語契約文書」『北方文化研究』第七号。

松井太(二〇一七)「敦煌石窟ウイグル語・モンゴル語題記銘文集成」松井太・荒川慎太郎編『敦煌石窟多言語資料集成』東京外国語大学アジア・アフリカ言語文化研究所。

松井太(二〇一八a)「モンゴル命令文とウイグル文書文化」『待兼山論叢』史学篇五二号。

松井太(二〇一八b)「ウイグル文供出命令文書の機能に関する再考察」『内陸アジア言語の研究』三三号。

松井太(二〇一八c)「楡林窟第一六窟叙利亜字回鶻文景教徒題記」『敦煌研究』二〇一八年二期。

松井太(二〇二〇)「宮紀子『モンゴル時代の「知」の東西』を読む(二)」『内陸アジア言語の研究』三五号。

松井太(二〇二一)「宮紀子『モンゴル時代の「知」の東西』を読む(三)」『内陸アジア言語の研究』三六号。

松川節(二〇〇四)「モンゴル語訳『佛説北斗七星延命経』に残存するウイグル的要素」森安孝夫編『中央アジア出土文物論叢』朋友書店。

宮紀子(二〇一八)『モンゴル時代の「知」の東西』上・下、名古屋大学出版会。

護雅夫(一九六一)「ウイグル文消費貸借文書」『西域文化研究第四　中央アジア古代語文献』法蔵館。

森安孝夫(一九八五)「チベット文字で書かれたウィグル文仏教教理問答(P. t. 1292)の研究」『大阪大学文学部紀要』二五号。

森安孝夫(一九九一)「ウイグル=マニ教史の研究」『大阪大学文学部紀要』三一・三二号。

森安孝夫(一九九八)「ウイグル文契約文書補考」『待兼山論叢』三二号。

森安孝夫(二〇一五)『東西ウイグルと中央ユーラシア』名古屋大学出版会。

森安孝夫(二〇一六)『シルクロードと唐帝国』講談社。

森安孝夫(二〇二〇)『シルクロード世界史』講談社。

森安孝夫(二〇二一)「前近代中央ユーラシアのトルコ・モンゴル族とキリスト教」『帝京大学文化財研究所研究報告』二〇集。

山田信夫(一九八九)『北アジア遊牧民族史研究』東京大学出版会。

山田信夫(一九九三)『ウイグル文契約文書集成』全三巻、大阪大学出版会。

山田信夫(一九九四)『天山のかなた――ユーラシアと日本人』阿吽社。

吉田順一・チメドドルジ編(二〇〇八)『ハラホト出土モンゴル文書の研究』雄山閣。

吉田豊(一九九四)「ソグド文字で表記された漢字音」『東方学報(京都)』六六冊。

吉田豊(一九九七)「ソグド語資料から見たソグド人の活動」杉山正明ほか編『岩波講座　世界歴史11　中央ユーラシアの統合　九―一六世紀』岩波書店。

吉田豊(二〇一一)「ソグド人と古代のチュルク族との関係に関する三つの覚え書き」『京都大学文学部研究紀要』五〇号
吉田豊(二〇一七)「中国、トルファンおよびソグディアナのソグド人景教徒」入澤崇・橘堂晃一編『大谷探検隊収集西域胡語文献論叢――仏教・マニ教・景教』龍谷大学。

吉田豊(二〇一八)「貨幣の銘文に反映されたチュルク族によるソグド支配」『京都大学文学部研究紀要』五七号。

渡部良子(二〇一五)「一三―一四世紀イル・ハン朝下イランの徴税制度」近藤信彰編『近世イスラーム国家史研究の現在』東京外

国語大学アジア・アフリカ言語文化研究所。

陳愛峰・陳玉珍・松井太（二〇二〇）「大桃児溝第九窟八十四大成就者図像補考」『敦煌研究』二〇二〇年五期。
陳得芝（二〇〇八）「従亦黒迷失身份看馬可波羅」『燕京学報』二六号。
迪拉娜＝伊斯拉非爾・伊斯拉非爾＝玉蘇甫（二〇一四）「巴楚県托庫孜薩来古城出土的回鶻文記賬文書二件」『内陸アジア言語の研究』二九号。

Biran, Michal (2009), "The Mongols in Central Asia from Chinggis Khan's Invasion to the Rise of Temür", Nicola di Cosmo, Allen J. Frank and Peter B. Golden (eds.), *The Cambridge History of Inner Asia: the Chinggisid Age*, Cambridge: Cambridge University Press.

Borbone, Pier Giorgio (2003), "I Vangeli per la principessa Sara", *Egitto e Vicino Oriente* 26.

Borbone, Pier Giorgio (2005), "Some Aspects of Turco-Mongol Christianity in the Light of Literary and Epigraphic Syriac Sources", *Journal of Assyrian Academic Studies* 19-2.

Borbone, Pier Giorgio (2008), "Syroturcica 2: The Priest Särgis in the White Pagoda", *Monumenta Serica* 56.

Borbone, Pier Giorgio (2021), *History of Mar Yahballaha and Rabban Sauma,* Hamburg: Tredition.

Broadbridge, Anne F. (2019), "Careers in Diplomacy among Mamluks and Mongols, 658-741/1260-1341", Frédéric Bauden and Malika Dekkiche (eds.), *Mamluk Cairo, a Crossroads for Embassies*, Leiden/Boston: Brill.

Clauson, Gerard (1973), "The Turkish-Khotanese Vocabulary Re-edited", *İslam Tetkikleri Enstitüsü Dergisi* 5.

Cleaves, Francis Woodman (1955), "An Early Mongolian Loan Contract from Qara Qoto", *Harvard Journal of Asiatic Studies* 18-1/2.

Dankoff, Robert and James Kelly (1982), Maḥmūd al-Kāšγarī, *Compendium of the Turkic Dialects*, Vol. I, Bloomington: Harvard University Press.

Dickens, Mark (2010), "Patriarch Timothy I and the Metropolitan of the Turks", *Journal of the Royal Asiatic Society* 20-2.

Doerfer, Gerhard (1963-75), *Türkische und mongolische Elemente im Neupersischen*, 4 vols., Wiesbaden: Franz Setiner.

Duturaeva, Dilnoza (2022), *Qarakhanid Roads to China*, Leiden and Boston: Brill.

Erdal, Marcel (1984), "The Turkish Yarkand Documents", *Bulletin of the School of Oriental and African Studies* 47-2.

Golden, Peter (1992), *An Introduction to the History of the Turkic Peoples*, Wiesbaden: Otto Harrassowitz.

Harrak, Amir and Niu Ruji (2004), "The Uighur Inscription at the Mausoleum of Mār Behnam, Iraq", *Journal of the Canadian Society for Syriac Studies* 4.

Herrmann, Gottfried (2004), *Persische Urkunden der Mongolenzeit*, Wiesbaden: Harrassowitz.

Horst, Heribert (1964), *Die Staatsverwaltung der Grosselǧūqen und Ḫōrazmšāhs (1038-1231)*, Wiesbaden: Franz Steiner.

Jackson, Peter and David Morgan (1990), *The Mission of Friar William of Rubruck*, London: Hakluyt Society.

Kadoi, Yuka (2009), "Buddhism in Iran under the Mongols: An Art-Historical Analysis", Tomasz Gacek and Jadwiga Pstrusińska (eds.), *Proceedings of the Ninth Conference of the European Society for Central Asian Studies*, Newcastle upon Tyne: Cambridge Scholars Publishing.

Kara, György (2003), "Mediaeval Mongol Documents from Khara Khoto and East Turkestan in the St. Petersburg Branch of the Institute of Oriental Studies", *Manuscripta Orientalia* 9-2.

Klein, Wassilios (2000), *Das nestorianische Christentum an den Handelswegen durch Kyrgyzstan bis zum 14. Jh.*, Turnhout: Brepols.

Matsui, Dai (2005), "Taxation Systems as Seen in the Uigur and Mongol Documents from Turfan: An Overview", *Transactions of the International Conference of Eastern Studies* 50.

Matsui, Dai (2023a), *Old Uigur Administrative Orders from Turfan*, Turnhout: Brepols.

Matsui, Dai (2023b), "Uighur Sources", Michal Biran and Kim Hodong (eds.), *The Cambridge History of the Mongol Empire*, Vol. II: *Sources on the Mongol Empire*, Cambridge: Cambridge University Press.

Matsui, Dai and Ryoko Watabe (2015), "A Persian-Turkic Land Sale Contract of 660 AH/1261-62 CE.", *Orient* 50.

Matsui, Dai, Ryoko Watabe and Hiroshi Ono (2015), "A Turkic-Persian Decree of Timurid Mīrān Šāh of 800 AH/1398 CE.", *Orient* 50.

Moriyasu, Takao (2019), *Corpus of the Old Uighur Letters from the Eastern Silk Road*, Turnhout: Brepols.

Moriyasu, Takao and Peter Zieme (1999), "From Chinese to Uighur Documents",『内陸アジア言語の研究』一四号。

Šayḫ al-Ḥukamā'ī, 'Imād al-Dīn・渡部良子・松井太(二〇一七)「ジャライル朝シャイフ＝ウワイス発行モンゴル語・ペルシア語合璧命令文書断簡二点」『内陸アジア言語の研究』三二号。

Sertkaya, Osman Fikri (1977), *İslâmî devrenin Uygur harfli eserlerine toplu bir bakış*, Bochum.

Tumurtogoo (2006), *Mongolian Monuments in Uighur-Mongolian Script (XIII-XIV Centuries)*, Taipei: Academia Sinica.

Vásáry, István (2016), "The Role and Function of Mongolian and Turkic in Ilkhanid Iran", Éva Á. Csató, Lars Johanson, András Róna-Tas and Bo Utas (eds.), *Turks and Iranians*, Wiesbaden: Harrassowitz.

Yoshida, Yutaka (2019), *Three Manichaean Sogdian Letters Unearthed in Bäzäklik, Turfan*, Kyoto: Rinsen.

Морозов, Дмитрий (2006), "Уйгурские автографы московских дьяков (дополнение к древнерусской дипломатике)", *Памяти Лукичева*, Москва: Древлехранилище.

Морозов, Дмитрий (2016), "Древнерусская надпись уйгурским письмом", *Древняя Русь* 2016-1.

コラム｜*Column*

タルタル人

高田英樹

一三六八年、モンゴルが北へと遁走したその年、フィレンツェに奇妙な風体の異人が姿を見せる。トンガリ帽と踝までの衣に長々と辮髪を垂らして聖マリーア・ノヴェッラ教会の扉を叩くその後姿は、まさしくタルタル人だった。一体何を求めて？　滅びゆく祖国の救援か、それとも我が魂の救済か。

話は一二〇年余前に遡る。一二四〇年、モンゴルの出現はヨーロッパを震撼させた。その軍はあまりにも強くその人間はあまりにも異様で、どこからやって来たのかすら分からなかったからである。そうした民族のことは、聖書にもギリシャ・ローマの古典にも書かれていなかった。では、聖書は間違っているのか、神は完全ではなかったのか？

その未知の民のことは、西方には最初に侵略されたルーシを通じて、モンゴルではなく「タタール」の名で伝わっていた。と、イギリスの修道士マシュー・パリスは、ギリシャ神話に「タルタロス」(奈落)なる言葉があり、それがキリスト教では「地獄」と同じ意味で使われ、そこに棲む悪魔の民は「タルタリ」と呼ばれていることを見付けた。またその民は、アレクサンドロス大王によってカフカスの「鉄門」の彼方の岩山に閉じ込められたとも伝えられる。これに違いない、醜悪な容貌も恐るべき強さもおぞましい悪業もまさにぴったりだ、それが今その岩山を破って躍り出して来たのだ、と。こうして「タルタル人」の名は一気に定着した。これで神も聖書も文明も救われた。また、ポーランド、ハンガリーと劫略した後、今にもローマに襲い来たらんとしていた彼らは、なぜか東に戻って行った。こうしてヨーロッパは、自然も人間も社会も無傷のまま救われた。

かく存亡の危機を逃れたヨーロッパは、彼らがやって来たという東方や北方ひいては世界について、何も知らないことを思い知らされた。そこで、布教を名目に修道士を偵察に派遣する。その最初がカルピニとルブルクである。帰って来た彼らの報告は期待どおりのものだった。自然も人間も社会も野蛮そのもの、まさにタルタルと呼ばれてふさわしいと。こうして彼らは、古代ギリシャ・ローマの文明の故地にキリスト教が被さって成ったヨーロッパを中心とし、その周りをイスラム世界が取り巻き、そのさらに外に未開の世界が拡がっているという、自分たちの世界像・世界観が間違っていないことを確信した。

しかし、修道士たちが至ったのはカラコルムまでであり、そのさらに東にはかの絹がやって来るという豊かな大国があると伝えられるし、キリスト教司祭にして王のヨーハンネスなる者がそこを統べているとの噂も聞こえていた。

会堂の戸を叩くタルタル人
（フィレンツェ，サンタ・マリーア・ノヴェッラ教会，スペイン礼拝堂，c. 1368，アンドレーア・ディ・ボナイウート工房画）

その富を求めて東に向かった商人の最初の一人が、ポーロである。その大国の君主に仕えたというマルコが、帰国後ジェノヴァの牢にあってピーサの作家ルスティケッロとともに編んだその報告「世界の記」はそのこと、東方には富める強大な国があってグラン・カンと呼ばれる帝王がそこを統べている、というのが本当であることを証言した。つまり、そこはヨーロッパより大きく強く豊かで富みかつ優れている、と。

　しかし、今度はヨーロッパは慌てなかった。モンゴルの軍事的脅威が去っていたことの他に、あまりにも信じ難いことだったのと、抜け目ない「ヴェニスの商人」ポーロと老獪な物語作家ルスティケッロは、彼らを常にタルタル人と呼び、豊かで優れているのは物質面だけで、皆偶像崇拝で真の信仰を知らぬ民であることを述べて、安心させていたからである。

　これらに力を得て、「盲目の不信の徒の暗闇に真の信仰の光を灯さん」と東方に向かったのが、モンテコルヴィーノらの修道士である。が、霊魂の収穫は困難で少なかった。ところが、事態は思いがけないところから展開する。話は再び発端に遡る。

　かのバトゥの西征に加わっていたモンケは、途次降伏した北カフカスのアラン人をモンゴルに連れ帰っていた。彼らはイラン系遊牧民でネストリウス派キリスト教徒だったが、次のクビライによって阿速《アス》衛に編成され、軍の中核をなすに至っていた。そして代々の皇帝に受け継がれ、最後の順帝トゴン・テムルの時には、軍事のみならず政治の実権をも握るまでになっていた。また彼らは、その後ローマ教会に帰依し、皇帝を始めモンゴル支配層の改宗をも目論み始めていた。

　こうした事態を見て教皇から派遣されたのが、フィレンツェの貴族僧マリニョッリである。彼は五〇人の修道士の他に、「タルタル人の皇帝」への贈り物という黒馬を引き連れていた。しかしそれは、実はアラン人キリスト教徒が教皇に使者を送って皇帝のために無心したものであった。それと知らぬ順帝は、佛郎《フランク》国が天馬を朝貢してきたと言って悦んだ。

　かのフィレンツェのタルタル人は、その馬のお返しに遣わされて来た従者か、あるいはマリニョッリがカタイから連れ帰って来た僕であろうか。そういえばマルコ・ポーロも、「タルタル人の我が奴僕ペトルス」を所有していた。一抹の恐怖の記憶と侮蔑の念を込めて彼らはこう呼ぶ、今も。

問題群｜*Inquiry*

宋元時代の東アジア海域世界

関　周一

はじめに

本稿は、一一世紀後半からモンゴル覇権期の一四世紀前半までを対象に、東アジア海域世界の動向について述べる。

当該期の日本は、中世前期と位置づけられる。一一世紀後半、白河上皇により院政が開始され(一〇八六年)、荘園公領制(または荘園制)と呼ばれる土地制度が成立する。一二世紀後半になると武士の台頭がめざましく、保元の乱(一一五六年)・平治の乱(一一五九年)を経て、平氏政権が成立する。治承・寿永の内乱(源平争乱)を経て、鎌倉殿を頂点とする鎌倉幕府が成立する。幕府は、京都の朝廷を支える軍事権門であるとともに、東国を支配する政権でもあった。一三世紀、承久の乱(一二二一年)の勝利を機に、多くの御家人が西国各地の地頭に任じられ(西遷御家人)、皇位継承などで、幕府が朝廷に介入する場面が増えた。一三世紀後半、世祖クビライによる「蒙古襲来」(一二七四年の文永蒙古合戦、一二八一年の弘安蒙古合戦)が起きる。一三世紀半ば以降、モンゴルへの対応をしつつ、幕府は、執権北条氏嫡流の当主である得宗による専制政治が行われた。

朝鮮半島では分裂した新羅にかわって、地方豪族の王建が開城(開京)を都として高麗を建て、九一八年に再統一した。歴代の高麗国王は、五代の各王朝、呉越国、北宋・南宋の皇帝から冊封を受けた。科挙を採用し、唐宋の制度を参考にして官僚制を整備し、仏教を国教とした。官僚は文官（文班）と武官（武班）とに分かれ、彼ら両班《ヤンバン》は土地所有を進めて貴族化していった。一二世紀末には武人（武臣）政権が成立し、崔氏が権力を掌握した。一〇―一一世紀には契丹の侵攻（三度）、一三世紀にはモンゴルの侵攻（六度）を受けた。武人政権は江華島に遷都して抵抗したが、崔氏政権は滅亡し、高宗はモンゴル（元）に屈服した。国王の常備軍である三別抄は、江華島から珍島、済州島に移って元と戦ったものの敗北した。契丹やモンゴルに対抗するため、二度にわたって大蔵経（高麗版大蔵経）が刊行された。

東アジア海域に目を移してみよう。前近代の東アジアにおいては中国王朝を中心とする、国家間の関係が形成されていた。中国王朝の皇帝から冊封された周辺諸国の首長が、皇帝に使者を派遣して朝貢し、それに対する回賜がなされた。また被冊封国間で使節を派遣して贈答品を送る通交関係も生まれた。外交使節に同行する海商らによって、貿易が行われるケースが多かった。

それとは別に、国家（皇帝、国王ら）の意を必ずしも受けることなく、他国に渡海し、その国家ないし領主層と貿易を行う海商たちが登場した。九世紀前半は、唐に拠点をもつ新羅海商が活躍した。九世紀後半から、彼らと協業関係にあった中国人海商が貿易の主要な担い手となり、一四世紀前半まで続く。

日本と北宋・南宋・元との間には、外交関係（使者を派遣する通交）は成立せず、海商と僧侶が交流の担い手であった（榎本 二〇〇七、二〇二〇）。日本の博多と、中国江南の明州（後の慶元、寧波）との間を往来する、東シナ海ルート（博多―北九州沿岸部・五島列島―舟山諸島―明州）が主要ルートであった。この航路は、大洋路と呼ばれた（橋本 二〇〇五：一二一―一二六頁、榎本 二〇〇七：四一―四八頁）。中国人海商らを船主（経営者）とするジャンク船が往来し、時には日中の僧侶が乗船していた。北宋期の乗員数は、六〇―八〇人と推測されている（榎本 二〇二一 a）。

日本と北宋・南宋との貿易については、森克己による重厚な研究がある（森 二〇〇八、二〇〇九 a・b、二〇一一）。

日本は陶磁器、絹織物、薬などを輸入した。これらの高級舶来品は「唐物《からもの》」と呼ばれた(河添 二〇一四、関 二〇一五)。北宋で大量に鋳造された銅銭(宋銭)は博多にもたらされ、列島各地で使用された。日本からは火薬の原料になる硫黄、砂金・水銀・真珠・刀・扇などが輸出された。

高麗と北宋・南宋・元との間には外交関係が成立しており、使節が往来した。それとは別に、中国人海商や僧侶の往来もみられた。日本に対しては、高麗側が一方的に使節を派遣した。日本の朝廷は、使節を大宰府に留め置き、京都へ上ること(上洛)は許さず、大宰府の発行する文書(大宰府牒)を高麗への返書とした(関 二〇一七:九四—九五頁)。一二世紀以降、対馬島衙などから高麗の地方官衙あてに進奉船が派遣された。両国の地方官衙による官営貿易が行われたのである(李 一九九九、石井 二〇一七、近藤 二〇一九)。

また朝鮮半島や中国大陸において掠奪を行った倭寇が出現する。倭寇とは、被害を受けた朝鮮・中国側の呼称である。高麗については、早くは一〇世紀末(九九七年)に出現し、一三世紀に度々確認される(関 二〇一七:一〇一頁)。

本稿では、こうした東アジア海域の様相を、近年の研究に基づいて素描していきたい。第一節では、東シナ海ルートに位置する港市である博多をとりあげる。博多は中世日本最大の貿易港として物資の集散地であるとともに、禅宗などの異国文化の流入地でもあった。したがって博多は、日中交流の諸要素を集約した場であった。第二節では、高麗と北宋・南宋との交流について述べ、中国人海商を通じた日本との関係についても言及する。そうした様相が、モンゴル覇権期においていかに変化したのか(しなかったのか)について、第三節において論じる。第四節では、日本列島周辺の海域について、本州などからみての「南島」「北方」との海上交通や交易、西日本における海賊の動向を述べる。

叙述にあたっては、考古学の成果を積極的に取り込んでいく。特に博多は、歴史学と考古学など諸分野との協業が進み、めざましい成果を挙げている(川添 一九八八、小林他 一九九八、大庭他 二〇〇八)。出土遺物の中では、輸入陶磁器に注目する。膨大な量の輸入陶磁器が出土しており、その生産地や生産年代を特定することが可能である。

一、港市博多と禅宗

鴻臚館から博多へ

日本の古代国家(律令国家)は、外国使節の宿泊、接待などのための施設として鴻臚館《こうろかん》を設けた。外交上の要地である大宰府、難波《なにわ》および都(平城京、平安京)に置かれた。初めは客館《むろつみ》といい、嵯峨天皇の時代(弘仁年間八一〇―八二四年)には、唐風に鴻臚館とも称されるようになった。

大宰府鴻臚館は、『日本書紀』持統天皇二年(六八八)二月己亥(一〇日)条に「筑紫館《つくしのむろつみ》」とあるのが初見である。八世紀は新羅使が来日していたが、九世紀以降は在唐新羅海商あるいは中国人海商のための施設となった。貿易は、大宰府の管理下で行われた。朝廷から唐物使が派遣され、良質の唐物を購入した(官司先買権)。

鴻臚館が置かれた場所は、近世の福岡城の一角にあたり、かつて平和台球場があった。一九八七年から二〇一二年まで福岡市教育委員会による発掘調査が行われ、鴻臚館の客館エリアの概要が明らかになった。

一一世紀前半、財政窮乏のため、朝廷の海商に対する代価(陸奥国の砂金や、大宰府内の官物)の支払いが滞るようになった。そのため、来航した中国人海商の鴻臚館滞在期間が六年から八年程度に長期化した(渡邊 二〇一二)。鴻臚館跡第V期(一〇世紀後半―一一世紀前半)の出土白磁には、外底部に墨書をもつ陶磁器が散見される。中国人の集団を示す「綱」や中国人の姓である「呉」「鄭」などの文字が確認されている(大庭他 二〇二〇:五〇頁)。

一一世紀中頃、鴻臚館の遺構や遺物が突如消える。一〇四七年、「大宋国商客宿坊」すなわち鴻臚館が、放火により焼失した。大宰府は、その犯人四人を捕縛し、禁獄した。この放火による焼失を契機として、鴻臚館は廃絶されたものと考えられる。

それに対し、鴻臚館とは入り海一つを隔てた東側の砂丘上に位置する博多遺跡群では、一一世紀後半になると遺構や遺物が激増する。ここに都市博多が成立したと考えられる(大庭 二〇一九：一九頁、大庭他 二〇二〇：五一頁)。

博多の地形と流通

一九七七年、福岡市博多区祇園町の一角で、福岡市営地下鉄建設に先立つ埋蔵文化財調査が行われた。この調査で確認されたのが博多遺跡群であり、中世都市博多の遺跡である。福岡市教育委員会が設定した遺跡の範囲は、東を石堂川、西を博多川に画され、南は出来町公園から藤田公園を結ぶ線、北は対馬小路あたりまでで、約一・六平方キロメートルの面積を持つ(大庭 二〇一九：四頁)。

博多の基盤地形は、未発達な砂丘である。博多の西には、ラグーン地形があり、そこに那珂川や比恵川(御笠川旧流路)が流れ込んでいた。ラグーンに流れ込んだ河川が、博多湾に出るそのすぐ内側に位置している(大庭他 二〇二〇：五四頁)。一一世紀ごろ、海側に新たな砂丘が形成され、一二世紀初頭、博多浜と陸橋状に埋め立てられた。この新たな砂丘は息浜《おきのはま》と呼ばれた。博多浜西側のくびれ部分および息浜が、中世の港として発展した(大庭 二〇一九)。

一一世紀後半から一二世紀前半の港は、内陸側砂丘の博多浜の西斜面と考えられている。白磁一括廃棄遺構(第一四次調査)は、波打ち際に商品を廃棄したことを示している。その地点から一〇〇メートルほど南に位置する第二二一次調査において、港湾施設の一部と考えられる石積遺構が出土した。確認されたもので延長三五メートル以上、幅は一・二メートルでほぼ一定している。石積の前面からは硫黄が出土し、近辺の発掘調査では、箸状の金のインゴット、水銀などが出土している。いずれも日宋貿易の主要輸出品である。北宋に向から荷の積み込みが行われたことがわかる。また豊前系土師器椀、吉備系土師器椀や畿内産瓦器(楠葉《くすは》型)も出土している。瀬戸内海から豊前を通過して、国内流通の航路が、博多湾まで直接に伸びていたことの証左である。博多を結節点として、対外交通と国内流通とが結びついていたのである(大庭他 二〇二〇:五四—五六頁)。

博多津唐房

一一世紀、長期滞在するようになっていた中国人海商は、倉庫・店舗・住居を博多に構えた。中国人が「蕃夷国」に寄住し貿易活動を営むことを、住蕃と呼ぶ。亀井明徳は、博多における中国人海商による貿易を住蕃貿易と呼んでいる(亀井 一九八六、一九九五)。

源俊頼『散木奇歌集』(一一二八年頃の成立)には、永長二年(一〇九七)閏正月六日、父の大宰権帥源経信が大宰府にて没した際、「はかた(博多)にはへりける唐人ともの、あまた(数多)まう(詣)てきて、とふら(弔)ひける」と記されている。また中国浙江省寧波市天一閣博物館には、一一六七年(南宋の乾道三年)、「日本国太(大)宰府博多津居住」の丁淵、「日本国太(大)宰府居住」の張寧、中国建州普城県出身で日本在住の張公意の三人が、明州(寧波)の寺院の門前道路建設のため、石敷の道一丈(約三メートル)分の銭一〇貫文を喜捨したことを刻んでいる、三石碑が所蔵されている。

一二世紀には、中国人海商らが居住する「博多津唐房」が成立した。その初見は、西教寺蔵『両巻疏知礼記』上巻奥書の中の、永久四年(一一一六)大山船の龔《きょう》三郎船頭房が「博多津唐房」において同書を書写したという記述である。

唐房は、博多浜の西側に位置したものと思われ、そこからは中国風の軒平瓦や、井戸の側壁に転用された結い桶などが出土している(大庭 二〇〇九:二一—二八頁)。中国人居住地域は、元来「唐坊」と表記した。「唐」は中国ないしは広く異国を意味し、「坊」は町・市・店・場・部屋、すなわち都市内の区画された空間を意味する。博多の場合は、部屋・宿・住まい・建物を意味する「房」を一貫して使用している(柳原 二〇一一:一二五—一二六頁)。

博多遺跡群における輸入陶磁器の中国人の痕跡

博多遺跡群出土の輸入陶磁器は、次のような特徴がある(大庭他 二〇二〇：五一—五四頁)。

①墨書陶磁器　中国陶磁器の外底部や体部下位に文字や花押を墨書したものが出土している。墨書陶磁器は、一一世紀後半から一二世紀のものが大多数を占める。墨書は、a「綱」銘墨書、b 人名、c 花押、d 数字、e 用途を記したもの、f 漢字、g その他の七種に分類されている(佐伯 一九九六)。このうちaは、「王」や「丁」などの中国人の姓の後に「綱」の字を続けたり、「綱司」もしくは単に「綱」と書いたりするものがある。bは、中国人の姓や名を記し、「王」「林」「丁」という姓のみ、「王四郎」「王二」「陳成」という姓名を記したものがある。

a・b・cは、博多における中国人の存在を直接に物語る史料である。aは、中国で船積みされる際に、積荷の所在を表すために書かれた荷札的な墨書と考えられる。b・cについても商人もしくは船員の積載貨物の識別記号として書かれたものと考えられる。

②商品化前の陶磁器　窯道具を挟んで重ね焼きされたままの状態をとどめるもので、窯道具であるハマも出土している。中国人海商が、生産地で窯から出された状態のまま買い付けし、日本に持ち込んだ後、一点一点外して商品化したものと考えられる。

③輸入陶磁器一括廃棄遺構　白磁碗などを波打ち際に一括廃棄したもの(第一四次調査。前述)の他、商品チェックで破損を確認した陶磁器を木箱に入れて廃棄したもの(第五六次調査のSK〇二八)、火災で焼けて売り物にならなかった陶磁器を一括廃棄したもの(第七九次調査一八二七号遺構)がある。これらは、いずれも一二世紀前半の遺構である。

④陶器の壺・甕類　大型の壺・甕類が多数出土する。輸入品の容器(コンテナ)としてもたらされ、荷揚げされた後に、そのまま水甕などとして使用されたものと考えられる。

⑤中国人の身辺を彩った陶磁器　一二世紀を中心に、白磁や青白磁、青磁の小物が出土している。水滴、筆架、灯

火器、香炉、人形、仏像などである。日本の他地域ではほとんど出土していないものである。博多に住む中国人海商の身の回りを飾ったものであろう。

上記を踏まえると、博多が中国人海商の営業拠点であり、彼らが身の回りを中国風に飾ろうとした、あるいは中国での生活スタイルを博多に持ち込んでいたことがうかがわれる。博多は中国人海商が活躍する舞台として、都市化を遂げた(大庭他 二〇二〇:五四頁)。

また一二世紀から一三世紀にかけて、ガラスを溶かす坩堝(中国陶器の水柱を転用したもの)や、ガラスの小壺と蓋、皿のような容器片、扁平なガラスピース、小玉、棒状製品など多彩なガラス製品が出土している。これらのガラスは、分析の結果、カリウム鉛ガラスであることが判明し、宋代に登場するクリスタルガラスの生産技法が伝わっていることがわかる(同:六一頁)。

博多綱首

博多居住の中国人海商の中心は、「綱首」または「船頭」と呼ばれた人々である。船主のような経営者を指すものと考えられる。彼らは、日本の寺社・権門に帰属し、彼らをパトロンとした。貿易船の派遣は、綱首個人で行われたものではなく、背後に寺社・権門が控えていた。形の上では、貿易船の派遣主は寺社・権門であり、博多綱首はその請負人であった(榎本 二〇〇七:七一―七二頁)。貿易の資本は、博多綱首個人の商品、パトロンたる寺社・権門や一般の出資から成る。帰国後、海商は請料を権門に支払う。有力寺社に組織された山僧・日吉神人・八幡神人らが、国内の流通を担い、海商との分業がみられた。林文理は、こうした貿易形態を権門貿易と呼んでいる(林 一九九八)。

一二一八年、山門(比叡山延暦寺)末寺の大山寺《だいせんじ》に所属する張光安が、筥崎宮留守行遍・同子息光助によって殺されるという「張光安殺人事件」が起きた。張光安は「神人通事船頭」(『華頂要略』)と表記され、大山寺の神人であるとともに、通事（通訳のこと）および船頭（綱首）を兼ねていたことがわかる（大庭 二〇一九：一〇二―一〇五頁）。

もう一人知られている博多綱首に、謝国明がいる。南宋の都臨安の出身と伝えられる。南宋より帰国した円爾《えんに》（聖一国師）に深く帰依した。一二三二年、円爾を害せんとした大宰府有智山《うちやま》（大山寺）の義学（禅宗に敵意を持っていた）から守った。一二四二年、博多に承天寺《じょうてんじ》を建立し、円爾を招いて開山とした。一二四三年には、円爾の勧めにより、先年焼失した、臨安（杭州）の径山《きんざん》万寿禅寺（南宋禅院五山の第一位）再建の資として材木一〇〇〇枚を送り、同寺の無準師範《ぶじゅんしばん》より礼状（「板渡の墨蹟」）を贈られている（西尾 二〇一一）。

博多禅

禅宗寺院では備品として、儀式に使用される羅漢や達磨の絵、花瓶《けびょう》、燭台、香炉、香合《こうごう》などの仏具類が必要であった。そのために、北宋や南宋で造られた青磁、堆朱《ついしゅ》、銅器などの唐物が集められた。

一二世紀末に二度入宋した、明庵栄西が開山となって、日本国内初の本格的な禅寺である安国山聖福寺《しょうふくじ》が博多に創建された。この地は、元来「博多百堂の地」とされ、中国人の墓所に由来するものと考えられている（亀井 一九八六：二一八頁）。聖福寺の創建を実質的に援助したのは、栄西『興禅護国論』末尾の「未来記」（建久八年（一一九七）八月二三日）にみえる「鎮西博多津の張国安」ら中国人海商であった（伊藤 二〇二一：三三一頁）。栄西はその後、京都に建仁寺、鎌倉に寿福寺を開いた。

謝国明の支援を受けて、博多に万松山承天寺を創建したのが、円爾である。一二三五年、博多から平戸を経由して、南宋の慶元に到った。万寿禅寺の無準師範に従い、印可を受けた。一二四一年、慶元定海県（寧波市鎮海）を出航し、耽羅（済州島）を経て、博多に到った。大宰府に崇福寺、肥前国に万寿寺を創建し、一二四二年、博多の承天寺の開山となった。翌年、京都の九条道家に招かれて上洛し、東福寺の開山となっている。

このように禅宗初伝の地である博多の禅寺は、博多綱首ら中国人海商の活動と一体化したものであり、宋・元の文化の移入に深く関わっていく（伊藤 二〇二二：二三三頁）。

中国陶磁器から見る貿易システムの変化

一一世紀後半から一二世紀にかけて、博多遺跡群から出土する輸入陶磁器の器種・器形はきわめて多様である。この時期は、中国の華南地方（現在の江西省・広東省・福建省）で生産された白磁が主体であり、さまざまな器形を持つ。また福建省閩江上流の建窯で焼かれた、茶道具である天目碗《てんもくわん》が出土し、博多在住の中国人海商に使用されたものと思われる（大庭他 二〇〇八：一一三―一一五頁）。一二世紀の一括廃棄遺構を踏まえると、博多には多様な白磁碗が荷揚げされ、中国人海商の倉庫に収められたが、日本人の嗜好に合わなかったのか、国内の需要がなく、流通に乗らない商品があったものと考えられる。持ち込まれた商品に対する需要は、大宰府が博多で臨検して商品リストを作成した後に発生した。必ずしも国内需要に合致した商品が荷揚げされたわけではなかったのである（大庭他 二〇二〇：五八―五九頁）。

一二世紀後半になると、このような流通に乗らない器形は減少する。大宰府による貿易管理がなされなくなり、中国人海商と日本国内との直接的接触がなされた。国内需要を踏まえた商品の選別が行われるようになったと思われる（同：五九頁）。この時期は、倣龍泉窯（いわゆる同安窯系）の櫛描文《くしがきもん》青磁、浙江省龍泉窯系の劃花文《かくかもん》青磁などの青磁が主体となる。天目碗が増加し、景徳鎮窯の青白磁も出土している（大庭他 二〇〇八：一一七―一一九頁）。

一三世紀になると、博多から出土する陶磁器に個性が見られなくなり、全国各地でみられるものばかりになる（大庭 二〇一九：七七―七八頁、大庭他 二〇二〇：五九頁）。浙江省龍泉窯系の蓮弁文青磁碗が、その代表である。この傾向は、寺院・権門などの唐物に対する需要に応じた商品を、海商が選別した結果なのではなかろうか。

二、高麗と北宋・南宋との海域交流

中国人海商の高麗来航

北宋の建国後、中国人海商は朝鮮半島との間を活発に往来するようになった。高麗の都開城(開京)の外港である礼成江には、漕運による租税物が集まると同時に、中国使節や海商らが入港した。これらの物や人は、礼成江で陸揚げないし上陸した後、王城内に至った。一二世紀前半、宮城南門の外側には中国人海商のために、清州館、忠清館、四店館、利賓館という四つの客館を設けていた。開城には多数の中国人が居住し、中国人集住社会を形成していたのである(山内 二〇〇三：一九八、二〇〇、二一一頁)。

中国人海商たちは、一〇一二年以降、ほぼ毎年高麗に渡航して貿易をしていた。海商が来航すると、官人による迎労と収容客館の指定を行った後、長齢殿において海商から国王への献上品を受け取り、その値を計って、数倍の返礼を下賜していた。その献上品は、下位者から上位者への貢進物を意味する「方物」と呼ばれた。海商は、高麗国王の八関会や生誕節などの国家的儀礼に参加した(同：二〇三―二〇四、二一五―二一六頁)。

中国人海商は宋・高麗間の外交の一端も担っていた。宋から高麗への通交に際しては①宋皇帝の詔旨の伝達、②宋の政治情報の伝達、③軍事情報の伝達、高麗から宋への通交に関しては①公文書の伝達、②高麗使節の搭載・嚮導、③高麗政府注文品の調達の任にあたった事例がある(同：二〇七―二〇九頁)。

高麗と契丹との本格的修交にともない、一〇三〇年代から高麗・北宋間の使臣(外交使節)の往来は途絶えた。一一世紀後半、北宋の神宗は、新法改革を始めるとともに、積極的な対外政策を取るようになった。高麗の文宗も北宋との復交を望んだ。高麗に往来していた福建出身の海商黄慎の仲介により、両国の外交が復活した。一〇七一年、高麗は約四〇年振りに北宋に遣使し、一〇七八年には宋使が高麗を訪れた。これ以後、北宋が滅亡して南宋が成立する直後まで、相互に使者の往来が続いた(森平 二〇一七：二〇〇頁)。

靖康の変(一一二六—一一二七年)において、女真の建国した金が北宋を滅ぼすと、南宋は、高麗に繰り返し遣使し、金に対抗するための連携を求めた。しかし高麗はこれに応じなかった。一一三〇年代以降は、両国の間で使節の往来はみられなくなり、海商が往来するのみの関係になった(同：二〇一頁)。

高麗・宋間の航路

次に高麗と北宋・南宋を結ぶ航路をみておこう(森平 二〇一七、二〇二二)。

開京近郊を南流する礼成江河口にある碧瀾渡が、高麗側のターミナルであった。そこから黄海を横断して山東半島に至る北方航路と、朝鮮半島南西沿海を経由して東シナ海を斜めに横断し、江南にいたる南方航路とがあった。

高麗と結ぶ北中国の窓口港は、一一世紀初めまでは山東半島北岸の登州だった。だが北宋が高麗と一時断交し、対契丹警戒体制が強化されたため、一一世紀前半には公式には閉鎖された。一一世紀後半に宋と高麗が復交した後、北中国の窓口港は山東半島南部の密州板橋鎮に開かれた。

南方航路では、唐末以降、中国東南沿海部が経済のセンターとして浮上する中、明州が高麗・日本向けの指定貿易港として発展し、市舶司が置かれていた。南宋期を含めて一貫して幹線航路として機能したのは、南方航路だった。

高麗と北宋の貿易

高麗にとって対北宋外交は、貿易や文物将来の要素が強かった。高麗国王が北宋皇帝に朝貢し、それに対する回賜によって、朝貢する側は良質・多量の文物を入手でき、その利潤は大きかった(森平 二〇一七：二〇一頁)。

朝貢・回賜を通じて入手できる高級文物は、高麗の為政者たちがめざした体制整備や文化振興のために必要とされた。例えば、宋版大蔵経や、『文苑英華』『太平御覧』『冊封元亀』などの類書(百科事典)、薬材、宮廷音楽とその楽器、絵画などであり、医師や画工のような特殊技能をもつ人材の招聘も含まれていた(同:二〇一頁)。

北宋からの輸入品は、絹織物、中国陶磁器などの工芸品、書籍、薬材、香料、茶などが挙げられる。特に薬材や香料については、東南アジアやインド洋方面との貿易を通じて中国にもたらされたものを含む。クジャクやオウム、砂糖などもそうした南方物産の一つである。高麗からは、金・銀・朝鮮人参・麻布・細苧(カラムシの布)、虎皮、松子(松の実)、扇、花紋席、高麗青磁、紙、筆、墨などが北宋に輸出された(同:二〇二頁)。

中国陶磁器の高麗への流入

北宋や南宋からの輸入品のうち、具体的な様相を知ることができるのは、陶磁器である。博多での検討と同様に、出土量が多く、生産地や生産年代の特定が可能である。高麗が、北宋や南宋との間に形成していた交易網の一端を知ることができる。

高麗が輸入した中国陶磁器の特徴をみておこう。李明玉によれば、高麗時代の陸上遺跡(朝鮮半島本土)から出土する中国陶磁器には次のような傾向がある(李 二〇二二)。

時期としては高麗中期(一二―一三世紀)の遺跡から多量の中国陶磁器が出土している。京畿道・忠清道・全羅道・慶尚道・済州地域で確認され、宮城・官庁関連遺跡・寺刹(寺址)・建物址・墳墓などから出土している。

その大部分を占めるのは北宋の白磁である。高麗内では、白磁に対する消費欲求が高かったのに対し、質的に優れた白磁の生産が困難な環境にあった。比較的品質が良い定窯産・景徳鎮産白磁が主として消費されたことから、主に高麗白磁の代替品として消費されたものと考えられる。開城が最大の消費地であり、上流層の居住地域での出土品が最も質が高い。このことから白磁は、両班らが富や実力を誇示するための手段、すなわち威信財として専有・使用したものとみられる。高麗の使臣が、北宋との往来の際に購入した可能性がある。

中国青磁は、一部の地域で少量が確認できる程度である。高麗は象嵌青磁などの優れた青磁を製作しており、相当量の高麗青磁が北宋・南宋に輸出されていた。そのため青磁の需要は、白磁よりも低かったものと考えられる。

韓国では、干満の差が激しい難所である半島西海岸を中心に、沈没船の調査が活発に行われている。泰安馬島地域と新安黒山島地域では、右でみた陸上遺跡からの出土事例のない中国陶磁器が発見された。前者の生産地は、福建省・広東省・江西省・浙江省一帯と推定され、中でも福建産のものが多い。博多遺跡群で大量に出土した陶磁器と類似しており、「林綱」「楊綱」「鄭綱」「綱司」などと墨書された陶磁器が確認できる。後者は、五五点の陶磁器のうち、南宋代龍泉窯の青磁碗・皿が多く、その他福建省の黒釉碗と白磁碗・皿などがある。おおよそ一二世紀中後半—一三世紀前半の南宋代の龍泉窯青磁が主流をなしている。この海域は、高麗・南宋間の南方航路に位置している。

義天版と中国人海商

高麗国王文宗の王子である義天は、華厳宗など内外の諸学を修め、僧官の最高位である僧統に昇り、後に大覚国師の諡号を贈られた。北宋に渡って、華厳宗の浄源や天台宗の従諫らに学ぶとともに、仏教書の収集に努めた。帰国後、住持となった開城近郊の興王寺に教蔵都監を設置し、宋・遼・日本や高麗国内から広く仏教書を集め、『続蔵経』四千余巻として刊行した(義天版)。

北宋の泉州出身の海商たちは、義天と親しい関係にあり、義天版を入手することができた。海商たちは、博多に渡って義天版を日本にもたらした。中国人海商のネットワークが、日本に義天版をもたらしたのである(原 一九九九、二〇〇六、横内 二〇二〇)。

三、元と日本・高麗との海域交流

博多禅の展開

二度の蒙古襲来によって、博多は大きな被害を受け、唐房の痕跡がみられなくなる。博多湾には、蒙古対策として石築地(元寇防塁)が築かれた。石築地は、息浜を波などによる浸食から守る防波堤の役割も果たしたため、一三世紀後半以降、博多の都市化が進んだ(大庭 二〇一九:二四頁、伊藤 二〇二一:二三六頁)。博多禅は、鎌倉と密接な関係を持ちながら新たな展開をみせている。

渡来僧の蘭渓道隆によって、博多には宋風の純粋禅が持ち込まれた。御供所町《ごくしょまち》にある瑞松山円覚寺は、蘭渓を初めて受け入れた寺である。その後、蘭渓は北条時頼の外護を得て、鎌倉に建長寺を開くが、同寺は鎌倉幕府の大陸情報センターとしての意味合いもあった(伊藤 二〇二一:二三四頁)。

幕府は、最新の大陸情報を携えて帰国した、入宋僧の南甫紹明《なんぽじょうみん》を、大宰府守護所の武藤氏(少弐氏)や、鎮西で活動した北条時定の外交顧問とするために、姪浜《めいのはま》の興徳寺(開基檀越は北条時定)に下向させた。蒙古国信使趙良弼と詩文で交歓し、その後大宰府崇福寺に長く滞在したのは、幕府の対元政策の一環であった。博多の禅寺は鎌倉と直結する、幕府の出先機関であった(同:二三四頁)。

息浜には、石城山妙楽寺が創建された。現在、同寺は博多浜の御供所町にあるが、当初は息浜の石築地の側に位置していた。同寺の歴史は、一三一六年、博多の住民が息浜に一字を構えたことに始まる。一三四六年、諸檀越が協力して仏殿を造営し、南甫紹明の弟子月堂宗規《げつどうそうき》を開山として禅寺が成立したという(同:二三六頁)。

日元貿易——寺社造営料唐船

蒙古襲来以降、むしろ日元貿易は活況を呈していた。一四世紀になると、ほぼ毎年、貿易船が日元間を往来していた（木宮 一九五五：四一〇―四一五頁）。日元貿易は、日宋貿易と異なり、権門が海商を神人・寄人などの形で組織した形跡はなく、従来のような分業はみられない。だが権門が海商の請負によって派船する構造は変わっておらず、大枠では日宋貿易を受け継ぐ体制だったと考えられる（榎本 二〇一四：一〇〇―一〇一頁）。

一四世紀前半、博多―慶元という大洋路を航路とした、寺社造営料唐船と呼ばれる貿易船が往来した。海商が大洋路を往復させていた貿易船に対し、鎌倉幕府や室町幕府が日本からの一往復に限って「造営料唐船」の看板を掲げさせて領海内の安全を保障した。そのみかえりに海商は利潤の一部を寺社の造営費用に拠出した（村井 二〇一三）。中村翼は、海商が幕府への依存度を高めた点を指摘している（中村 二〇二一：二二二頁）。

一九七五年、大韓民国全羅南道新安郡智島面（現在は曽島面）防築里の道徳沖で確認された新安沈船は、中国で造られたジャンク船である。搭載した荷札木簡から、一三二三年（元の至治三）、慶元を出航し博多へ向かったものの、上記地点で沈没したことがわかる。船体の長さは約二八メートル、最大幅約九・三メートルである。遺物の総数は約二万二〇〇〇点で、そのうちの約二万点は、龍泉窯青磁を中心とする中国陶磁器である。高麗青磁七点（一二―一四世紀に生産された骨董品）や天目碗（建盞《けんさん》）、八〇〇万枚以上（約二八トン）の銅銭、紫檀木や胡椒、錫のインゴットなどを積んでいた。

新安沈船は、一三一九年に火災に遭った東福寺（京都）再建のための寺社造営料唐船とみられる。東福寺は最大かつ「公的」な荷主ではあったが、あくまで多数の荷主の一人にすぎず、新安沈船は、筥崎宮など多数の荷主の荷を混載した「寄合船」であった（村井 二〇一三：二五五頁）。高級品に偏らず、多様な階層の需要に応える商品を搭載していたのが、寺社造営料唐船の実像であったと考えられる（関 二〇一五：七三頁）。

榎本渉の試算によれば、南宋末・元代の日中貿易船の乗員数は、便乗者を含めて百数十人から二五〇人以上に達することもあったという(榎本 二〇二一a)。また榎本は、一三〇五年以後の入元僧について、一年当たりの平均渡航人数は一一―一八人程度と試算している(榎本 二〇二一b)。

至大の「倭寇」

このように日元貿易は活発であった一方、一四世紀前半、倭人の海商(倭商)が、度々、元において暴動事件を引き起こしている(榎本 二〇〇七:一二〇―一三三、一四〇―一五五頁、二〇二〇:一八六―一八九頁)。

一三〇九年、慶元で最初の「倭寇」事件、元の年号を取って至大の「倭寇」と呼ばれる事件が起きた。慶元の吏卒が「島夷」から財物を奪おうとしたため、持参してきた硫黄を用いて城中を燃やし、「官府・故家・民居」がほとんど焼けてしまった。その後も慶元に来航した倭船による「倭寇」事件が起こり、元は警備体制を強化した。

一三三五年夏頃、慶元に貿易に来た倭船は、慶元の「上官」に賄賂を贈った。しかし取引が思い通りに行かなかったためか、昌国で掠奪を行った(元統(元の年号)の「倭寇」)。同年七月に確立した元のバヤン政権下で、倭船来航が禁止された。

いずれの事件も、市舶司での正式な取引を望んで、日本から来航した海商の暴動であった。その原因は、慶元の役人が海商から財物を奪い取ったことにあった。後の前期倭寇のような、組織的・計画的な掠奪ではなかった。

この結果、日元貿易は一三三五年から一三四三年まで断絶した。一三四二年に派遣された天龍寺船(天龍寺造営料唐船。室町幕府の保護を受けた)は、しばらく入港が認められなかったが、辛抱強く交渉した結果、翌年になって貿易が許可され、日元貿易は復活した。

高麗と元の貿易

モンゴル帝室には特定の姻族（クダ）と代々通婚する習慣があった。服属した高麗王家に対しては、帝室の皇女や王女（漢語ではともに公主と呼ばれる）を降嫁した。一二七四年、幼王だった忠烈王が、世祖クビライの娘クトゥルグ・ケルミシュを娶ったのが、その最初である。モンゴル帝室の女婿を、モンゴル語でグレゲン、漢語で駙馬という。高麗国王は、駙馬というモンゴル王侯貴族の一員となったのである（森平 二〇一一、二〇一七）。

一三世紀後半から一四世紀前半までの、モンゴル覇権期における朝中間の海上交通と貿易について、森平雅彦の研究に基づいて述べておく（森平 二〇二二）。

高麗が元に政治的に統合されると、元が必要とする物資を高麗から搬出し、高麗が必要とする物資を元から提供し、あるいは元に滞在する高麗王族に資財を送付するといった目的で、海上を通じた物資の輸送が、元・高麗の公権力によって実施された。

一三世紀後半、高麗と遼東地方との間で不足した食糧を相互に提供し合う事業が実施された。高麗と北中国との間では、元が要求する物資や、大都に滞在している高麗王族の一行に対する盤纏《ばんてん》（旅費、滞在経費）が輸送された。前者については、宮殿建設用材としての大木（一二七二年）、寺院建設用材（一三〇九年）が、元の要求に応じて運ばれた。

一三世紀末には、南中国から、食糧難に苦しむ高麗への食糧輸送が集中的に実施されている。一二九〇年代前半に食糧輸送を担当したのは、南中国から大都への税糧輸送を請け負う海道運糧万戸府の関係者だった。出港地は長江口の太倉、到着地は直沽であった。

こうした公的な物流を背景にしつつ、高麗と元との間で海上貿易が展開した。モンゴル覇権期における大きな変化として、北宋滅亡後、少なくとも表立っては途絶していた北中国との貿易が復活した点をあげることができる。ユーラシア規模の巨大帝国の政治・経済センターとして大都が発展し、その外港として直沽という新たなハブが浮上したことが、その背景にある。ただし大都方面との貿易が史料にみえるのは時期的に遅く、一三四一年に「大都商人」が高麗を訪れ、海賊船三十余艘の凶行を通報したことが初見である。

南中国との貿易は、高麗建国以来、元に臣属するまで、対中貿易の中心であった。南中国にルーツをもつ「宋商人」が高麗を訪れている。一二七八年、「宋商人」馬曄が方物を献上し、内庭で宴を賜った。一二八八年、「宋商人」顧愷・陸清らが来訪して物品を献上した。一二九八年、元に亡命して泉州に居留していた、南インド「馬八国《マアバル》」王子の字哈里の使者が来訪し、銀糸帽・金繡手箔・沈香・土布を献上した。

高麗王室・朝廷による貿易も行われた。一二九五年頃、忠烈王妃クトゥルグ・ケルミシュ公主が人参・松子を「江南」に送り、貿易を行った。一三〇四年、官僚に銀・布を拠出させ、国学の運営資金に充てた。その余財をもって博士金文鼎らを「中原」に送り、先聖・七十子の画像、祭器、楽器、六経諸子史の書籍を購入させた。

日中間と同様に、海を通じた僧侶の移動は、彼が便乗した貿易船の存在を示唆するものである。北中国との間では、一三三四年、僧中向が海路を使って大都に渡っている。南中国との間では、高麗僧の式無外が海路で「江南」に向かった。一三〇四年には「江南」の僧鉄山紹瓊が高麗に渡海している。

四、日本列島周辺の海域交流の活発化

モンゴル覇権期の一三世紀後半になると、中国人海商の活動に触発されて、日本列島周辺の海域における交通・流通が活発化する。種子島・屋久島以南の「南島」の物資の交易(関 二〇二〇)と、夷島《えぞがしま》などの「北方」と京都とを結ぶ日本海航路についてみておきたい。

「南島」交易

一〇—一一世紀前半、「南島」からは、赤木・夜久貝《やくがい》・檳榔《びんろう》が、日本の京都にもたらされた。赤木は、親王位記や写経軸・大刀の柄・櫛などに用いられた。夜久貝はヤコウガイのことで、盃や螺鈿の材料であった。檳榔は、扇・蓑に用いられた。檳榔毛車《びんろうげのくるま》は、天皇・上皇、四位以上の貴族にのみ使用が認められた牛車である(山里 二〇一二)。

北宋への主要な輸出品に硫黄がある。北宋では、黒色火薬が開発され、その原料として硫黄が必要であった。日本の硫黄産地は、主に薩摩国硫黄島(鹿児島県三島村)であった。硫黄島で産出された硫黄は、九州西海岸を経て博多に運ばれ、中国人海商らの貿易船によって北宋にもたらされたものと考えられる(山内 二〇〇九)。そのことを示すのが、前述した、博多二二一次調査の石積遺構の前面から出土した硫黄である。

一一世紀後半、徳之島において、高麗陶器に酷似した、カムィヤキという陶器の生産が開始された。長崎県西彼杵半島で生産される滑石製石鍋が「南島」に流入した。「南島」では、粉末にした滑石を粘土に混ぜて焼成した石鍋模倣土器(滑石混入土器)が造られた。

一三世紀後半、新たな硫黄の産地として、沖縄島の北西に位置する、硫黄鳥島が登場する。日宋貿易の時期に、博多などから琉球列島海域に南下した人々によって硫黄鉱山として発見されており、一三世紀後半以降に中国南部と琉球列島を結ぶ交易ルートが顕在化する動因の一つとなった可能性が高い(山内 二〇二一：二七七—二七八頁)。

一四世紀後半、明の洪武帝の求めに応じて、沖縄島の中山・山北・山南が明に進貢した。その際に硫黄を献上しているが、硫黄鳥島が産地である可能性が高い(山内 二〇二一)。

また沖縄諸島の遺跡からは、一三世紀後半以降、中国福建産の白磁が出土するようになる。今帰仁タイプ、ビロースクタイプと呼ばれる碗・皿類である(瀬戸 二〇一八)。琉球列島—福建ルートの物流が活発になったことを示す。

一四世紀後半になると、大洋路は、前期倭寇や、明の洪武帝に対抗する海上勢力に妨害されるため、別ルートが重要性を増していく。そのため肥後国高瀬津―薩摩―琉球列島―福建という南島路が、活発に使用されるようになる(橋本 二〇〇五)。

日本海交通の活発化

一三世紀後半以降、日本海交通が活発化し、「北方」と西日本との流通が活発になる。琵琶湖を通じて京都と結ばれている若狭国(特に小浜)・越前国から東北地方、津軽や夷島にまで航路が延びていた。若狭国以西の航路は博多と結びついている。

中世日本では夷島とよばれた北海道では、一四世紀にはアイヌ文化が成立していた。一四世紀の史料において「蝦夷《えぞ》」という呼称は、アイヌを指すものとみてよい。

日本海交通は、北条氏得宗権力が統制していたとみられる。例えば、若狭国多烏浦の秦家には、北条氏から与えられた、文永九年(一二七二)二月日付の過所旗が伝えられた(現在は、京都大学総合博物館蔵)。「相模守殿(北条時宗)御領」すなわち得宗領であった「若狭国守護分」の多烏浦の船徳勝に対し、国々津泊関々において関銭が免除されることを保証している。旗の上部には、北条氏の三鱗《みつうろこ》の紋が描かれている。

この頃、津軽地方の地頭職は、北条氏が独占していた。北条氏の被官(得宗被官)であった安藤氏は、津軽の十三湊《とさみなと》を拠点にし、本州と夷島を行き交う船に対し、そこがナワバリの海であることを主張し、通行料を徴収していたものと考えられる(黒嶋 二〇一三：一〇四頁)。

十三湊遺跡(青森県五所川原市大字十三)は、十三湖の西側に半島状に発達した南北に細長く伸びる砂州上に位置している。北側西の前潟湾に面した港湾施設地区、土塁の北側に位置する武家屋敷・領主館地区、土塁南側の町屋地区、さらに南端の檀林寺地区に分かれる。一三世紀初め、前潟中央部において集落が発生し、一四世紀中頃から、港湾施設の中心部が前潟の北側に移行したものと推測される。一四世紀前半に築かれた領主館(方形居館)には、安藤氏が居住したものと考えられる(榊原 二〇一五)。

海賊の台頭

モンゴル覇権期、西日本では海賊の活動が活発になる(関 二〇一六)。海賊は、日本史料にみえる人々である。瀬戸内海や九州地方などの沿岸や島嶼を根拠地とし、暴力によって海上通交の安全を脅かし、掠奪を行った。

一三世紀前半、鎌倉幕府の法令や、幕府から守護に対する指示などの中に、禁止する対象として海賊を位置づけている。一三世紀後半、西国において悪党の行動が活発になるのと呼応して、海賊の活動が活発化する。幕府は、海賊を禁圧する法令を頻繁に発した。

一四世紀になると、海賊の活動は一層活発になる。瀬戸内海を中心に、東は紀伊水道、西は豊後水道に及ぶ海域は、海賊の活動が激しかった。一三〇八年、西国ならびに熊野浦々の海賊が、近日蜂起するという風聞があり、鎌倉幕府は瀬戸内海の水軍領主である河野通有に対して、船の警固と海賊の捕縛を命じている。翌年、九州に居住していた河野通有に対し、伊予国に帰り、西海・熊野浦の海賊を誅伐することを命じている。これは、熊野悪党の蜂起に関連した指令である(網野 二〇〇七：二四四頁)。

一三一九年、備後国守護長井貞重の代官円清・子息高致らは、高野山領備後国大田荘の倉敷である、尾道浦に乱入し、仏閣・社殿数カ所と政所・民屋一千余宇を焼き払い、預所代らを殺害した。彼らは取り締まる側の守護と結託していた(関 二〇一六：三四―三五頁)。

前述した寺社造営料唐船も、海賊の襲撃を受ける危険性があった。鎌倉幕府は、建長寺船などの警固を御家人に命じている(御家人役)(相田 一九四三、関 二〇一六)。三浦周行は、熊野海賊が天龍寺船を警固したものと想定している

(三浦 一九二二：六七八頁)。瀬戸内海では、海賊に代金を支払って乗船させ、他の海賊の襲撃を避ける、上乗《うわのり》が行われていた。

おわりに

本稿では博多を通じて、東アジア海域交流の様相を論じてきた。唐房とよばれる中国人居留地が生まれ、「綱首」などと呼ばれた中国人海商による住蕃貿易が行われた。そのことは、博多遺跡群から出土した墨書陶磁器や、輸入陶磁器一括廃棄遺構などから確認することができる。博多は、物流の拠点であると同時に、聖福寺や承天寺のような禅寺が創建され、クリスタルガラスの生産技法が伝来するなど、宗教や技術が伝わる場でもあった。海商の請負によって、権門が貿易船を派遣する構造は、宋元時代において一貫していた。

高麗は北宋・南宋・元と外交関係にあり、公的な物流の占める割合は高かった。その中で、中国人海商が外交においても一定の役割を果たしながら、貿易を行った。

中国人海商の活動に触発されて交易が盛んになった、一三世紀後半以降、公権力による既存の秩序に収まりきれない階層の活動や、不法行為が目立つようになる。西日本の海賊や、至大の「倭寇」がその代表であり、暴力を使い掠奪を行った。そうした動きは、一四世紀後半、朝鮮半島や中国大陸を襲った前期倭寇によっていっそう顕在化する。前期倭寇の構成員は、朝鮮半島との交渉の最前線にあった対馬・壱岐・松浦地方の海民らを中心とし、高麗朝に不満を持つ高麗の人々が含まれている可能性がある。主な掠奪品は、輸送船や倉庫から奪った米と、沿岸住民であり、ともに東アジア海域における商品であった(関 二〇一七：一一二―一一六頁)。

明の成立(一三六八年)を契機に、明を中心に、朝鮮王朝、日本、琉球などの国家間の交渉が主流となる時代に移行する。一四世紀後半、博多にはベトナム産の陶磁器(碗・皿)がみられるようになり、一五世紀になると、琉球が東南アジア陶磁器流通の中心地となる(大庭他 二〇〇八)。物流の対象が、東南アジアにまで拡大していくのである。

参考文献

相田二郎(一九四三)「中世に於ける海上物資の護送と海賊衆」『中世の関所』畝傍書房。

網野善彦(二〇〇七)「鎌倉幕府の海賊禁圧について――鎌倉末期の海上警固を中心に」『網野善彦著作集6 転換期としての鎌倉末・南北朝期』岩波書店(初出一九七三年)。

李明玉(二〇二一)「高麗時代の遺跡から出土する中国陶磁器の状況と特徴――韓国出土品を中心として」『国立歴史民俗博物館研究報告』二二三集。

李領(一九九九)『倭寇と日麗関係史』東京大学出版会。

石井正敏(二〇一七)『石井正敏著作集3 高麗・宋元と日本』勉誠出版。

伊藤幸司(二〇二一)『中世の博多とアジア』勉誠出版。

榎本渉(二〇〇七)『東アジア海域と日中交流――九~一四世紀』吉川弘文館。

榎本渉(二〇一四)「宋元交替と日本」『岩波講座 日本歴史』第七巻、岩波書店。

榎本渉(二〇二〇)『僧侶と海商たちの東シナ海 増補版』講談社(初刊二〇一〇年)。

榎本渉(二〇二一a)「日宋・日元貿易船の乗員規模」『国立歴史民俗博物館研究報告』二二三集。

榎本渉(二〇二一b)「日元間の僧侶の往来規模」櫻井智美・飯山知保・森田憲司・渡辺健哉編『元朝の歴史――モンゴル帝国期の東ユーラシア』〈アジア遊学二五六〉、勉誠出版。

大庭康時(二〇〇九)『中世日本最大の貿易都市 博多遺跡群』〈シリーズ「遺跡を学ぶ」六一〉、新泉社。

大庭康時(二〇一九)『博多の考古学――中世の貿易都市を掘る』高志書院。

大庭康時・佐伯弘次・菅波正人・田上勇一郎編(二〇〇八)『中世都市・博多を掘る』海鳥社。

大庭康時・佐伯弘次・坪根伸也編(二〇二〇)『九州の中世Ⅰ 島嶼と海の世界』高志書院。

亀井明徳（一九八六）『日本貿易陶磁史の研究』同朋舎出版。

亀井明徳（一九九五）「日宋貿易関係の展開」『岩波講座　日本通史』第六巻、岩波書店。

川添昭二（二〇〇八）『中世・近世博多史論』海鳥社。

川添昭二編（一九八八）『よみがえる中世1　東アジアの国際都市博多』平凡社。

河添房江（二〇一四）『唐物の文化史――舶来品からみた日本』岩波書店。

木宮泰彦（一九五五）『日華文化交流史』冨山房。

黒嶋敏（二〇一三）『海の武士団――水軍と海賊のあいだ』講談社。

小林茂・磯望・佐伯弘次・高倉洋彰編（一九九八）『福岡平野の古環境と遺跡立地――環境としての遺跡との共存のために』九州大学出版会。

近藤剛（二〇一九）『日本高麗関係史』八木書店。

佐伯弘次（一九九六）「博多出土墨書陶磁器をめぐる諸問題」『博多遺跡群出土墨書資料集成』博多研究会。

榊原滋高（二〇一五）「奥州津軽十三湊」仁木宏・綿貫友子編『中世日本海の流通と港町』清文堂。

関周一（二〇一五）『中世の唐物と伝来技術』吉川弘文館。

関周一（二〇一六）「海賊の跳梁と東アジアの政情」中島圭一編『十四世紀の歴史学――新たな時代への起点』高志書院。

関周一編（二〇一七）『日朝関係史』吉川弘文館。

関周一（二〇二〇）「中世南九州の対外交流」『貿易陶磁研究』四〇号。

瀬戸哲也（二〇一八）「沖縄本島におけるグスク時代の階層化」『考古学研究』六五巻三号（通巻二五九号）。

中村翼（二〇二一）「日元間の戦争と交易」櫻井智美・飯山知保・森田憲司・渡辺健哉編『元朝の歴史――モンゴル帝国期の東ユーラシア』〈アジア遊学二五六〉、勉誠出版。

西尾賢隆（二〇一一）『中世禅僧の墨蹟と日中交流』吉川弘文館。

橋本雄（二〇〇五）『中世日本の国際関係――東アジア通交圏と偽使問題』吉川弘文館。

林文理（一九九八）「博多綱首の歴史的位置――博多における権門貿易」大阪大学文学部日本史研究室創立五〇周年記念論文集『古代中世の社会と国家』清文堂。

原美和子（一九九九）「宋代東アジアにおける海商の仲間関係と情報網」『歴史評論』五九二号。

原美和子（二〇〇六）「宋代海商の活動に関する一試論――日本・高麗および日本・遼（契丹）通交をめぐって」小野正敏・五味文彦・萩原三雄編『考古学と中世史研究3　中世の対外交流――場・ひと・技術』高志書院。

三浦周行（一九二二）「天龍寺船」『日本史の研究』第一輯、岩波書店。

村井章介（二〇一三）『日本中世の異文化接触』東京大学出版会。

森克己（二〇〇八）『新編　森克己著作集1　新訂日宋貿易の研究』勉誠出版（初刊一九四八年）。

森克己（二〇〇九a）『新編　森克己著作集2　続日宋貿易の研究』勉誠出版（初刊一九七五年）。

森克己（二〇〇九b）『新編　森克己著作集3　続々日宋貿易の研究』勉誠出版（初刊一九七五年）。

森克己（二〇一一）『新編　森克己著作集4　増補日宋文化交流の諸問題』勉誠出版（初刊一九五〇年）。

森平雅彦（二〇一一）『モンゴル帝国の覇権と朝鮮半島』山川出版社。

森平雅彦（二〇一三）『モンゴル覇権下の高麗――帝国秩序と王国の対応』名古屋大学出版会。

森平雅彦（二〇一四）「高麗・宋間における使船航路の選択とその背景」『東洋文化研究所紀要』一六六冊。

森平雅彦（二〇一七）「高麗前期」「高麗後期」『世界歴史大系　朝鮮史1――先史～朝鮮王朝』山川出版社。

森平雅彦（二〇二一）「モンゴル時代における朝中間の海上交流と航路」『国立歴史民俗博物館研究報告』二二三集。

柳原敏昭（二〇一一）『中世日本の周縁と東アジア』吉川弘文館。

山内晋次（二〇〇三）『奈良平安期の日本とアジア』吉川弘文館。

山内晋次（二〇〇九）『日宋貿易と「硫黄の道」』山川出版社。

山内晋次（二〇二一）「日宋・日元貿易期における「南島路」と硫黄交易」『国立歴史民俗博物館研究報告』二二三集。

山里純一（二〇一二）『古代の琉球弧と東アジア』吉川弘文館。

横内裕人（二〇二〇）「遼・金・高麗仏教と日本」佐藤文子・上島享編『日本宗教史4　宗教の受容と交流』吉川弘文館。

渡邊誠（二〇一二）『平安時代貿易管理制度史の研究』思文閣出版。

コラム｜*Column*

水中考古学が明かす一二―一四世紀の東アジア交易船

木村　淳

　日本では、中国大陸から渡来した交易船を、「唐船」と称したことをご存じの方も多いであろう。漢籍の例を引くと、中国では「崑崙舶」(崑崙人の船)など、操船者や出帆地域を呼び名とすることで、外来の船を識別していた。一方で明代『武備志』の「沙船」などは、用途や形状で自船の型式を示す例で、砂嘴が発達した潟湖での停錨や浅海での航海に適した平底構造をした船であろうという程度のことはわかる。

　二〇世紀後半以降、考古学分野では、出土船材や沈没船の研究が活発となった。一二―一四世紀の海上交易に使われた東アジアの航洋船の構造も詳しく分かるようになってきた。その嚆矢は、元代の旅行家が最も繁栄した貿易港と評した泉州での、一三世紀後半の沈没船の発見であった。後世、土砂堆積が大型船停泊を妨げ、国際貿易港の地位を失っていった泉州港であったが、その土砂は、南宋滅亡前後に建造された海商の交易船をタイムカプセルのように保存していた。一九七四年、ほぼ当時の大きさのままの残存長二四メートルの船体が出土した。残存部は、船の背骨に相当する竜骨、船倉を仕切る隔壁、船殻を形作る外板であった。泉州に碇泊した元代の交易船についての文献記述を彷彿とさせる船体は、その外板を、二重三重と多重にする造りとなっていった。この多重外板は、船食いムシ被害の防止と船殻の堅牢性という、遠洋を航海する交易船にとっては不可欠な構造であった。宋代の造船技術を駆使して建造された泉州船は、竣工から数十年、東南アジアとの香料・香木・香辛料交易に使用された船であったが、ある時、帰港の際に誤って港内で座礁した。浅海であったため、積荷の大半は回収されたものの、船底は軟質の海底に埋もれ、現代に残った。

　水中考古学の発展は、海底に残された船体考古資料、沈没船遺跡の発掘調査を可能としてきた。中国水中考古学は、一九八七年に広東省陽江市沖合で発見された南海一号を、その成果として誇っている。発見から二〇年後の二〇〇七年、三五メートル長の鋼鉄の箱型ケージが海底に沈められ、周囲の土砂ごとその船体が引き揚げられた。博物館内でケージ内部を発掘、大量の交易品が船倉に収められた状態で出土した。南海一号船は、泉州船より古い一二世紀後半の船であるが、偶然にも残存長は泉州船と近い二四メートルほどで、基本構造ほか、船形も泉州船と類似していた。これにより同型の船が、宋代に広く普及し、南シナ海での航海に使用されていたことが確実となった。堅牢な船体への過信があったのか、数万点の陶磁器に加え、一〇〇トンを超える鉄製品を運搬していた南海一号は、海上貿易商人が陥る過積載が疑われる。これが沈没の原因となったかもしれない。

　その南海一号では、交易船の木製イカリの重石にもなった碇石（石製アンカーストック）が出土している。かつて中世貿易の拠点であった博多各地には同型の碇石が数多く残り、同型交易船が来航し錨泊していたことを今日に伝える。鹿児島県奄美大島宇検村にも大型の碇石が伝世する。同村倉木崎海底遺跡出土の二〇〇〇点以上の中世貿易陶磁器と合わせて、東シナ海中国沿岸建造の交易船が、一二世紀後半―一三世紀前半、博多湾のみならず、航海が難しい南西諸島海域を往来していたことを現代に物語る。

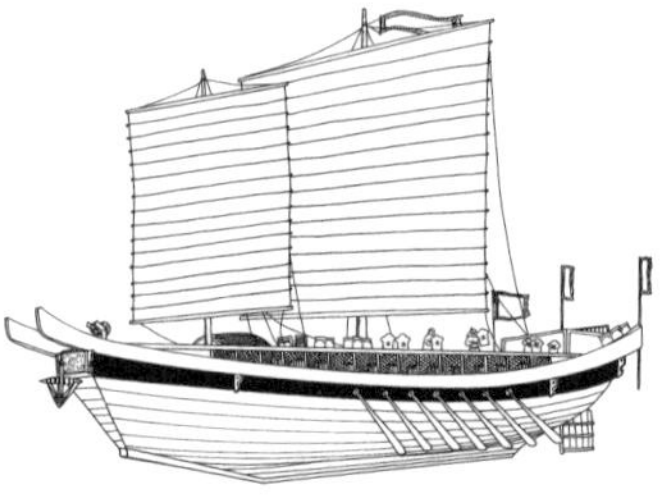

鷹島二号船復元図（いとう良一・画，木村淳・小野林太郎編『図説　世界の水中遺跡』グラフィック社，2022より）

　一二八一年の蒙古襲来時の海戦場地であった長崎県松浦市鷹島沖では、碇石ほか、元軍船団の軍船が二隻発掘されてきた。元軍は、朝鮮半島木浦出港の東路軍船団と中国寧波出港の江南軍船団から成ったが、出土した二隻は江南軍船で、恐らくは徴用された交易船であった。うち一隻の鷹島二号船の復元を試みたところ、小型の泉州船のような船形であった。鷹島二号船、さらに泉州船や南海一号などの比較研究からは、「東シナ海系統」とも呼べる型式の航洋船の存在が浮かび上がる。中国の浙江省や福建省の東シナ海沿岸では、一二―一三世紀期、航海性能や輸送に優れた船を建造する造船業が成熟、宋代の海商の自船渡海、元代の海上軍事活動や、私貿易活動を支えていた。

　韓国南部の全羅南道多島海域で発見された一四世紀初頭の新安沈没船は、博多や京都の寺社関係者が乗船した交易船で、元代の中国の寧波から出港、帰航中に、奢侈品を含む多量の積荷と共に海底に沈んだ。造船史の観点からは、「シナ海系統」航洋船の最終型と言える船であった。竜骨、鎧張りの多重外板など前時代の造船技術を継承しつつ、船倉の隔壁の数を泉州船や南海一号船の半分に減らすなど、軽量化の工夫がみえる。引き揚げ船体の竜骨は、湾曲しており、船体の強度の不足が沈没原因と考えられる。新安船を最後に、同型の「東シナ海系統」の構造をもつ沈没船遺跡は特定されない。

　一方で、一二―一四世紀の東シナ海系統の造船技術は、完全に失われることなく、一部は南シナ海地域の造船技術にも影響を与えたことが東南アジア海域の沈没船遺跡研究から分かっている。なお、松浦史料博物館収蔵の『唐船ノ図』に代表されるように、近世史料で、沙船や東シナ海系統の唐船と共に、東南アジアから来航した暹羅船などの航洋船が、唐船に似た概観を持つ船として描かれるのは、造船史上の技術継承と融合があったからである。

焦　点 | *Focus*

モンゴル覇権期のディアスポラ

向 正樹

一、遊牧帝国と交易ディアスポラ

歴史上、数多の遠距離交易を担う商業民が、各地に散居しつつもゆるやかな一体性を有するような離散型の共同体を形成した。このような離散型共同体は、アブナー・コーエンによって「交易ディアスポラ」として概念化され(Cohen 1971)、フィリップ・カーティンが西アフリカのハウサ人研究の知見をもとに、「交易ディアスポラ」を支えていた様々な社会制度を人類史的視野のもとで論じた(カーティン 二〇〇二)。ロビン・コーエンはディアスポラを①犠牲者(難民)、②労働(年季契約労働移民)、③帝国(植民者、植民地官吏)、④交易(交易民、ブローカー)、⑤脱領土化(宗教的、文化的)に分類している。「移民」「難民」よりもはるかに広く、長期の歴史的持続性をもつ概念である。

コーエン自身が述べるように、以上は単純化された理念型であり、「それらが共通に分有しているものを無視するのではなく、それらの最も重要な特性を浮かび上がらせる」ためのものである(コーエン 二〇一二:五四―五五頁)。実際モンゴル覇権期においても、①～⑤の特徴を有し、交易ディアスポラとして考察対象化されうる脱領域的／超領域的集団は多く存在した。そしてすでにディアスポラ概念をもちいた研究は家島(一九九三)、Yokkaichi(2008)、Chaffee

(2018)等がある。筆者はこうした議論を踏まえ、ここでは遊牧帝国と交易ディアスポラという視点から、モンゴルとムスリムの結びつきの多様なありようを論じてみたい。

ユーラシア史上の遊牧国家は、オアシス交易民のディアスポラとのかかわりが深く、後者が遊牧帝国の勢力拡大において果たした役割や、財政面・外交面での活躍も指摘される(荒川 二〇〇三:四〇―四二頁、森安 二〇〇七:八八―一三六頁)。遊牧帝国の伝統を受け継ぐ大モンゴル・ウルス(モンゴル帝国)も、クビライ(元の世祖)以降東方においてその宗主国を構成した大元ウルス(元)も、ウイグル人をはじめ様々な交易民のディアスポラと結びついていた。とりわけモンゴル統治下のあらゆる主要都市に散居し、モンゴル宮廷でも通用したトルコ語やペルシア語を操るムスリムの交易ディアスポラは、遠隔地を結びつける人的紐帯として重要な役割を果たした。

二、モンゴル覇権期の様々なディアスポラ

ところで、モンゴル覇権期の東方ユーラシアにおいてディアスポラの観点から研究対象化されうる脱領域的／超領域的集団は交易民に限らず無数に存在する。

宗教に着目した場合、モンゴル覇権期のディアスポラとなりうるのはトルキスタン・イラン出身のムスリムである。元の財務官僚等として活躍したエリート層のほか、征服した都市から捕虜として東方へ移住させられた職人集団がいた。例えば元の夏都である上都近郊のシーマーリーンには三〇〇〇戸のサマルカンド出身(シーマーリー)の織物職人が集住し、納失失(アラビア語の nasīj)という金錦(金糸を織り込んだ錦)を製造していた。このほかマルコ・ポーロによれば東シリア教会(いわゆるネストリウス派)のキリスト教徒の集住地が内モンゴルのフフホト、陝西《せんせい》の漢中・西安、雲南の昆明、江蘇の鎮江、福建の福州・泉州に存在した。さらに敦煌莫高窟・ハラホト遺跡・オルドス地方から東シリ

ア教会キリスト教のものと思われる出土文献、独特な十字架(ネストリアンクロス)をあしらった青銅器・墓石が発見されている。元の冬都である大都(今の北京)西南の房山《ぼうざん》は東シリア教会ゆかりの地であった。ここには元末に十字寺という教会が建てられるが、元の初期にはウイグル人キリスト教僧ラッバン・サウマーが住み、そこから西域南道を通ってイェルサレムやバグダードを経てフランスまで旅した。彼はルート上の敦煌・コータン・サマルカンド・カシュガルやイラン各地の同教会の府主教座・主教座・修道院のネットワークを利用した。フランチェスコ会托鉢僧の活躍も目を引く。ローマ教皇やフランス王の使者としてヨーロッパとモンゴル宮廷との間を旅し、大都の大司教となったモンテコルヴィーノのヨハネスや泉州の司教となったペルージアのアンドレアのような人物もいる。河南の開封《かいほう》にはユダヤ教徒のコミュニティが存在し、宋代に遡るという伝承もあるが、元代もユダヤ教徒を指す「朮忽」(ペルシア語の Johūd の音写)が漢語文献に確認できる。

民族に着目した場合、まずテュルク・モンゴル系諸部族のディアスポラが存在する。彼らは将領・官員として家族を連れて任地を転々とする。最上位にはチンギス・カン以来の開国功臣の子孫が位置した。元におけるこれら諸部族の家系については堤一昭の研究に詳しい(堤 一九九二ほか多数)。それら諸部族のアイデンティティに着目すれば、例えばオングト人とかケレイト人のディアスポラも設定可能である。この二者は主に東シリア教会のキリスト教を受容していたので宗教的なディアスポラとも重複する。その他、ユーラシア東方の契丹・女真・西夏やカザフ草原~南ロシア草原のキプチャク・カンクリといった遊牧・狩猟民も軍事面での活躍が著しかった。天山ウイグル王国の王(亦都護《イドゥクト》)や宰相、西夏(タングート)の王(李姓)や世臣《せいしん》、それらの王国の滅亡時にチンギス・カンに個別に帰順した遺臣・遺民が代々武将や官僚として活躍する。元末に濮陽《ぼくよう》(河南)のタングート人崇喜《すうき》が著した『述善集』はモンゴル覇権期の西夏遺民についての貴重な史料である。

これらの民族集団はいずれも独自の王を戴いていたが、帰順後に王家の血筋の者のもとに同族集団が集められ、軍団を形成する傾向も見られた。家柄が有利に働いたことは疑いないものの、モンゴルの体制下での地位獲得には、ケシクテンへの入侍が重視された。ケシクテンとは、チンギス・カンが自身および千人隊の各級隊長の子弟から技能や身材の優れた男子を選抜して作った親衛隊である(後述)。例えば、キプチャク王家の血筋とされる土土哈《トトガク》は、クビライのケシクテンに入侍し、のちにキプチャク人を集めて組織した騎兵軍団を率いた。その子孫のエル・テムルも、キプチャク軍団を率いて活躍し、やがて擁立した文宗トク・テムル朝で実権を掌握した。カンクリ軍団も、クビライのケシクテンに入侍した王族の阿沙不花《アシャブカ》のもとにカンクリ人が集められて組織された(片山 一九八〇a)。

　華北の真定《しんてい》・東平《とうへい》・益都《えきと》・済南《さいなん》などを拠点とする漢人軍閥がクビライ政権に吸収されると、各軍閥の棟梁や有力者の子弟がケシクテンに入り、やがて武将や官僚として活躍した。その配下の将領・軍士らは、元軍に編入され、長江沿いおよびそれ以南の各地に駐屯し、元の支配を支えた。旧南宋領の長江以南(江南)の中国人ディアスポラとしては、南宋後期にすでに東南アジアへ移住した中国商人や、南宋滅亡時にベトナムに逃れた遺臣らがいた。外郎《ういろう》の名で知られる陳延祐《ちんえんゆう》のように元の末期に日本へ逃れた漢人もいた。

　モンゴル覇権下の南方世界でも脱領域化する集団がみられた。海南島の黎族《リー》が元軍に編入され、ベトナムなど他地域に派遣されたり、ベトナム中部の王国チャンパーのチャム人水軍が海南島北端の白沙《はくさ》港《こう》付近に駐屯させられたりした。インド洋世界に通じる中国東南沿海部には多様なディアスポラの痕跡がある。たとえば泉州出土の宗教石刻からはムスリムのほか、マニ教徒、キリスト教徒、ウイグル仏教徒、ヒンドゥー教徒の存在が確認できる。タミル語碑文はモンゴル覇権期以前からすでに東南アジアに展開していたタミル商人のコミュニティの存在を示す。

三、モンゴル覇権初期のムスリム・ディアスポラ

ここからは、帝国と交易ディアスポラの結びつきという観点から、モンゴル覇権期のムスリム・ディアスポラのありようを提示してみたい。ただし、ムスリムと一口にいっても扱われる集団はかなりの多様性をもち、とうてい一枚岩の民族集団と言うことはできない。出身地ごとの特色も無視できないし、他の民族集団との通婚もみられ、文化的にも多元性をもつ。ただし、モンゴル覇権期までには、中国にイスラームをもたらした先賢の伝承が共有され、沿海部では外来人ムスリムとしての新たなアイデンティティの萌芽もみられたことから、各地のコミュニティが互いに孤立して存在していたわけではなかっただろう（向 二〇一九）。

ムスリム海商の中国東南沿海部流入

一三世紀半ー一四世紀半、中国の港湾都市（以下、港市）は海外に開かれ、モンゴル支配地域とその外の世界とを結ぶ交通・交易のハブとして機能していた。一二六〇年にカアン（諸カンの上に立つ大カン）位に即いたクビライは、彼が攻め滅ぼした南宋（一一二七ー一二七九年）の制度を踏襲し、一二七七年、泉州と杭州に海上貿易を監督する市舶司を設けた。翌年には泉州の蒲寿庚《ほじゅこう》に対し、貿易関係を樹立するため海外諸国に招諭《しょうゆ》船団を派遣するよう命じた。泉州の蒲姓は大食人海商の子孫である。大食《タージー》とはイスラーム教徒の国々を指す。南宋時代、蒲姓は広州・海南島・泉州などに定着していた。様々な状況証拠から彼らはイラン系ムスリムであったとみられている。当時、泉州の外来人海商（舶《はく》獠《りょう》）のなかにはペルシャ湾に面したファールス地方の港市シーラーフ出身者もいた。南宋の岳珂《がくか》『桯史《ていし》』によれば、彼らは「尸羅囲」と呼ばれ、その資産は蒲に次ぐとされていた。「尸羅囲」がシーラーフ人を指すシーラーヴィーの音訳であることは桑原隲蔵《くわばらじつぞう》が考証している（桑原 一九八九：二〇〇ー二〇一頁）。シーラーフ海商らはインド洋をまたにかけて活躍したが、シーラーフ自体は一〇世紀後半から急速に衰退し、一二二〇年には廃墟となっていた。その要因として、ブワイフ朝のファールス地方支配を避けての住民のオマーンの都市スハールへの移住、ヒジュラ暦三六六年か三六七年（西暦九七六―九七八）に起こった大地震による離散、キーシュ島に商権を奪われたことなどが挙げられる（家島 一九九三：一〇九―一一七頁）。いずれにせよシーラーフ人の移動には犠牲者ディアスポラの側面と交易ディアスポラの側面とがある。

彼らイラン系の海商は、現地の漢人と通婚し、やがて移住先の士大夫層の人脈につらなり地方エリートの一角を構成する。同時に、中国港市を拠点に中国船（ジャンク）貿易経営に乗り出し、貿易網を中国から海外諸国に伸ばした。南宋後期には、泉州からブルネイに移った蒲姓もいたが、それは朝鮮半島や日本に拠点を移した中国系の「新羅商人」や「博多商人」が登場することと軌を一にする。これらモンゴル覇権以前のハイブリッドなイラン系ディアスポラは新たに流入するムスリム海商に宿を提供したりして現地漢人との仲介役となっていく。

カアンに仕えたムスリム高官の家系

南宋征服後、モンゴル治下に南北が統合された中国では、カアンのお膝元である首都圏（大都・上都周辺）と諸地方とを結びつけるようにして、モンゴルの臣下となったムスリム・エリートの一族が各地に派遣され、その子孫が広域に散居するディアスポラを形成していく。いくつかの例を見てみよう。

大モンゴル・ウルス成立以前、ケレイト族の長オン・ハンとの戦いに敗れたチンギス・カンは仲間らともにバルジュナ河に逃れてきてその水をともに飲んだ。再起後、この仲間らは特に重んじられた。その一人にジャアファル・ホージャというムスリムがいた。この人物は賽夷（サイイド）つまり預言者ムハンマドの子孫を名乗っていた。彼は『金史』に出てくるモンゴルからの使者乞里只（イルチ）扎八と同一人物である。イルチとはモンゴル語で使者の意である。『元史』の伝によれば、ジャアファルは、かつてチンギス・カンの使者として金朝に赴き、金朝攻撃においては抜け道を使い先導の役割を担った。彼の伝については虚構とする見解もある。しかしながら、彼の外交や軍事における活躍の背景にムスリム交易民の協力があった可能性がある。商人が外交を担う例は珍しくない。そしてチンギス・カンの周囲には早くからムスリム商人の姿が見られた。これは遊牧民とオアシス交易民の関係性を考えると理解しやすい。ジャアファルの一族はその後、モンゴル治下の中国で四世代にわたり九名もの任官者を出した(楊 二〇〇三:三六三―三六九頁)[図1]。

高位のムスリム・ディアスポラのもう一つの例は、ブハラ出身のサイイド・アジャッル・シャムス・アッディーン一族である。この一族からは、中央行政府たる中書省《ちゅうしょしょう》や地方の最大行政機関たる行中書省《こうちゅうしょしょう》(行省《こうしょう》)の宰相が輩出した。息子のナースィル・アッディーンは雲南行省長官(平章政事《へいしょうせいじ》)に就任し、孫のバヤン平章は成宗の治世(一二九四―一三〇七年)に中央の宰相となり、かつてはザイトゥン(泉州)の知事だったという。バヤン平章の弟アミール・ウマルも後に福建行省の官に任命された。

サイイド・アジャッルは漢語で賽典赤と写される。ペルシア語で「真正なる聖裔」の謂であり、預言者ムハンマドの子孫を意味する。彼のモンゴルへの投降を伝える記事は錯綜している。『元史』の伝によると、太祖(チンギス・カン)の西征時、贍思丁(シャムス・アッディーン)が一〇〇〇の騎兵とともに降り、モンゴル軍を迎え入れ、豹《ひょう》と白ハヤブサを献上したとする(後述のように実際は彼の父が降った)。ところが、『集史』クビライ紀によると、シャムス・アッディーンは皇帝モンケの命で雲南地方平定に向かった即位前のクビライの軍前で服従の儀式を行う。その後、「モンケ・カアンへの奉仕の中で彼を訓練する」ことにクビライも同意し、モンケは彼を大切にし、大いにソユルガル(恩寵)を与えた。やがてクビライが即位するとまた彼にソユルガルを与え、宰相の地位を授けた、という(Boyle 1971: 287)。モンケ・カアンへの奉仕というのはおそらくケシクテンの一員となったことを意味し、恩寵とはここでは重用され立派な地位につけられたことを指す。投降者や諸王・臣下が行う貢物を伴う謁見(モンゴル語でアウルジャ)に対してはカアンの恩賜(つまりソユルガル)が下されるのが常であった(本田 一九九一:四一二―四一四頁)。また貢物を伴う謁

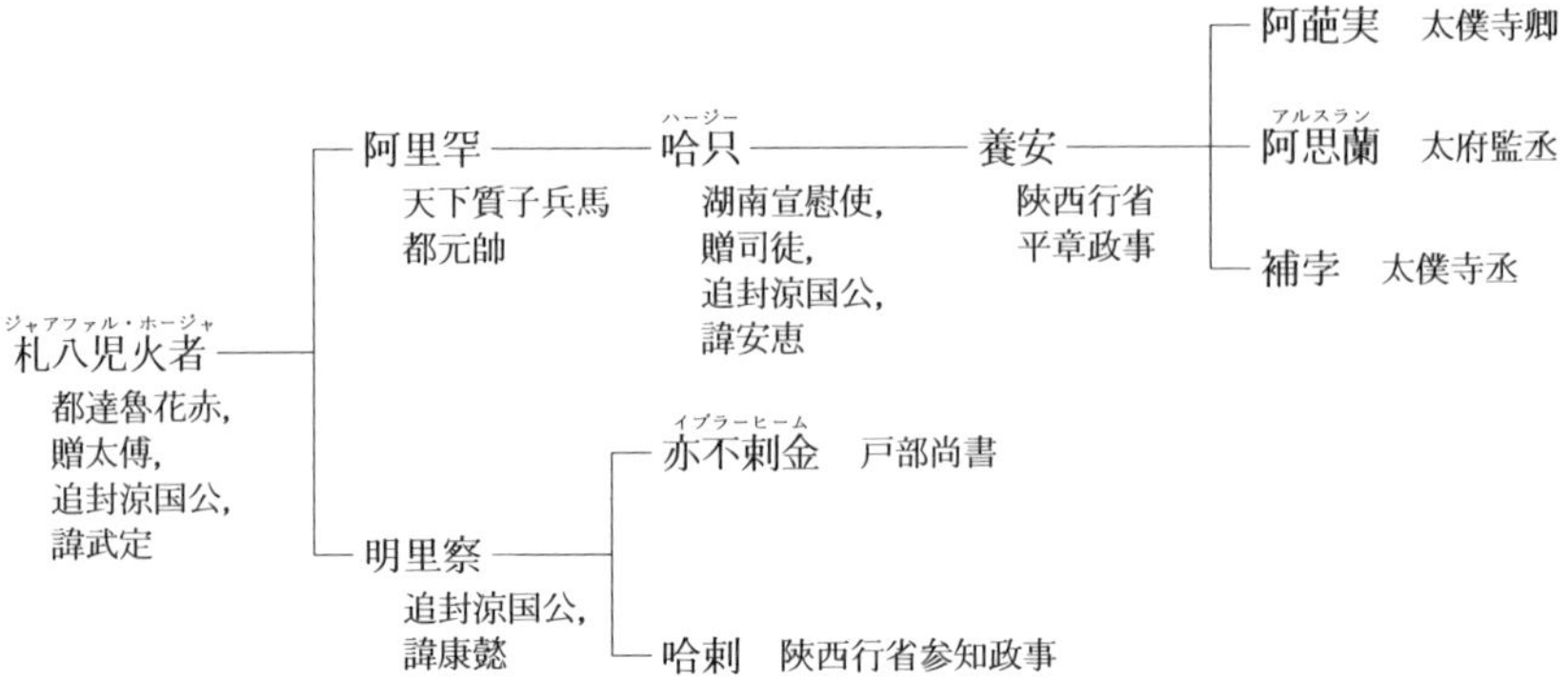

図 1　ジャアファル・ホージャ（札八児火者）一族

（出典：清・銭大昕『元史氏族表』巻 2，『元史』巻 120 列伝 札八児火者より作成）

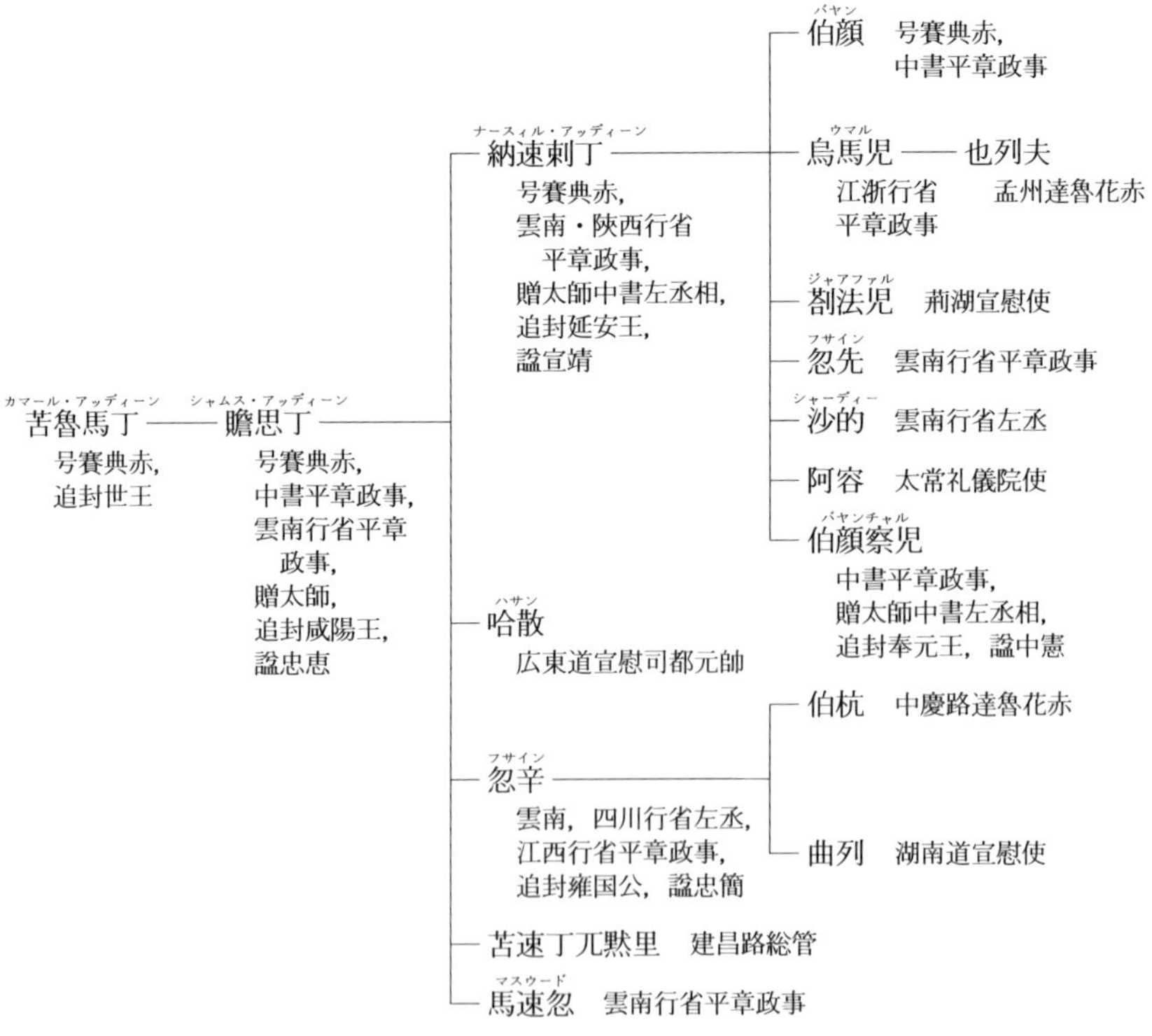

図 2　サイイド・アジャッル・シャムス・アッディーン（賽典赤贍思丁）一族

（出典：清・銭大昕『元史氏族表』巻 2，『元史』巻 125 列伝 賽典赤贍思丁 附納速剌丁・忽辛より作成）

見と軍隊への糧食（モンゴル語でトゥスク）提供によって降服者の地位が保証される例も見られる（Boyle 1958: vol. 1, 102）。

『元史』と『集史』とでは、シャムス・アッディーンが投降した時期と相手が大きく食い違う。楊志玖《ようしきゅう》は、銭大昕《せんたいきん》が依拠した碑文に基づき、一〇〇〇騎を率いてチンギス・カンに投降したのは父のカマール・アッディーン（苦魯馬丁）であり、そのとき子のシャムス・アッディーンが父に随《したが》っていたと考え、伝に「投降後ケシクテンに入侍し、従軍した」というのはシャムス・アッディーンのことと見る（楊 二〇〇三：三五四―三五五頁）。一方、『集史』の記事でモンケのもとに入侍したのもシャムス・アッディーンである（息子のナースィル・アッディーンの方かもしれないが、テクスト自体はそのようには読めない）。謁見と恩賜は、すでに一度それを行った家系によって、新たな主君と関係を結び直すために再度行われたのかもしれない。

シャムス・アッディーンの活躍は、行政・財政・軍事など幅広いが、軍隊への補給という点では、帝国の拡大を経済力で支える交易ディアスポラとしての性格を読み取ることができる。そして、シャムス・アッディーン以後、三世代にわたり一五名の子孫が中国方面の行政官となった（同：一四五―一八七頁）［図2］。

この一族と故郷のブハラとの繋がりが中国に来て以来どうなったのかは不明である。ペルシア語史書による限りでは、ブハラはホラズム軍が立てこもりチンギス・カンの遠征軍に抵抗したため、住民の全財産は没収され、大きなモスクやレンガで建てられた若干の宮殿を除いて、全市が焼き尽くされ、一時廃墟となった。ただしその後、モンゴルにこの地域の統治を任されたホラズム人官僚マフムード・ヤラワチの活躍により驚異的な復興を遂げ、一〇年後には繁栄を取り戻していたという（Boyle 1958: vol. 1, 97-107）。カマール・アッディーンとシャムス・アッディーンの父子は（貢物をともなう謁見のおかげで）難を逃れたが、一時的な故郷の破壊による移動という点では犠牲者ディアスポラと言いうる。シャムス・アッディーンは東方の新天地において寛仁《かんじん》で聞こえた行政官となった。

四、中国東南沿海部に根を張ったムスリム・エリートの子孫たち

前節で紹介したようにムスリム高官の一族やその子孫らは、モンゴル支配下の中国各地に地方官として赴任し、世襲の支配層を形成していった。史書に現れる著名な家系の他にもトルキスタン・イランの旧ホラズム・シャー国(ホラズム)等の領域から東方に移ったトルコ系やペルシア系のムスリムらはかなりいた(楊 二〇〇三:一四三—一八七頁)。

福建沿海地域ではイスラーム名を持つ官員が際立って高い率を占めていた。モンゴル覇権下の江南では、広域統治ブロックを構成する行省の領域内に、上級から順に路・(府・)州・県の政府が置かれたが、福建域内の(そして同時代の中国第一の)主要貿易港である泉州を擁する泉州路、そして泉州に置かれた貿易管理と港湾業務を行う市舶提挙司《しはくていきょし》、塩政や租税以外の各種税目の輸送を担当する都転運司《とてんうんし》においては、イスラーム名をもつ官員の率の高さは特に顕著であった。もちろん、イスラーム名をもつモンゴルや漢族その他の民族出身者も存在し、それだけでムスリムかどうかは分からないが、他の都市や地域との比較で、泉州近辺の官衙《かんが》におけるイスラーム名をもつ官員の突出は明白であり、後述するこの地域で出土する多数のイスラーム墓碑との関連性をうかがわせる(向 二〇〇九)。

ムスリムと徴税機構とのかかわりは、彼らの商人としての性格に由来すると推察される。元の詩人丁鶴年《ていかくねん》の曽祖父阿老丁(アラー・アッディーン)について記した『九霊山房集《きゅうれいさんぼうしゅう》』巻一九「高士伝」は、商人の一族の任官の様子を克明に記す興味深い史料である。それによれば、鶴年の曽祖父阿老丁と弟烏馬児(ウマル)はともに元の初期の巨商であった。世祖皇帝(クビライ)が西方に遠征し、兵糧がなくなったとき、その軍前に馬を駆って参じ、財を投じて帰附した。それから幾度も西北諸国征討に従軍し、授官の話もあったが阿老丁は老齢で出仕をのぞまず特別に土地と居宅とを賜わり都に留まった。烏馬児の方は応じて地方の宣慰使《せんいし》(辺地に多く置かれた行省に次ぐ広域行政区の長)に任用された。そ

の後チベットの招降に大いに功があり、宣慰から甘粛《かんしゅく》行中書省左丞になった。祖父は苫思丁(シャムス・アッディーン)といい、北晋王(クビライの皇太子チンキムの長子晋王カマラか)の従官となったのを皮切りに諸官を歴任し臨江路《りんこうろ》ダルガチになった。施政は寛大・慈愛を尊び、人々はその徳を懐かしんだ。

モンゴル軍に対して糧食(トゥスク)を提供することによって恩寵として地位を保証される例は、サイイド・アジャッル家にも見られた。ムスリムが軍隊への補給を担当することはよく見られるが、彼らがもともと商業と深いかかわりを有していたとすれば理解しやすい。

トルキスタン・イランのイスラーム王朝で行政を担ってきたムスリム・エリート家系の子孫は中国においても行政官として活躍する。例えば元の末期、福建の泉州の南方に位置する漳州路《しょうしゅうろ》でダルガチとなった迭理弥実(ダルヴィーシュ)という人物がいる。この人物の出自は、文献により「合魯温氏、西域人」とも、「回回人」とも記される。「回回」はムスリムを指す。「合魯温」(または阿児渾)は「アルグ」の音訳であり、中央アジアのタラスからバラサグンまでの地域(現キルギスタン全域とカザフスタンの一部を含む)にいたトルコ系民族を指す。アルグはムスリム(回回)と通婚しイスラーム化する例も多かった。実際、迭理弥実の祖父満速児(マンスール)も父黙里馬合麻(メリク・ムハンマド)も夫人は回回氏(ムスリム)であり、迭理弥実という名もペルシア語でスーフィー修道僧を意味するダルヴィーシュの音写である。ちなみに、迭理弥実のようにトルキスタン・イラン出身者であっても中国風の字《あざな》をもつこと自体は珍しくない。『元史』巻一九六の伝(四四三四—三五頁)によれば、任官ルートは宿衛(ケシクテン)からであった。

彼が生きた時代は戦乱が続き民は困窮していたが、三年の任期にあいだ、民は平安に過ごした。やがて明朝の軍が福建の都市を次々と攻略し、投降を勧める文書が送られてくると、「私が(元朝に)負っている恩は厚い、死(して報いる)しかない」と言い、公服を着て元の宮廷がある北の方角に二度拝礼し、斧で明朝の印璽のある文書を断ち切り、手に「大元臣子」と大書した板を持ち姿勢を正して座し、佩刀《はいとう》で喉を刺して死んだ。

モンゴルから与えられた恩寵に報いて死んだのはケシクテンのみとは限らない。科挙によって任官した広東廉訪司《こうとうれんほうし》僉事《せんじ》の獲独歩丁（クトゥブ・アッディーン）とその兄でそれぞれ建康《けんこう》（現南京）・信州《しんしゅう》（現上饒《じょうじょう》）で任官していた穆魯丁（ムヒー・アッディーン?）、海魯丁（ハイル・アッディーン）も四〇年にわたり蒙った恩義を感じ国難に殉じる道を選んだ。

五、中国東南沿海部出土のイスラーム碑文データから見えること

中国の東南沿海部の諸都市から出土するイスラーム墓碑――大部分はアラビア語と一部は漢語・ペルシア語・トルコ語をまじえ記された墓碑――は、この地域への外来人口の流入傾向にかんし、貴重なデータを提供する。揚州・杭州・福州・泉州・広州出土の墓碑には、「さすらいの地で死んだものは殉教者として死んだのである」または「さすらいの地での死は殉教である」といった定型句が多く見られる。これらは、預言者ムハンマドの聖伝承であるとされるが中国沿海部でしか確認されていない。さらに、これらと明らかに関連する「さすらいの殉教者」という語が泉州出土のアラビア語墓碑に発見された。一二七二年に刻まれた墓碑で前二者をもつどの墓碑よりも古い。一二七二年は、泉州がモンゴル支配下に入る四年前である。埋葬者はホラズム王の子ムハンマド・シャーという。一説では、モンゴル軍の追跡を逃れて各地で抵抗をつづけた伝説的英雄ジャラール・アッディーンかその子のものとされる。この墓碑は、霊山と呼ばれる泉州東部郊外のイスラーム聖人墓地で発見された(Chen et Kalus 1991: 158-159, note 75, Pl. XLII b)。遠い異国の王子の逃亡先となったというのは陸の領域国家の権力から一定の距離を保つ港市ならではのアジール性を示す。

旧ホラズム・シャー国領域の地名を由来名（ニスバ）にもつ埋葬者は、モンゴル支配期に属する中国沿海部出土イスラーム墓碑の半数以上にのぼる（三一件中一七件）。当時、泉州のムスリムらにとってムハンマド・シャーの墓碑は特

別な意味をもったかもしれない。ただし、ホラズム王はムスリムからの尊敬を集めるアッバース朝カリフを圧迫したこと、ホラズム軍が凶暴性で知られたことから人々の評価は芳しくなかった。ホラズム王子の墓碑の重要性は、イスラームの諸都市を破壊したとされるモンゴルに抵抗し続けたジャラール・アッディーン個人の英雄性や、遠路はるばる中国にやってきた伝道者としての先駆性にあったのかもしれない。

「さすらい人＝殉教者」の概念を表した定型句の使用は、一四世紀初頭までの時期に泉州で広まり、一三五二年には広州でも確認されるように、同世紀半ばには中国東南沿海部のムスリムに広く共有されるようになった。墓碑にこれらの定型句が刻まれる墓の主(埋葬者)は、路のダルガチのような官を帯びる者、トルコ語・モンゴル語由来で王家の一員を示唆する称号(シャー、タヒーン、ハーン、ハートゥーン)を持つ者や、ハージー、シャイフ、フワージャなどイスラーム社会で尊敬を受ける地位にある者が多い。ここには旧ホラズム王国遺民のほか、カラ・キタイやその下で存続したかつてのカラ・ハン朝エリート層の子孫も含まれるだろう。こうしたムスリム・エリート層に共有された「さすらい人＝殉教者」の概念は、中国沿岸地域のムスリム住民共通の祖先イメージを象徴するものとして機能しはじめ、モンゴル覇権期の移動にルーツをもつと自認するムスリム・ディアスポラとしてのアイデンティティの形成に寄与していった(向 二〇一八、二〇一九)。

六、モンゴル覇権期のディアスポラに関する考察

宗教・民族・出身地など様々なマーカーを用いてディアスポラは無数に作り出せる。ただし、それらの概念と指示される人々との間に必然的な関係はない。モンゴル帝国の支配領域のような多元社会におけるアイデンティティは複雑かつ重層的である。にもかかわらず宗教・民族・出身地など一側面のみに着目し、空間的に隔たったコミュニティ

を〇〇人ディアスポラなどと一括りにすることは、究極的には研究対象化のための作為にすぎない。近年では実体的なディアスポラよりも話法(ナラティブ)としてのディアスポラに着目すべきという議論もある。板垣雄三が問題設定の数だけ地域が作り出される(n地域論)と指摘したように(板垣 一九九二)、ディアスポラも同様に無数に作り出せるのである(nディアスポラ論)。例えば、カアンの親衛隊(ケシクテン)出身者のディアスポラ、元への出仕を拒む南宋遺臣ディアスポラ、気候変動により南下した遊牧民ディアスポラなども設定することが可能である。

もうひとつの問題は、もともと「播種《はしゅ》」を意味する「ディアスポラ」という言葉自体は、本来それが指し示す集団が経験するサイクルの一局面しか表していないことに起因する。その結果、ディアスポラには、脱領域化の瞬間に着目する動態的な視点(一三五年のユダヤ人のイェルサレムからの追放や一九四八年のパレスチナ人のナクバなど)と、脱領域後に形成する「交易離散型共同体」に着目する静態的な視点(古代ギリシア人やフェニキア人の植民都市群など)という二つの方向性がある。そして、実際にディアスポラという言葉で分析対象化されるコミュニティには、多くの場合、脱領域→離散型共同体形成→再度の脱領域または消滅・周辺化といった長期的サイクルを描くことができる。したがって、ディアスポラという概念を使用する際、共通アイデンティティの共有ないしその萌芽がみられるかどうか、どのような視点からディアスポラを論じたいのか、一連のサイクルのどの局面を取り上げるのか、ということを明示すべきだろう。このようにしてディアスポラは有益な議論となる。逆に言えば何を論じたいのかを明らかにすることによって豊かな例を参照できるという点でディアスポラ論には課題に勝る有益性もある。そこで本稿では、遊牧帝国と交易ディアスポラという視点から、それなりに共通アイデンティティの萌芽を見ることが可能なムスリムに着目して論じた。このディアスポラ集団は、モンゴル覇権期の間に、ひとつの脱領域化(中国への移動)から別の脱領域化ないし周辺化(海外または都市郊外への離散)までを経験している。

モンゴル覇権期において、かなりの数のトルキスタン・イラン出身のムスリム・エリートが中国に移住し、宰相や行政官として活躍した。彼らの多くは出身地においてすでに代々官僚、知識人、富裕な商人を出す家柄であり、モンゴルのカラ・キタイやホラズム遠征の際に投降した。そして、彼らの子孫らは中国各地に散らばって世襲のエリートクラスターを形成した。共通の特徴として、カアンに対して貢物をともなう謁見(アウルジャ)の儀式や糧食(トゥスク)の提供を行うことで地位を保全されていること、外交使節や嚮導、輸送を担うこと、ケシクテンに入侍したり王侯・后妃に召し抱えられたりといったルートで入官し、世襲の支配階級を構成することなどが挙げられよう。ブハラ出身のサイイド・アジャッル家のように故郷の壊滅が移動の契機となったかもしれないという点では、冒頭に紹介したロビン・コーエンの理念型のうち①犠牲者ディアスポラという面をもつものも少なくないだろう。一方で、モンゴルが新たに獲得した旧南宋領の江南においては支配層の一角を担ったという点では、③帝国ディアスポラであり、商業を通じてネットワークを広げていた点では、④交易ディアスポラでもあった。一般的にムスリムは国家を越えた脱領域的集団であるが、ブハラ人やアルグ人らはかつてのペルシア、トルコ・イスラーム文化圏から東方へやって来て、越境的な文化移植の担い手となった。これはコーエンのいう⑤脱領土化ディアスポラとして位置づけられる。モンゴル治下の中国でムスリム・ディアスポラの拠点となったのは陝西・雲南・福建のような辺境であった。

このような辺境地域には、はじめケシクテン出身の軍団長がカアンの耳目として送り込まれた。やがて世襲の地域エリート化したムスリム家系の子弟もケシクテンに入侍するようになった。ケシクテン出身者は任官後も昼は政務を執り行い夜は入侍することが知られ、遊牧宮廷と中央政府を橋渡しするほか、遠方に出張した者は宮廷と地方とを結ぶ役割を果たしていた(片山 一九八〇b)。近年、ユーラシアにおける親衛軍の比較研究が活発になされ、遊牧国家のケシクテンについての研究も紹介されている(丸橋 二〇一八)。ケシクテンとディアスポラ、統治システム全体との関係性の観点からも注目される研究分野である。とくに唐代史研究では宦官・禁軍・仏教教団が一体化した勢力を形成し、そこにソグド人仏教徒も関与していたことが明らかにされてきており注目に値する(中田 二〇〇六、二〇一八他)。

遊牧国家モンゴルにおけるケシクテンと唐朝における内廷には異なる点もある。例えば、中国王朝では内廷と外廷の人員は異なる集団に属したが、モンゴルでは官僚とケシクテンの人員は重なり合い、宮廷と政府を橋渡ししていた(Hsiao 1978: 34-44)。しかし、唐の政治・交易・宗教と密接に関わっていたソグド人と、モンゴル王侯や后妃のオルドからカアンと結びついて行政官となり政治を動かしたムスリムとは、内廷(オルド)・禁軍(親衛軍)・宗教の観点から比較可能であろう。また、本稿で取り上げたサイイド・アジャッル一族はソグド人と同じくソグディアナの出身である。唐代のソグド人はイスラーム勢力に飲み込まれた故郷を逃れるように東方へ移動した、①犠牲者ディアスポラと④交易ディアスポラとが共存する性格をもっていた。

ロビン・コーエンは先の①~⑤に分類されたディアスポラのすべてに共通する特徴のなかに、ふるさとの地についての集合的記憶、共通の文化的及び宗教的遺産の継承、強いエスニック集団意識といったものを挙げる。これらはまさにその集団を「ディアスポラ」と規定する要素であるが、アプリオリに同一性をもつ集団がその意識を維持するというよりは、本稿でみたように、故郷をはなれた多様な出自のムスリムがイスラームを媒介とするあらたなアイデンティティを形成するケースもありうる。また、モンゴル覇権期のムスリムが輸送や交易といった分野で活躍したことは、ディアスポラがもつアントルプルヌール(企業者)性の議論にも通じる。ほかにも、異民族支配を特徴とする帝国的体制における支配者と被支配者の緩衝(バッファ)としての諸特徴が見られた。異文化間を橋渡しする例、現地社会に積極的に順応・同化する例や、国家の恩義に報いようと行動する例も見られた。生活圏として辺境が好まれるのも特徴的である。これらの諸特徴は現代の移民ディアスポラにも当てはまる部分が少なからずあるのではないだろうか。

参考文献

荒川正晴(二〇〇三)『オアシス国家とキャラヴァン交易』〈世界史リブレット〉、山川出版社。

板垣雄三（一九九二）『歴史の現在と地域学――現代中東への視角』岩波書店。

片山共夫（一九八〇ａ）「元朝怯薛出身者の家柄について」『九州大学東洋史論集』八。

片山共夫（一九八〇ｂ）「怯薛と元朝官僚制」『史学雑誌』八九―一二。

カーティン、フィリップ・Ｄ（二〇〇二）『異文化間交易の世界史』田村愛理・中堂幸政・山影進訳、ＮＴＴ出版。

桑原隲蔵（一九八九）『蒲寿庚の事蹟』平凡社（原著『宋末の提挙市舶西域人蒲寿庚の事蹟』上海東亜攻究会、一九二三）。

コーエン、ロビン（二〇一二）『新版　グローバル・ディアスポラ』駒井洋訳、明石書店。

堤一昭（一九九二）「元朝華北のモンゴル軍団長の家系」『史林』七五―三。

中田美絵（二〇〇六）「唐朝政治史上の『仁王経』翻訳と法会――内廷勢力専権の過程と仏教」『史学雑誌』一一五―三。

中田美絵（二〇一八）「唐代政治史上の会昌の廃仏――ジェンダー秩序・宗教・外来人の視点から」『唐代史研究』二一。

本田実信（一九九一）『モンゴル時代史研究』東京大学出版会。

丸橋充拓（二〇一八）「第二章「闘争集団」と「普遍的軍事秩序」のあいだ――親衛軍研究の可能性」宮宅潔編『多民族社会の軍事統治――出土史料が語る中国古代』京都大学学術出版会。

向正樹（二〇〇九）「モンゴル治下福建沿海部のムスリム官人層」『アラブ・イスラム研究』七。

向正樹（二〇一八）「中国沿海部出土アラビア語墓碑にみえる聖典章句――海域アジア初期イスラム碑文の比較研究」『アラブ・イスラム研究』一六。

向正樹（二〇一九）「第二章　モンゴル帝国と中国沿海部のムスリム・ディアスポラ――アラビア語墓碑にみえる聖伝承より」鈴木英明編著『東アジア海域から眺望する世界史――ネットワークと海域』明石書店。

森安孝夫（二〇〇七）『シルクロードと唐帝国』講談社。

家島彦一（一九九三）『海が創る文明――インド洋海域世界の歴史』朝日新聞社。

楊志玖（二〇〇三）『元代回族史稿』天津：南開大学出版社。

Boyle, John Andrew (1958), *The History of the World-Conqueror*, 2 Vols., Manchester: Manchester University Press.

Boyle, John Andrew (1971), *The Successors of Genghis Khan*, New York: Columbia University Press.

Chaffee, John W. (2018), *The Muslim Merchants of Premodern China: The History of a Maritime Asian Trade Diaspora, 750-1400*, Cambridge: Cambridge University Press.

Chen Da-sheng et Ludvik Kalus (1991), *Corpus d'Inscriptions Arabes et Persanes en Chine 1: Province de Fu-Jian (Quan-zhou, Fu-zhou, Xia-men)*, Paris: Librairie Orientaliste Paul Geuthner, S. A..

Cohen, Abner (1971), "Cultural Strategies in the Organization of Trading Diasporas", Claude Meillassoux (ed.), *The Development of Indigenous Trade and Markets in West Africa*, London: Oxford University Press.

Hsiao Ch'i-ch'ing (1978), *The Military Establishment of the Yuan Dynasty*, Cambridge: Harvard University Press.

Yokkaichi Yasuhiro (2008), "Chinese and Muslim Diasporas and the Indian Ocean Trade Network under the Mongol Hegemony", Angela Schottenhammer (ed.), *The East Asian Mediterranean: Maritime Crossroads of Culture, Commerce, and Human Migration*, Wiesbaden: Otto Harrassowitz.

コラム｜*Column*

モンゴル帝国時代の天文学

諫早庸一

モンゴルのユーラシア統治はその支配領域の各地において地域間交易を活性化させた。それにともない、ユーラシア遠隔地間での文化交流がかつてない規模で高まっていく。様々に交流を見せた学知のなかでも、モンゴルは天文学に格別の関心を寄せ、それを高く評価していた。彼らは自らの世界統治が天／テングリの命に拠るものであると信じていた。そのためモンゴルは天象を読むこと、そこから天命を識ることに非常な関心を寄せ、それを軍事遠征や即位式といった彼らの地上での行動の指針としたのである。そのうえでモンゴルは、文化的な差異を重視していた。これは彼らの文化政策を考える際に重要な点である。

これを見るための分析概念として提案したいのが「翻訳と順化のパラダイム」(Translation-Naturalization Paradigm)である。この概念を、異文化を自文化に取り入れる長期的なプロセスのなかに典型的に見えるパターンであり、初期の翻訳とその後の順化の二段階からなる、と定義したい。東ユーラシアの歴史における異文化の流入としては、唐代に盛期を迎える仏教の伝来や明清期の西洋文明の到来とが有名であるが、その間にあったもう一つのインパクトが近年注目されている。それが主にモンゴル帝国期(一二〇六―一三六八年)と明代(一三六八―一六四四年)にあたるイスラム圏の文化の伝達である。

天文学のみに論点を絞っても、モンゴル帝国時代にはイスラム圏から漢語圏へそれなりの数の天文学者が移住してきたと見られ、そのなかには宮廷で高位を得る者たちも現れた。その活動は彼ら専用の天文台の設立などによって恒常的なものとなる。しかし、先述の「翻訳と順化のパラダイム」に照らせば、このイスラム圏の文化の伝達はこと天文学に関して、それ以前の仏教の伝来やそれ以後の西洋文明の到来とは性質の異なるものであったことが明らかになる。ファーストおよびサード・インパクトにおいては、例えば前者においてはサンスクリット語や中央アジア諸語からの翻訳が、後者に関しては欧語からの翻訳が、異文化における天文学の導入に重要な役割を果たし、その後にこの地の学者たちがそれらを自らの学術伝統のなかに組み込んでいく順化のプロセスが続く。したがって、「翻訳と順化のパラダイム」が、これら二つのインパクトの時期においては成立している。

しかし、セカンド・インパクトであるイスラム圏の文化伝達の時期に関しては、その流入期であるモンゴル時代については現在に至るまで翻訳文献が知られず、翻訳事業はようやく後半期に当たる明代の初期に為される。つまり、モンゴル帝国期にあたる一三世紀から一四世紀中葉にかけては「翻訳

マラーガ天文台のナスィール・アッディーン・トゥースィー（Wikimedia Commons：Nasir al-Din al-Tusi at observatory. jpg）

と順化のパラダイム」が機能しない。それはなぜだったのだろうか。その理由は天文学のみに注目していてはおそらく解くことができない。この問題はモンゴル帝国のイデオロギーに関わるものなのである。

西ユーラシアはイランにおいて、当時ユーラシア最大規模であったマラーガ天文台の建設を主導したナスィール・アッディーン・トゥースィー（一二〇一－七四年）は、当地のモンゴル政権のハンの勅命によってペルシア語天文書『イル・ハン天文便覧』（*Zij-i ilkhani*）を編んだ。その第一部、暦に関わる部分は帝国のイデオロギーを天文学の観点から看取する格好の史料である。そこでは、当時の文化交流を反映し、イスラム圏の天文便覧のなかで史上初めて中国暦が記され、これに加えて、当時イランで用いられていた他の五つの暦が併記されている。これらの暦それぞれの記述は基本的に独立しており、定数や計算法に相互の影響が見られるわけではない。さらに、中国暦は「帝王たちが用いている暦」とは記述されるものの、それぞれの暦に優劣はなく、あるのは暦相互の換算についての説明や表であった。

この事実からは近年よく使われる、モンゴルの多宗教・多文化に対する「寛容」という言葉以上に積極的な帝国のイデオロギーを看取できる。それは異なる天文学的伝統の統一や融合によって新たなものを生み出そうとするものではなく、むしろ逆に相互の差異の保持を重視するものであった。モンゴルにとっては主として自らの政策決定のために選択の多様性の保持が重要であった。いわば「セカンド・オピニオン」のために、モンゴル宮廷には多種の知的伝統を有した知識人たちが集められていたのである。そして天文学者たちの側もそのことをよく理解していた。彼らに必要なのは相手の知を自家薬籠中のものとするような「翻訳と順化」ではなく、相手に先んじるべく自らの知を磨き、その優位を君主にアピールすることであった。そしてこの種の競争は天文学の進歩に寄与することになる。例えば漢人官僚たちによってこの時代に生み出された授時暦は、中国暦法の伝統の産物であったが、その最高傑作として名高い。モンゴルは文化間の差異を利用して政治判断を下し、天文学者たちもまたこのイデオロギーのなかで自らを研ぎ澄ましていた。モンゴル帝国時代の天文学、ここには「近代科学」の語が連想させる知の合理化や統一性とは異なる原理が働いていたのである。

焦点｜*Focus*

中央アジア・東アジアの東シリア教会
――モンゴル時代を中心に

高橋英海

はじめに

ローマ帝国の東端で興ったキリスト教は主としてローマ帝国領内で広まり、帝国領とその周辺地域で大きく発展していくこととなった。同時に、キリスト教は西アジア起源の宗教でもある。早い時期にローマ帝国の東側の国境を越えて、陸路、海路の両方を経てアジア大陸各地へも広まっていった。ここでは、モンゴル期に至るまでの中央アジアおよび東アジアでのキリスト教の伝播について略述したうえで、モンゴル時代の中国における東シリア教会の展開と衰退について、近年発見された史料に重点を置いて記述することを試みる。

一、東シリア教会の東方への展開

ペルシアの教会と中央アジアでの布教

三世紀前半にパルティアが滅び、サーサーン朝ペルシアが興った頃には、すでにその領内西部にキリスト教徒の集団がいたものと考えられる。ペルシア領内のキリスト教徒は、帝都セレウキア・クテシフォンの司教を長とする教会組織を形成し、ローマ帝国領内の教会からは徐々に距離をとるようになる。コンスタンティノープル総主教のネストリオスが四三一年のエフェソス公会議で断罪されたとき、そこにはペルシア領内の司教団は出席していなかった。結果として、ペルシア領内の教会はネストリオスを断罪することはなく、ローマ帝国内の教会からは「ネストリウス派」として異端視されるようになる。ペルシア領内の教会は伝統的にローマ帝国内の「西方の教会」に対して「東方の教会」を自称したが、この名称では通常ギリシア正教などを指して言う「東方教会」との区別が難しく、紛らわしいため、ここでは、シリア語を教会用語として用いる地域の東部の教会という意味で最近研究上でも頻繁に用いられるようになった「東シリア教会」という名称を使用することとする。

ペルシア領西部のメソポタミア地域を拠点とした東シリア教会は領内の東方の地域でも宣教活動を行い、信徒を獲得していった。四二四年に行われた司教会議の記録からは、当時すでにメルヴとヘラートに大司教座が置かれていたことが知られる(Chabot 1902: 43, 109)。その後二世紀余りを経て六五一年にサーサーン朝最後の王ヤズデゲルド三世がメルヴで没したとき、その葬儀を執り行ったのは国教ゾロアスター教の祭司ではなく、当地のキリスト教司教エリヤであったとアラブの史家タバリーは伝えており、一帯でのキリスト教の広まりがうかがわれる(de Goeje & Prym 1893: 2883)。

この間の六三五年(貞観九)に僧阿羅本が長安に到達し、六三八年(貞観一二)には長安の義寧坊に寺院を設置し、宗教活動を行うことを認められたことは『大秦景教流行中国碑』や『唐会要』(巻四九)の記録から知られるとおりだが、七八一年に建立された『大秦景教流行中国碑』の施主でトハリスタン(バクトリア)のバルフ出身のヤズドボーゼードをはじめ、唐代に中国に移り住んだキリスト教徒の多くはペルシア人やソグド人などのイラン系民族の出自であったと推測される。特に、西安で発見された米継芬(八〇五年没)の墓誌や洛陽で出土した景教経幢(八二九年建立)に記された安、米、康というソグド姓などからは中国におけるソグド人キリスト教徒集団の存在が浮び上っており、ソグディアナ本土で見つかっている十字架や十字架を刻んだ硬貨など、さらには後述のトゥルファン盆地の修道院跡で発見されたキリスト教ソグド語文書とともにソグド人の間でのキリスト教の普及を裏付けている。

トルコ人の改宗とその後

キリスト教がいつ頃ソグディアナの都市周辺やその北方の地域に住むトルコ系諸部族の間に浸透し始めたのかは定かでない。七世紀後半に成立したと考えられる『フーゼスタン年代記』にはメルヴ大司教エリヤが六四四年にあるトルコ人部族長と配下の部隊を改宗させたという記述があるが、このときの改宗は小規模で単発的なものであったと推測される(Guidi 1903: 34-35)。アッバース朝初期に東シリア教会の最高指導者(カトリコス)であったティモテオス一世(在位七八〇―八二三年)は、書簡で中国やインドの大司教と並んで「チベット人の土地」や「トルコ人の土地」の大司教に言及しているが(Braun 1901: 308)、このうちの「チベット人の土地の大司教」については、この時期に吐蕃王国がタリム盆地一帯に領土を広げていたことと関連づけることができ、チベットの中心部にもキリスト教徒がいたと想定する必要はないし(沈 二〇二二)、「トルコ人の土地の大司教」の管轄下にいたのは当地の都市部に住むソグド人らの信徒であった可能性が考えられ、必ずしもトルコ人の信徒がいたとは限らない。

アラビア語で記された東シリア教会の『塔の書』やシリア正教会(西シリア教会)の聖職者でありながら東シリア教会の歴史にも精通していたバル・エブラーヤー(バルヘブラエウス、一二八六年没)の『教会史』には、メルヴ大司教アブディーショーの指導の下で行われた「トルコ人の王」のキリスト教への改宗についての記述が見られる。『塔の書』は複数の著者による書物だが、該当部分は一一世紀に成立したと推定され、バル・エブラーヤーはこの改宗を一〇〇七年の出来事としているので、年代は一〇〇〇年前後の出来事と考えてよいものと思われる。具体的にどの地域のどの部族の「王」の改宗かについては『塔の書』は「あるトルコ人の王」としているのに対し、バル・エブラーヤーはケレイトの王としているが、これは一三世紀の状況を反映した後付け的な言説である可能性が高い(Gismondi 1896-99: I. 112-113; Abbeloos & Lamy 1872-77: II. 279-282)。

以上のとおり、トルコ人の間でのキリスト教の伝播の過程についてシリア語やアラビア語の歴史書から多くを読み取ることはできないが、一三世紀初めには、ケレイト、ナイマン、オングトなど、トルコ系の部族のなかにキリスト教を奉じるものがあったことは確かである。なかでも、モンゴルの支配者一族と婚姻関係にあったケレイトやオングトの長たちがキリスト教徒であったことは、モンゴルの支配下でのキリスト教徒の庇護につながり、東シリア教会の勢力の拡大をもたらした。この状況を東シリア教会の司教座の分布で見ると、ダマスカス大司教イーリヤース・アルジャウハリーが一〇世紀に記した大司教座のリストでは中央アジアおよび周辺のものとしてヘラート、メルヴ、サマルカンドの三つがあるのみなのに対し(Assemanus 1719-28: III/1.188)、『塔の書』巻末にある一四世紀のリストでは、一部写本の読みが確かでないものの、これに「トゥルキスターン」、「ハーンバリク」(ビシュバリク?)、「アルファーリク」(アルマリク?)、「タングート」、「カシュガルおよびナヴェカト」の五の司教座が加えられている(Gismondi 1896-99: II. 126)。

現在の中央アジア諸国および新疆ウイグル自治区で近世以前のキリスト教建造物と確認できるものとしては、ウルグト(ウズベキスタン)の修道院跡、アクベシム(キルギス)の教会跡、トゥルファン(新疆)の修道院跡を挙げることができる。このうち、アクベシムの教会は規模も大きく、司教座教会であった可能性も考えられる。トゥルファン盆地北部の葡萄溝近くの修道院跡では二〇世紀初頭に一〇〇〇点を超えるシリア語、シリア文字ソグド語などの写本の断片が発見されている。修道院の蔵書にふさわしく典礼書や聖人伝などが中心だが、薬学書などの断片もあるほか、最近の研究ではアリストテレス『範疇論』のシリア語訳の断片も確認されており(Lin 2021)、東シリア教会の中心から遠く離れたこの地でも修道院が学問の場として機能していたことを示すものとして興味深い。この修道院跡では二〇二一年以降に新たに発掘が行われ、多数の文書の断片のほか、絵画の断片などが発見されたことが報告されており、今後の研究が待たれる(劉・王・王 二〇二二)。トゥルファン盆地では、葡萄溝の修道院以外でもシリア語、シリア文字ソグド語の断片が発見されており、そのような断片の中には護符や占いに関するものが含まれる。護符の使用や占いは教会が公式には禁止していた行為だが、同様の写本断片はハラホトでも見つかっており、修道院の外での一般の信徒の宗教観を示すものとして注目される(Takahashi 2022)。

二、モンゴル期の中国の東シリア教会

モンゴル期の教会についての史料

モンゴル支配下の中国にいた東シリア教会信徒は、教会の中央から派遣された高位聖職者を除いてほぼすべてトルコ系諸部族の出自であったと考えられる。漢文文献で「也里可温」と称されるそのようなキリスト教徒については『元史』や『元典章』などに見られる公的な記録のほか、カトリック宣教師による記録や後述の墓碑銘などの多様な史料が残されているが、唐代の景教碑のようなキリスト教徒自身が残したまとまった記録はなく、それぞれの史料が提供する情報が断片的なため、その全体像を把握するのは難しい。シリア語で残る文献としてはオングト出身のカトリコス・ヤブアラーハー三世(在位一二八一―一三一七年)とその師のラッバン・サウマーの伝記があり、一二四八年に後者の剃髪式を行ったマール・ギワルギスと一二六三年に前者に剃髪を施したマール・ネストリスという二人の中国大司教の名が知られるが(Borbone 2009: 10*, 11*)、中央アジアや中国における教会制度や高位聖職者についてのそれ以上の情報は乏しい。この時期に中国にいた東シリア教会信徒のうち、トルコ系諸部族出身の王侯貴族の動向につい

てはそれなりの情報が得られるが、中国の史家はかれらのキリスト教徒としての活動には関心がなかった。官僚や軍人として登用されたキリスト教徒については名前などからキリスト教徒であることは確認できても、名前と役職以上の情報がある場合は少ない（殷 二〇一二）。そのような中で比較的多くのことが知られる人物としては、後述の『至順鎮江志』に登場するマール・サルギスのほかに、也里可温を管轄する崇福司の初代の長となった愛薛（一二二〇八年没）や著名な文人として知られる馬祖常（一二七九—一三三八年）などを挙げることができる。

元代のシリア語・シリア文字史料

かつての元の領内で発見されている東シリア教会関係の文物で以前から知られているものとしては、オングトの都城の一つであったオロンスム一帯で発見された多数の墓石、海港として栄えた泉州で発見されたキリスト教徒墓碑、揚州のエリシェバ（也里世八、一三一七年没）墓碑、赤峰市松山区の松州古址付近で発見されたヤウナン（一二五三年没）墓碑、張家口北方の石柱子梁（現張北県二泉井郷石柱梁村付近）で発見された墓石、北京市房山区十字寺の十字架が刻まれた石柱、フフホト郊外の万部華厳経塔（白塔）に司祭サルギスらが残した複数のシリア文字トルコ語の題記などがある。

これらの文物のうち、オロンスムや泉州、揚州の墓碑は、シリア文字が用いられている場合でも言語は基本的にトルコ語である。また、揚州のエリシェバ墓碑や泉州のいくつかの墓碑ではシリア文字トルコ語と漢文が併記されているほか、泉州では中国語（漢字、パクパ文字）のみが使用されている場合がある。これは中央アジア一帯で発見された同時代の墓石の大半でシリア語が用いられているのとは対照的であり、中国における漢文化の影響力の強さを語る。

以上の文物に加わる新たな発見の中で興味深いのが、フフホトの白塔と敦煌東方の楡林窟を訪問したキリスト教徒たちが残した題記である。フフホトの白塔では、司祭サルギスらの題記に加えて、ピリポス、ヨシムト、キラキズ（キュリアコス）という明らかにキリスト教徒の名を持つ三名を含む、五名ないし六名の訪問者が残したウイグル語とシリア語の題記が松井らによって新たに報告されており、ウイグル文に続くシリア語部分には「あなたの僕ピリポス」と読める文字列がある(白・松井 二〇一六：四二―四四、七四頁)。同様に松井らが新たに報告している瓜州楡林窟第一六窟のシリア文字トルコ語題記には、ブヤン・テミュル、ナタナイェル、ヨハンナーンという三名の瓜州の住人が石窟を巡り、麦酒と羊を捧げて跪拝したことが記されている。キリスト教徒であるはずの三名が仏教徒と同様の行動をとっていることが注目されるほか、松井も指摘しているように題記の末尾近くでセミレチエのシリア文字トルコ語墓碑銘で頻出する「記念となれ(yad bolzun)」という表現が使われており、甘粛省一帯と天山以北のキリスト教徒の結びつきを示唆する(松井 二〇一七)。

高唐王ギワルギスとその一族をめぐって

元朝期の中国で最も高い地位にあったキリスト教徒のなかに早い時期に金から寝返ってチンギス・カンに味方し、その報奨として代々皇室から嫁を迎えることとなったオングトの首長たちがおり、その中で最もよく知られるのがギワルギス(闊里吉思、一二九八年没)である。二人の皇女を嫁に迎え、義父であり義兄でもあった成宗テムル(在位一二九四―一三〇七年)によって一二九四年に「高唐王」に封ぜられたギワルギスについては、『駙馬高唐忠献王碑銘』などの漢文の記録とともに、フランシスコ会士モンテコルヴィーノのヨハネ(一二四七―一三二八年)の書簡に報告があるほか、ラシード・アッディーンの『集史』でも言及されている。

ギワルギスに関わる新たな発見として、モンゴル西部、現在のホブド県からバヤン・ウルギー県へアルタイ山脈を越える峠沿いにあるオラーン・トルゴイの漢文とシリア語の碑文がある。碑文の存在自体はすでに一九九〇年に発表されたモンゴル語の論文で報告されていたものだが、大澤らが二〇一四年に当該地域の調査を行った際にその内容を記録した。三点の碑文のうち漢文のものには「高唐王」という名と「大徳二年六月十八日」(西暦一二九八年七月二七日)という日付がある。シリア語碑文のうち、漢文のすぐ右手にあるものには聖書の『詩篇』六八(六七)・五の文言を若干変えた「主はその聖なるすまいにおられる」という言葉とともに「ギリシア暦一六〇九年」(西暦一二九七/八年)という日付があり、少し離れた別の岩に記されたもう一点には『詩篇』一二五(一二四)・二の「エルサレムは山々が囲み、主はその民を囲んでくださる、(今も、そしてとこしえに)」という言葉が刻まれている。「高唐王」という名と碑文の日付から、これらの碑文が、ギワルギスがカイドゥの乱の鎮圧のために西北に遠征した際に、敵に捕らえられて処刑される直前の時期に残したものであることが確認できる(Osawa & Takahashi 2015)。

このギワルギスについては、モンテコルヴィーノのヨハネが敬虔なキリスト教徒として描いているのに対し、儒家であった閻復による『駙馬高唐忠献王碑銘』などではギワルギスの儒学への傾倒が強調されており、ギワルギスによる儒学の擁護を裏付ける資料はこのような公的な記録以外にも見いだされる。一つは陳垣らがすでに指摘しているものだが、『万暦吉安府志』に「駙馬高唐郡王濶里吉思」が秘書監の役人であった呉鄴(張応珍)の易に関する書を板行させたという記述があり、これは王惲(一二二七—一三〇四年)が記した呉鄴の書の序文によっても裏付けられる(陳 一九三四:二三—二四丁)。また、古くはペリオが気づいていたものとして、呉式芬『攈古録』巻一七に「高唐郡王釈奠題名記　息誠撰正書　江蘇嘉定銭搨本　至元三十年二月」とある。残念ながら碑文の本文は残されていないが、題名からギワルギスが一二九三年に行われた釈奠の儀式の費用を提供したことが知られる(Pelliot 1973: 273)。

儒教をはじめとする諸宗教の庇護は当時の王侯貴族の役目の一部であったと思われるが、ギワルギスのみならず、その一族も仏教や道教の施設に寄付を行ったとする記録が残されており、ギワルギス以降の時代には特に道教の一派である全真教との関係を深めていったことがうかがわれ、漢文化の世界におけるキリスト教徒の有力者たちの在り方を示すものとして興味深い。

鎮江、揚州、泉州

元代の華中・華南でのキリスト教徒の動向については、泉州や揚州で発見されたキリスト教徒墓碑とともに、至順年間(一三三〇—一三三三年)に成立した『至順鎮江志』が重要な情報を提供してくれる。『鎮江志』の中では対象地域の也里可温人口を計二一五人(非漢人人口の一・六%、総人口の〇・〇三三%)とする巻三の人口統計も興味深いが、よく知られるのは巻九の大興国寺の項に収録されている至元一八年(一二八一)建立の碑の銘文である。そこでは、至元一四年(一二七七)に鎮江府路総管府副達魯花赤としてこの地に赴任し、マルコ・ポーロの『旅行記』にもMarsa(r)chisとして登場するマール・サルギス(馬薛里吉思)が鎮江一帯に六寺、杭州に一寺の計七寺のキリスト教寺院を建てたことなどが語られる。この記事の中には、おそらくはこれらの教会の献堂式のために鎮江に招来された「仏国馬里哈昔牙麻児失理河必思忽八」についての言及がある。ここで、「馬里哈昔牙」はシリア語で司教に対する敬称であるmār ḥasyā、「河必思忽八(阿必思忽八)」はシリア語で司教を意味するapesqōpāの音写だが、最近では森安が指摘しているように、この人物は泉州で墓碑が発見された司教マール・シュレーモン(馬里失里門阿必思古八馬里哈昔牙、一三一三年没)と同定できる(Moriyasu 2011: 354)。『鎮江志』で司教の名の前にある「仏(佛)国」は、ローマ帝国の古称で、古来キリスト教発祥の地とされた「拂菻国」と訂正してよいものと思われるが、以上のことからはこの時期の中国では大都近辺にいる大司教(mīṭrōpōlīṭā)のほかに泉州にも西アジアから派遣された司教(apesqōpā)が在住し、華中・華南一帯を管轄していたらしいことがわかる。

司教シュレーモンの墓碑については、司教の職分を示す「管領江南諸路明教秦教等也里可温」を「江南諸路の明教(マニ教徒)や秦教(キリスト教徒)などの也里可温を管轄する」という意味として、「也里可温」がキリスト教以外の信徒も含んでいたとする森安の指摘も重要である。この関係では同じく泉州で発見された大徳一〇年(一三〇六)の墓碑にも触れておきたい。墓碑銘の前半は失われているため埋葬者の名前などは不明だが、銘文の書者は「管領泉州路也里可温掌教官兼住持興明寺呉咹哆呢嗯」(「咹哆呢嗯」はシリア語名「アントニ[オ]ス」の音写)であり、銘文の残存部分には「於我明門、公福蔭裏、匪仏後身、亦仏弟子、無憾死生、升天堂矣」とある。呉咹哆呢嗯が管轄していた泉州路の也里可温の中にマニ教徒がいた可能性が高いことや近年福建省霞浦県で発見されたマニ教文書に見られる「明門」という語の用例などを踏まえて、ここでの「明門」もマニ教と関連付け、この墓碑銘をキリスト教の司祭が管轄下のマニ教徒のために記したものと考えてよいものと思われる。

三、東アジア・中央アジアにおける教会の衰退

中国での衰退

前述の『至順鎮江志』巻九では、丹徒県般若院に関する箇所でマール・サルギスが建てた(あるいは、奪った)寺院のうちの二寺を仏教徒が至大四年(一三一一)に奪還したことが記録されており、マール・サルギスらの後ろ盾を失った後にこの地域のキリスト教が衰退していった様子がうかがわれる。

そのもう少し後の時代の記録として、オングトの出身で馬祖常の親族でもあった金哈剌(金元素)の『南遊寓興詩集』のなかに「寄大興明寺円明列班」と題された「寺門常鎖碧苔深、千載灯伝自茀林、明月在天雲在水、世人誰識老師心」という一首がある(秦 二〇一七:二六四頁)。「灯伝」という語をはじめ、詩そのものは仏教、特に禅の世界を想起させるが、題にある「列班」はシリア語で修道士の敬称として用いられるrabbanの音写であり、興明寺は大徳一〇年(一三〇六)の墓碑の書者呉咹哆呢嗯が住持していた泉州の寺院である。金哈剌は一三五六年以降に福建行省や江浙行省の官職に任命されており、『南遊寓興詩集』に収録されているのは一三五〇年代後半の作品と考えられるため、この詩で詠われているのも咹哆呢嗯の時代からは半世紀を経た後の泉州興明寺の情景と考えてよかろう。一三五七年

に始まるイスラーム教徒の反乱（亦思巴奚の乱）とその後の「西域人」の虐殺を控えた元末の泉州に、苔むした興明寺の老修道士を訪ねる信徒はもはや金哈剌のほかにいなかったのかもしれない。

元末の中国で支配者のモンゴル人や色目人に対する漢人の反感が強まっていくなかで、色目人であるトルコ系民族を主体とするキリスト教徒の立場は徐々に危険に脅かされていくようになったものと考えられる。揚州や泉州で発見されているキリスト教の墓碑のほとんどは都市の城壁に埋め込まれていたものであり、これは元が滅びた後に墓地が荒らされ、墓地にあった石材が城壁の建材として用いられた結果である。同様のことは揚州や泉州で発見されているイスラーム教徒の墓碑についても当てはまり、これらの地域でキリスト教徒とイスラーム教徒が運命を共にしたことがわかる。

中国にいたキリスト教徒のその後についての示唆を与えてくれるものとして、現在マンチェスターのジョン・ライランズ図書館にある、旧約聖書の抜粋などを含むシリア語写本がある。巻頭にあるフランス語の記録や写本の作成とフランスへの送付に関わったイエズス会士ジャン・ゴービルの書簡によれば、この写本は、北京の欽天監で冬官正の任にあったイスラーム教徒の役人 Lieou yu si（劉裕錫）が所有していた写本を一七二五年頃に模写したものであり、劉裕錫の証言によれば、原本の写本は先祖が「元朝の創始者のチンギス・カン」によって中国に連れてこられたときに持参したものである。それがチンギス・カンの存命中であったかはさておき、先祖がモンゴル期に聖書写本を持参したという証言が本当であれば、イスラーム教徒劉裕錫は元朝期のキリスト教徒の子孫である可能性が高く、このことは元代に中国にいたキリスト教徒の少なくとも一部は明代以降にイスラーム教徒の集団に吸収されていったことを意味する。

中央アジアでの衰退

中央アジアでの同時期のキリスト教徒に関わる遺物としては、旧セミレチエ州一帯で発見された多数の墓石がある。キルギスのチュー河流域では、一九世紀末にビシュケク南郊のカラジガチやブラナで合わせて六〇〇基以上のキリスト教の墓石が発見されており、同じくキルギス国内のイッシク・クル湖畔や新疆のアルマリクでも同様の墓石が出土しているほか、アルマリクからイリ川を下ったカザフスタン領内ジャルケント近郊のウシャラル村でも二〇一六年に開始した発掘で新たな墓石の発見が報告されている。埋葬者の名や没年のほかに存命中の教会での役職などがシリア語やシリア文字トルコ語で記されたこれらの墓石は中世期中央アジアのキリスト教徒に関する数少ない史料として重要だが、そのほとんどは一三世紀末から一四世紀初頭のものである。一三三〇年代の墓石のなかには疫病が死因として記されているものがあり、最近の研究でもこの一帯が発生源であったとされるペスト(黒死病)の大流行と関連づけることができる(Spyrou et al. 2022)。

中央アジアの一四世紀半ば以降のキリスト教についての史料は皆無だが、おそらくはペストの流行で弱体化したキリスト教集団は、ティムール朝治下の弾圧によって最終的に消滅したと考えられる。

おわりに

本稿では、東シリア教会の中央アジア、東アジアへの伝播について略述したうえで、モンゴル期の中国を中心とする地域の東シリア教会の状況について、最近の発見や研究成果を踏まえて考察することを試みた。そのような発見や研究のなかでも、たとえば、楡林窟の題記に見られる信徒の行動や泉州の墓碑から読み取れるマニ教徒との関係、オングト部首長の仏教や道教との関係など、特にキリスト教徒の他宗教との係りに関する検討からは、キリスト教の発祥地である西アジアとは状況が大きく異なる中国という文化圏の中での東シリア教会の実態が以前よりも明確に浮かび上がってくると同時に、ジョン・ライランズ写本についての考察などからは中国にあったキリスト教が他の宗教に吸収されて最終的に消滅していった過程についての重要な示唆が得られる。ここでは扱わなかった唐代の景教も含め、近世以前の中国やモンゴル、中央アジアのキリスト教についての研究は近年数々の新発見が報告されている分野であると同時に、ユーラシア東西の文化交流について考える上でも重要な領域である。今後の新たな発見やその検討を通じてのさらなる研究の進展が期待される。

参考文献

白玉冬・松井太(二〇一六)「フフホト白塔のウイグル語題記銘文」『内陸アジア言語の研究』三一号。

松井太(二〇一七)「敦煌石窟ウイグル語・モンゴル語題記銘文集成」『敦煌石窟多言語資料集成』東京外国語大学アジア・アフリカ言語文化研究所。

森安孝夫(二〇二二)「前近代中央ユーラシアのトルコ・モンゴル族とキリスト教」『帝京大学文化財研究所研究報告集』第二〇集。

陳垣(一九三四)『元西域人華化考』勵耘書屋。

劉文鎖・王沢祥・王竜(二〇二二)「新疆吐魯番西旁景教寺院遺址二〇二一年考古発掘的主要収獲与初歩認識」『西域研究』二〇二二年第一期。

牛汝极(二〇〇八)『十字蓮花 中国元代叙利亜文景教碑銘文献研究』上海古籍出版社。

秦琰(二〇一七)『馬上歌桑梓 元代也里可温作家群体研究』上海人民出版社。

沈琛(二〇二二)「再論吐蕃与景教、摩尼教的連系」『敦煌研究』二〇二二年第三期。

呉文良・呉幼雄(二〇〇五)『泉州宗教石刻(増訂本)』科学出版社。

殷小平(二〇一二)『元代也里可温考述』蘭州大学出版社。

Abbeloos, Joannes Baptista, & Thomas J. Lamy (1872-77), *Gregorii Barhebræi Chronicon ecclesiasticum*, Lovanii: Peeters.

Assemanus, Joseph Simonius (1719-28), *Bibliotheca Orientalis Clementino-Vaticana*, Romae: Typis Sacræ Congregationis de Propaganda Fide.

Borbone, Pier Giorgio (2009), *Storia di Mar Yahballaha e di Rabban Sauma*, 2a ed., Moncalieri: Lulu Press.

Borbone, Pier Giorgio, & Pierre Marsone (éds) (2015), *Le christianisme syriaque en Asie centrale et en Chine*, Paris: Geuthner.

Braun, Oskar (1901), "Ein Brief des Katholikos Timotheos I über biblische Studien des 9 Jahrhunderts", *Oriens Christianus*, 1.

Chabot, Jean-Baptiste (1902), *Synodicon orientale ou Recueil de synodes nestoriens*, Paris: Imprimerie nationale.

Dauvillier, Jean (1948), "Les provinces chaldéennes 'de l'extérieur' au Moyen Age", *Mélanges offerts au R. P. Ferdinand Cavallera*, Toulouse: Bibliothèque de l'Institut Catholique.

de Goeje, Michael J., & Eugen Prym (1893), *Annales quos scripsit Abu Djafar Mohammed ibn Djarir at-Tabari*, prima series V, Lugduni Batavorum: Brill.

Dickens, Mark (2019), "Syriac Christianity in Central Asia", D. King (ed.), *The Syriac World*, London-New York: Routledge.

Gismondi, Henricus (1896-99), *Maris Amri et Slibae De patriarchis Nestorianorum commentaria*, Romae: C. de Luigi.

Guidi, Ignatius (1903), *Chronica minora*, pars prior (Corpus scriptorum Christianorum orientalium III. 4), Parisiis: e Typographeo Reipublicae.

Halbertsma, Tjalling H. F. (2015), *Early Christian Remains of Inner Mongolia*, 2nd ed., Leiden: Brill.

Hunter, Erica C. D., & Mark Dickens (2014), *Syriac Texts from the Berlin Turfan Collection (Texte der Berliner Turfansammlung)*, Stuttgart: Steiner.

Lieu, Samuel N. C., Lance Eccles, Majella Franzmann, Iain Gardner & Ken Parry (2012), *Medieval Christian and Manichaean Remains from Quanzhou (Zayton)*, Turnhout: Brepols.

Lin Lijuan (2021), "A New Syriac Witness to Aristotle's *Categories* from Turfan", *Zeitschrift der Deutschen Morgenländischen Gesellschaft*, 171/2.

Mingana, Alphonse (1925), "The Early Spread of Christianity in Central Asia and the Far East: A New Document", *Bulletin of the John Rylands Library*, 9.

Moriyasu, Takao (2011), "The Discovery of Manichaean Paintings in Japan and Their Historical Background", J. A. van den Berg et al. (eds.),

‘*In Search of Truth*’: *Augustine, Manichaeism and Other Gnosticism: Studies for Johannes van Oort at Sixty*, Leiden: Brill.

Osawa, Takashi, & Hidemi Takahashi (2015), “Le prince Georges des Önggüt dans les montagnes de l’Altaï de Mongolie: les inscriptions d’Ulaan Tolgoi de Doloon Nuur”, P. G. Borbone & P. Marsone (éds), *Le christianisme syriaque en Asie centrale et en Chine*, Paris: Geuthner.

Pelliot, Paul (1973), *Recherches sur les chrétiens d’Asie centrale et d’Extrême-Orient*, Paris: Imprimerie nationale.

Spyrou, Maria A., et al. (2022), “The Sources of Black Death in Fourteenth-Century Central Eurasia”, *Nature*, 606.

Takahashi, Hidemi (2020), “Representation of the Syriac Language in Jingjiao and Yelikewen Documents”, S. N. C. Lieu & G. L. Thompson (eds.), *The Church of the East in Central Asia and China*, Turnhout: Brepols.

Takahashi, Hidemi (2022), “Syriac Fragments from Turfan at Ryukoku University, Kyoto”, Li Tang & D. Winkler (eds.), *Silk Road Traces: Studies on Syriac Christianity in China and Central Asia*, Wien: LIT.

Tang Li (2011), *East Syriac Christianity in Mongol-Yuan China*, Wiesbaden: Harrassowitz.

Байпаков, Карл М., и. др. (2018), *Религии Центральной Азии и Азербайджана*, том IV. Христианство, Самарканд: МИЦАИ.

焦点 *Focus*

イル・ハン国のイラン系官僚たち
——モンゴル支配下イランの財務制度と文化

渡部良子

はじめに

一三世紀のモンゴル帝国の西アジア侵攻と、フレグ(在位一二五六頃—六五年)がイラン高原に打ち立てた西のモンゴル政権、イル・ハン国(一二五六頃—一三五八年)の支配は、イラン史に重要な変化期をもたらした。一〇世紀のガズナ朝(九七七—一一八六年)以後、二〇世紀ガージャール朝(一七九六—一九二五年)に至るまでテュルク系遊牧民の背景を持つ軍事政権が覇権を握ったイラン高原において、遊牧国家の支配それ自体は、大きな変化ではなかった。しかし、先行のテュルク系諸王朝が西アジア・中央アジアでイスラーム文化・諸制度を受容していたのと異なり、イル・ハン国はモンゴル帝国が築いた統治諸制度をほぼ継承した。第七代ガザン(在位一二九五—一三〇四年)のイスラーム改宗と改革政治によりムスリム王朝に転身したのちも、イスラーム的制度・文化にモンゴル的要素を加えた新たな制度・文化を生み出し、後代のテュルク系諸王朝の国家形成にも多大な影響を与えた。例えば、オルド(宮廷)の警備と家政を司ったケシク諸官は、遊牧君主に近侍する枢要の諸官職として、一部の呼称や機能を変化させつつ、一五世紀のトゥルクマーン諸王朝やサファヴィー朝(一五〇一—一七三六年)にも継承されていった(Melville 2006)。モンゴル帝国の秩序と統治理念を示す公文書書式（本巻「展望B」四日市論文五四－五七頁参照）は、süzümiz（「われらが言葉」）形式文書の発展、印章の使用など、その後のペルシア語公文書書式を大きく変化させた（小野 一九九三、*EIr*: "Farmān"）。さらには公式暦としての十二支暦の使用（Melville 1994）、テュルク・モンゴル語語彙のペルシア語への流入など、モンゴル時代以後のイランの諸王朝の国家諸制度は、モンゴルの遺産ぬきに説明することはできない。

本稿は、イラン史における変化の時代としてのイル・ハン国期の重要性を踏まえたうえで、イル・ハン国のイラン統治の特質を、在地のイラン系官僚たちが担った役割に焦点を当てて考察したい。イル・ハン国のイラン系官僚、とりわけ初期に権勢を振るったジュワイニー家や、ガザンの改革を輔弼し、後半期のオルドに影響力を持った『集史』編者ラシード・アッディーン（一三一八年没）などが果たした政治・文化的役割は、古くから強調されてきた。しかし、〝野蛮〟な征服者モンゴルの下、イラン統治の実権を握り、社会・文化を護った在地官僚というかつての図式的イメージはつとに批判され、自らの利益を追求しつつモンゴルの支配に参画していった在地官僚たちのありかたに、イル・ハン国の権力構造やそのイラン支配の内実を問い直していく可能性が示されて久しい（Aubin 1995; Aigle 2005; Lane 2014）。さらに現在は、文書史料や文書術・財務術の官僚技術指南書史料が、在地官僚たちがモンゴル支配層のために作った統治体制の解明を可能にしている。

そこで本稿では、まずイル・ハン国の行財政機関ディーワーンとその官僚たちの実像を捉えたうえで、彼らが財務運営と文化政策に果たした役割を検討していきたい。

一、イル・ハン国のディーワーンと官僚たち

イル・ハン国のディーワーンの形成

言うまでもなくディーワーン(dīwān)とは、アッバース朝(七五〇―一二五八年)期に高度に発達したムスリム諸王朝の行財政機関のことである。しかしモンゴル帝国第四代皇帝モンケ(在位一二五一―五九年)没後の皇位継承争いの中、フレグが西征軍とともに西アジア征服地を占有し成立したイル・ハン国のディーワーン(大ディーワーン dīwān-i buzurg、または至高なるディーワーン dīwān-i a'lā)の直接の起源は、第二代皇帝オゴデイ(在位一二二九―四一年)時代からフレグ西征期までの西アジア征服地において、チンギス家各王家のための収益管理を担った総督(amīr)の行政府(『元史』における「阿母河等処行尚書省」)にあった(本田 一九九一:一〇一―一二六頁、高木 二〇一四)。モンゴル帝国期ペルシア語史料では、文書・財務を司りジャルグチ(断事官)とともに統治を担ったビチクチ(書記官)を指し、ディーワーンの最高責任者を意味するワズィール(wazīr 宰相)の称号がしばしば用いられたが(四日市 二〇〇二)、イラン高原東北部ホラーサーンに置かれ、各王家の代理人が参加していた総督府ディーワーンでは、西アジア征服地に特に強い権限を有したジョチ家から派遣されたウルグ・ビチクチ(大書記官)がワズィールと呼ばれ、総督に仕えた在地官僚が、ワズィールのもと諸ディーワーンを指揮する大臣にあたるサーヒブ・ディーワーン(ṣāḥib-dīwān ディーワーン長官)の称号で呼ばれた(TJ: II, 223, 239, 243-246, 256)。

フレグがイラン残留を決し、その征服地占有に異を唱えたジョチ・ウルス君主ベルケ(在位一二五七―六六年)との間に戦端が開かれる(一二六三年)過程で、ジョチ家官僚たちおよびモンケ宮廷から西征に随行したワズィールが一掃され、総督のサーヒブ・ディーワーンであったバハー・アッディーン・ジュワイニーの子シャムス・アッディーン・ムハンマド(一二八五年没)が全国のサーヒブ・ディーワーンに任命される。ここに帝国および他王家から自立したイル・ハン国のディーワーンが成立したが、それとともにワズィールとサーヒブ・ディーワーンの地位もほぼ統合されることになった。イル・ハン国で特に初期のディーワーン最高責任者がしばしばワズィール／サーヒブ・ディーワーンの二つの職名を帯びたのは、モンゴル支配下のディーワーンがモンゴル帝国、ついでイル・ハン国の征服地経営の要請に応え形成された行財政機関であったという経緯を反映しているといえる。

イル・ハン国ディーワーンの官僚たち

イル・ハン国ディーワーンの形成期には、ホラーサーンのジュワイニー家やファルユーマディー家など、総督府ディーワーンの人材が継承された。ジュワイニー家はセルジューク朝(一〇三八―一一五七年)、ホラズム・シャー朝(一〇七七―一二三一年)に仕えた官僚家系であり、前述のように歴代総督のサーヒブ・ディーワーンを務めたバハー・アッディーン・ジュワイニーの子のシャムス・アッディーンとその兄弟アラー・アッディーン・アターマリク(一二八三年没)がフレグに仕え、第二代アバカ(在位一二六五―八二年)、第三代アフマド・テグデル(在位一二八二―八四年)時代を通し約二〇年間、第四代アルグン(在位一二八四―九一年)により粛清されるまで、一族で行財政を支配した。イル・ハン国の政治的中心がオルドの遊牧地であるイラン北西部に確立した後は、主にイラクやアゼルバイジャン地方出身の官僚が活躍するようになる。

前述のように一〇世紀以降テュルク系王朝が統治するようになったイラン高原では、ムスリム諸王朝の伝統的国家観における国家の二柱としての「剣の人」(軍人)と「筆の人」(官僚)が同時期からペルシア語史料に登場する「テュルク(Turk)とタージーク(Tajik)」に重なり、テュルク系軍事支配層と定住社会出身のペルシア語を話すイラン系(タージーク)の官僚が分業的に国家運営を担う構造が形成された。イル・ハン国もこの構図を外れるものではなかったが、オルドが権力の磁場として強大な力を持ち、支配層のモンゴル・アミールが非モンゴル被支配民に対し圧倒的優位にあったイル・ハン国の統治構造のもとで、イラン系官僚の権力獲得にはイル・ハンからの信用や有力アミールの後盾が不可欠であった。ジュワイニー家没落後のワズィール/サーヒブ・ディーワーンたちには、バグダード税務に成功しアルグンの信を得たユダヤ教徒医師サアド・アッダウラ・アブハリー(在任一二八九―九一年)、ガザンの弟の第八代オルジェイトゥ(在位一三〇四—一六年)に財務の才を認められたオルドの御用商人タージュ・アッディーン・アリーシャー(在任一三一二—二四年)など、テュルク系軍事政権下のタージーク官僚の通常の供給源と考えられる都市名望家層や官僚家系とは異なる、多彩な出自の人物がいる。だが、彼らは権力の中枢であるオルドとのつながり、イル・ハンの信、またはアミールによる私的なパトロネージを獲得していた点で共通している。イル・ハン国の財政逼迫が顕在化し始めた第五代キハトゥ(ガイハトゥ、在位一二九一—九五年)時代、鈔(chāw)発行失敗などの失策をしながらガザン政権初期まで財政に影響力を振るったサドル・アッディーン・ハーリディー(一二九七年没)の権勢にも、カズウィーンのウラマー名家というその出自より、イル・ハン直属カラウナス軍司令官として力を持ったアミール・タガチャルとの私的なつながりが大きかったであろう(Aubin 1995: 46-68; 志茂 一九九五:二四四—二四七頁)。

しかし、それでもイル・ハン国のワズィール・官僚たちがディーワーンを支配しえたのは、彼らがイラン高原の行財政運営に欠かせない文書・財務の技術を持ち、またそのエキスパートを擁していたためである。イル・ハン国では、モンゴル語と伝統的な財務簿記術に通じたイラン北部の都市ライの支配者マリク・ファフル・アッディーン・ハサン(一三〇八年没)、ガザンとオルジェイトゥ時代のワズィール、サアド・アッディーン・サーワジー(一三一二年没)の部下でアラビア語・ペルシア語・テュルク語・モンゴル語作文に秀でたムバーラクシャー・サーウィーなど、ウイグル文字モンゴル語とアラビア語・ペルシア語官僚技術の双方に習熟した官僚たちが活躍した(大塚他 二〇二二:一六五頁、一七七頁註七)。また、モンゴル支配期に編纂された財務術・書簡術指南書は、史書が伝える権力抗争の表舞台には登場しない官僚たちの活動を伝える。ハーリディーに献呈され、イル・ハン国前半期の財務運営を伝える『会計術の導き』の著者ハサン・イブン・アリーは熟練の財務官であり、サーワジーに書簡術・財務術指南書『幸運の書』を献呈したファラク・アラー・タブリーズィーは、ジュワイニーを補佐しイル・ハン国ディーワーンの財務運営体制を築いた書記ジャマール・アッディーン・ムンシーの弟子であった(高松 二〇一三:xvi頁)。また実質的な最後の君主となった第九代アブー・サイード(在位一三一六—三五年)時代の文書長官で公文書用例集『書記典範』を編んだナフチワーニーも、父がジュワイニー配下の官僚であった(TS: iv-x)。イル・ハン国ディーワーン形成期から末期まで、官僚たちが世代を経て築き継承してきた官僚技術が、そのイラン統治を実務の面で支えていたのである。

二、イル・ハン国の財務運営制度と財務技術の発展

イル・ハン国のモンゴル税制と管理帳簿

イル・ハン国の税制は、モンゴル侵攻以前の既存の税制(地租ハラージュを主とするマール māl)に、モンゴルが導入したコプチュル(qūpchūr)、タムガ(tamghā)が加わる二重体制的な形をとっていた(渡部 二〇一五:二二頁)。コプチュル(モンゴル語「取り集められるもの」)は、言うまでもなく、モンケ時代に導入された人頭税である。コプチュル税が施行されたのは、人口調査により一万人の担税能力を持つ単位トゥメン(tūmān)が設置された地域と考えられ、イル・ハン国末期の行政地理書『心魂の歓喜』第二部が示すその分布は、イル・ハン国のコプチュル税制が総督時代の体制をほぼ継承したものであることを示している(高木 二〇一四:一一七—一二〇頁)。『会計術の導き』の人口調査簿(iḥṣā)例(Watabe 2015)によれば、人口調査は都市では街区、農村部では村落単位で戸ごとの男子担税能力者数を数え、ウラマー、シャイフ(スーフィー導師)など宗教指導者の戸数は、宗教指導者・学者に免税特権を与えるチンギス・カンのヤサ(JT: II, 1388)に従いカラーニーヤ(qalānīya)すなわちカラーン(賦役)負担者から区別するという方法をとった。人口調査簿はカーヌーン(qānūn 租税規定)に併録され、住人の移動を監視する本貫(hūjāwūr)管理の役割も持っていたと考えられる(JT: II, 1482; 本田 一九九一:三〇四頁)。人口調査簿のフォーマットが何を範に作成されたのか、モンゴル侵攻以前の財務帳簿書式に関する史料が乏しく突き止めることは困難だが、財務記数法スィヤーク(siyāq)を用いたそ

の書式は、伝統的簿記術を駆使し考案されたものであることは間違いない。

イル・ハン国初期からその導入が確認される商工業税タムガ税(本田 一九九一:三二三―三三二頁)には、商取引に課税・徴収されるものと、市場・業種ごとに請負(ḍamān)に委ねられるものがあり、前者の管理帳簿は財務の最も基本の帳簿とされる日誌(rūznāmcha)の形式で、タムガ税が課された取引、税額、税収から支払われた各種支出を日毎に記録した(M: 118a-120a)。この種のタムガ税は「大タムガ」(tamghā-yi kabīr)と呼ばれ(SN: 131-133)、ガザンが自らの墓廟都市シャンブに設立した隊商宿でタムガ税徴税官タムガチに行わせた、ヨーロッパなど遠来の商人へのタムガ税課税も、恐らくこれに当たる(JT: II, 1374)。一方、請負のタムガ税帳簿は、監査官(mushrif)が査定した請負額の徴収をタムガチが月単位で記録していくもので(M: 117b-118a)、予め税収額が定められた市場税・職業組合税のようなものであったことがわかる。タムガ税の実態にはなお不明な点が多いが、コプチュル税同様、目的に応じた各種税務管理帳簿が整備されていたことを、財務術指南書は伝えている。

徴税請負制度とバラート制度の問題と変化

タムガ税で行われた徴税請負制度(muqāṭaʿa, ḍamān)は、イル・ハン国で広く行われた基本の徴税制度であった。徴税請負責任者は徴税官(mutaṣarrif)、知事、またモンゴル帝国に臣従しイル・ハン国支配下に組み込まれた地方諸政権では君主の場合もあったが、ディーワーンでカーヌーンに基づき作成された税務規定書(muʾāmara)に従い徴税を行うのみならず、各種経費のためにディーワーンから発行されるバラート(barāt 支払命令書)の保持者に、命令額を税収から支払う義務を負った(徴税請負のプロセスとそこで用いられる帳簿・文書については、渡部 二〇一五を参照)。

バラートはモンゴル侵攻以前より存在し、時代により様々な機能を帯びた文書の名称だが(*EI*[2]: "Berāt")、モンゴル時代は経費調達の財務文書として極めて大きな役割を担った。イル・ハン国では、モンゴル軍の軍費、官僚の給与、オルドの食費・必需品に至るまでの歳出は、財庫(khizāna)から支給するより、必要額を各地の税収に割り当て、徴税責任者宛のバラートを発行して経費受給者・管理者に与え、当該額を受け取りに行かせるのが一般的であった。徴税請負責任者は請負終了時、期間中に受領したバラートと支払額の領収書を会計記録とともにディーワーンに提出し、バラートに支払った税収の残余額を納付するが、請負継続の場合は次年度請負額に繰り込まれることもあったようである。つまり税収はディーワーンに納付される前に多くがバラートで消費されていたのであり、徴税請負は歳入を確保すると同時に、税を諸経費に分配し国家運営の血液として流す末端の機能を担っていた。

徴税請負はアッバース朝時代から存在した制度であるが、イル・ハン国の徴税請負とバラート制度は、モンゴル支配層が経費を随時徴発できる、極めて便利な方法として設計されていることが注目される。そもそもバラートは第三代皇帝グユク(在位一二四六—四八年)時代から使用(濫用が問題視)されており(本田 一九九一：二七七頁)、イル・ハン国成立後も暫くイランにおけるチンギス家王族の権益管理を続けていた最後の総督アルグン・アカ(一二七五年没)は、「全国の徴税請負人」(muqāṭiʿ-i mamālik)と呼ばれている(JT: II, 1061)。請負とバラートを利用した経費徴発体制は、帝国初期から継承されたものであった可能性もある。

しかし徴税請負には、要求に応じられない場合は徴税請負責任者が自ら不足を補填せねばならないというリスクがあり、それゆえに過酷な取り立てと納税者の疲弊による徴税困難という悪循環を生んだ。そしてそれはイル・ハン国中期、アルグンのアフマド殺害に始まりガザンのバイドゥ(在位一二九五年)からの王位奪取まで続いた約一〇年の内訌期に、財政逼迫の重要な一因となった。ガザン即位前の財政危機は、オルドや王族・アミールの奢侈による経費の増大、ワズィール・官僚や知事・徴税官の私利追求と腐敗、収穫高査定制による地租の恣意的・過重な査定、駅逓(yām)経費を含め様々な理由による徴発が増大させた納税者の負担など、複合的な要因に拠っていた(本田 一九九一：二六五—二八一頁)。しかしディーワーンに打撃となったのは、各州税収残高を把握する手段を持たないままにバラートを濫発したことによる、経費調達手段の麻痺であった(JT: II, 1416-17)。

ガザンの財政改革は、徴税制度の包括的見直し、オルド家政運営や駅逓経費の整備と引き締め、そしてイクター制導入によるモンゴル軍への恒常的財政基盤の授与という、イル・ハン国で山積していた財政問題の解決を目指したものであった(JT: II, 1414-52, 1476-86, 1504-39; 本田 一九九一：二三三―二六〇、三〇一―三二二頁)。とはいえ、遊牧国家の君主の恩賜(suyūrghāmishī)による徴税権分与の性格を持ち、その後イラン高原で発展する土地制度ソユルガルとの関係が議論されてきた(Paul 2021)イクター制を別として、コプチュル税制や徴税請負・バラート制度という基本の財務運営システムは変化せず、その財の徴発体制が抜本的に変わったわけではなかった。

しかし、ガザン以後のディーワーンでは、バラートの発行と州・徴税区ごとのバラート割り当て額を記録する、タウジーフ帳簿、アワールジャ帳簿という新しい財務帳簿が登場している。アワールジャ(awārja)とはサーサーン朝からイスラーム時代に継承された帳簿形式であり、貸借対照の機能を持ったと考えられるが、イル・ハン国後半期には各州・徴税区へのバラート発行の累積状況を記録・監視し、限度を超えたバラート発行を予防する明確な目的を持つ帳簿として発達していた(渡部 二〇一五：四一―四五頁)。ガザン改革後のイル・ハン国財政の相対的安定は、改革の一定の効果のほか、内訌の終焉や権力を持つワズィールたちの長期的な財政支配など様々な要因に拠っていたと考えられるが、財務運営の要であるバラート制度の改善も影響していただろう。

イル・ハン国ディーワーンの財務運営と財政危機を経たその変化が示すのは、ディーワーンの官僚たちが、モンゴル支配層の要求に応じる徴税・経費調達制度を、既存の財務管理諸制度と伝統的官僚技術を用い整備してきたことである。財政危機の一因はその制度が孕んだ脆弱性にあったが、その問題は管理技術の改善で克服されていった。このような、モンゴルの統治をイラン社会に定着させる実務の設計に関与することができた点に、在地官僚たちの力があったのである。

三、イル・ハン国時代のイスラーム文化とラシード・アッディーン

イル・ハン国時代は、「モンゴルの平和」のもとでの東西文化交渉による東方文化の伝播、中国美術の影響による美術工芸の発展、マラーガやタブリーズでの活発な学術活動、ペルシア語歴史叙述の活性化など、イラン文化史、イスラーム文化史上でも特筆すべき活力に恵まれた時代であった（*EI*[3]: "Īlkhānids"）。モンゴルの支配者たちは、学術・芸術の発展にそのパトロネージを通し主体的に関わっていたとされる（Biran 2013）。しかし同時に、特にイスラーム諸学・文化の領域では、モンゴル支配層の信を得て莫大な財を動かす力を持ったイラン系官僚・知識人の存在も大きかった。

ジュワイニー家は知識人・文人のパトロンでもあり、特にモンゴル帝国初期の史書でペルシア語散文学の傑作ともされる『世界征服者の歴史』の著者であるアターマリクは、自らサーヒブ・ディーワーンとして支配したバグダードの復興と文化の庇護に尽力した（Gilli-Elewy 2011）。科学、哲学、シーア派神学等の領域でイスラーム文化史上大きな足跡を残した学者であり、フレグ西征期にその庇護を受け側近として活躍したナスィール・アッディーン・トゥースィー（一二七四年没、本巻諫早コラム参照）は、学術の庇護者としての役割も注目される。フレグの信頼厚いブレーンとしてのトゥースィーの役割はその財政論にも見てとることができ、コプチュル、タムガ、免税特権タルハン（tarkhān）などのモンゴル諸制度を知悉した上で在来のイラン・イスラーム的財政制度と両立させるその議論は、イル・ハン国財政の形成に影響を与えたと考えられる（Minovi & Minorsky 1940）。彼が建設したマラーガ天文台はバグダードの図書館から移した万巻の蔵書を備え、また全土のワクフ（寄進）財の管財権も彼の裁量に委ねられていた。豊かな研究環境と財政基盤を保障され、広範な知的ネットワークを築いてイル・ハン国初期の学術活動を支えたトゥースィーの影

響は、息子、弟子たちを通し後半期まで及んだ(Mudarris Raḍawī 1354/1975-76)。ガザンのイスラーム改宗まで、第三代アフマドを除き非ムスリムであった歴代イル・ハンは、その多くが仏教を信奉する一方、有能な人材は宗教宗派を問わず取り立てる宗教的寛容策を採っていたと考えられる。その中で、モンゴル君主の信のもと文化庇護に必要な政治・財政上の力を持ったムスリム要人の活動が、イスラーム文化・学術の維持に持った意義は大きかっただろう。

イル・ハン国がムスリム王朝に転身した後半期において、同様の役割を担ったのがラシード・アッディーンである。イル・ハン国の最も有名なイラン系政治家としてのラシードの生涯と業績については、近年、その従来の「偶像」的評価の批判的問い直しとともに、急速に研究が深化している(e.g. Akasoy, Burnett & Yoeli-Tlalim 2013; Kamola 2019)。ここでは、イル・ハン国のイラン系官僚たちの中でのその「ワズィール」としての立場と、イスラーム化以後のイル・ハン国で彼の文化活動が担った意義を指摘してみたい。

ガザン時代以前のラシードの経歴には不明な点が多いが、フレグ西征時にトゥースィーとともに庇護されたユダヤ教徒医師の一族に属し、恐らくアバカ時代侍医としてオルドに仕え(イスラーム改宗はこの時期との説がある)、アルグン家との結びつきを得てガザンの改革で頭角を現したそのキャリアは、第二節で見たようにオルドとのつながりやイル・ハンの信用が大きな意味を持つイラン系官僚ならではのものである。ただし彼が権勢を振るったガザンからオルジェイトゥの時代はイラン系ワズィールが二人存在したやや変則的な時代であり、ディーワーンを統括したのはラシードの同僚のサーワジー、次いでタージュ・アッディーン・アリーシャーであった。「ワズィール」としてのラシードの地位と役割は、イル・ハンの信の厚い側近というトゥースィーに近いものであり、行財政に関わる息子らやオルド・ディーワーンの人脈を通し大きな政治的影響力を持ったが、彼が携わったのは主に文化活動であった。

ラシードの主な文化活動には、①『集史』編纂と『ワッサーフ史』著者ワッサーフや『選史』著者ムスタウフィーなどの庇護を通した史書編纂活動の後援、②中国医書などのペルシア語抄訳『珍貴の書』(タンスーク＝ナーマ

Tansūq-nāma）、農書『事績と生命』（アーサール・ワ・アフヤー *Āthār wa Aḥyā'*）編纂が示す、東西文化交渉における学術活動の指揮（宮 二〇一八：下巻）、③神学著作編纂が示すウラマーとの交流、④慈善施設ラシード区（Rab'-i Rashīdī）の設立が挙げられる（本巻「展望B」四日市論文六三頁）。ワズィールとして得た富をワクフとして一族のために保全した（家族ワクフ）④など（Hoffmann 2000）、彼の文化活動には社会・経済史の観点からも多くの論じるべき点を含むが、ここではガザン以降のイル・ハン国のイスラーム政策との関わりを指摘しておきたい。

『集史』編纂に関しては近年目覚ましい研究の進展が見られるが（大塚 二〇一四、Kamola 2019）、ラシード自ら編纂した第一巻モンゴル史はモンゴル帝国史の再構成であるとともに、オグズ＝トゥルクマーン族の始祖伝承オグズ・カガン説話の翻案を通してモンゴルをイスラーム的歴史観の中に位置づけ、ムスリム君主ガザンの支配正当化を図る意図を持っていたことは重要である（宇野 二〇〇二）。ラシードの文化活動は、イスラーム国家イル・ハン国の支配正当性の擁護と不可分のものであった。ラシードは、イル・ハン国のイスラーム政策をスンナ派シャーフィイー派法学に基づき推進しようとしたが、イスラーム改宗後のイル・ハン国宮廷は、シーア派の影響力や、ハナフィー法学派・シャーフィイー法学派の対立などの問題に直面していた。モンゴル侵攻による社会変動は、預言者一族（ahl al-bayt）への崇敬を通しスンナ派・シーア派が宗派越境的な信仰を共有する「宗派的曖昧性」（confessional ambiguity）（Woods 1999:1-23）という環境をムスリム社会に作り出したとされる。ガザンが預言者一族に傾倒し、その庇護政策としてサイイドの館（dār al-siyāda）を設立したのはその現れであるが（岩武 一九九二）、モンゴル君主にとっての預言者一族への崇敬は、チンギス家のみに統治権が属すという血統原理の主張とも関わっていた（Pfeiffer 2014: 129-168）。この問題はガザンの後継者オルジェイトゥのシーア派改宗（一三一〇年）に帰結し（Pfeiffer 1999）、統治体制に大きな変動は及ぼさなかったものの、シーア派に基づくフトバ（khuṭba 金曜礼拝の説教）と貨幣発行はオルジェイトゥ死去まで続いた。

オルドで法学派の勢力争いやシーア派改宗問題が生じた時期、ラシードはその③一連の神学著作群を執筆した（岩武一九九四)。著作集に集められた多数の神学者・法学者たちの賛辞は、彼が築いたウラマーとの広い交流ネットワークを示している(van Ess 1981)。学術的価値は乏しく、イスラーム学の知識を誇示するラシードの自己顕示に留まると評されてきた神学著作だが、近年、ラシードが関わった宮廷の神学討論や、オルジェイトゥのイスラーム的王権に関しラシードが示そうとした論議が持つ重要性が注目されている(BH: Introduction)。

二〇年に及んだラシードの権力は、オルジェイトゥ没後、アブー・サイード即位後間もなく同僚タージュ・アッディーンの攻撃により断たれたが、アブー・サイード政権前半期に権力を握ったアミール・チョバンの失脚(一三二七年)後、ラシードの子ギヤース・アッディーン・ラシーディーがイル・ハン国の実質最後のワズィールに任命され、その遺産は一三三五年アブー・サイード死去によるイル・ハン国解体まで続くことになる。ムスリム王朝イル・ハン国と歴史をともにしたラシードの文化活動が、イスラーム国家としてのイル・ハン国の宗教政策にどのような影響を与えたのか、今後の研究の深化が期待される。

おわりに

本稿では、イランのモンゴル政権イル・ハン国の特質を、権力の中枢たるオルドにつながりモンゴルの統治に参画した在地イラン系官僚たちの財政・文化における役割に焦点を当てて論じた。古くは侵略者モンゴルに対するイラン社会・文化の守護者というイメージで語られてきたイラン系官僚たちの実像は、モンゴル帝国統治のユーラシア各地における固有の展開について、考察の手がかりを示してくれると思われる。モンゴル帝国征服地各地に共時的に発生し、しかし史料が持つ地域性・言語の差異により多様な姿を見せるモンゴル帝国の統治制度は、しばしば研究者を悩ませてきた。その差異は、単に史料の相違ではなく、モンゴルの統治に在地社会がどのように対応し、モンゴル支配者たちの要請に応じる行財政制度を作り上げたかに注視しながら、解明していく必要があるだろう。イル・ハン国の官僚たちが、自らの技術を駆使し作り上げた財務運営制度は、それを示している。

モンゴルの統治に関わったイラン系官僚・知識人たちは、支配者モンゴルの統治を理解し、それを受容、時に利用することで、モンゴルの支配とイラン社会を結びつける役割を担った。それはモンゴル支配者の主体的な関心のもとで生じた文化の活性化においても同様であり、イスラーム化以前のジュワイニー家やトゥースィー、そしてイスラーム化以後のラシード・アッディーンという、権力の磁場であるオルドで地位を築き、政治・財政的影響力を持ち得た在地官僚・知識人がパトロン、文化のオーガナイザーとして果たした役割に注目することが、モンゴル時代の文化的活況の背景を解明する手がかりになるだろう。

イラン系官僚たちは、モンゴル支配におけるかつての図式的な役割が批判された現在も、なおキーパーソンであり続けているのである。

参考文献

BḤ: Rashīd al-Dīn Faḍl Allāh Hamadānī (2016), *Bayān al-Ḥaqā'iq*, Introduction and Indices by J. Pfeiffer, Istanbul, Türkiye Yazma Eserler Kurumu Başkanlğı.

*EI*²: Gibb, H. A. R. et al. (eds.) (1960–2008), *The Encyclopaedia of Islam*, new ed., 11 vols., Leiden, Brill.

*EI*³: Fleet, K. et al. (eds.) (2007–), *The Encyclopaedia of Islam, THREE*, Leiden, Brill.

EIr: Yarshater, E. (ed.) (1985–), *Encyclopedia Iranica*, London & Boston, Routledge & Kegan Paul.

JT: Rashīd al-Dīn Faḍl Allāh Hamadānī (1373/1994–95), *Jāmi' al-Tawārīkh*, 4 vols., M. Rawshan & M. Mūsawī (eds.), Tehran, Alburz.

M: al-Ḥasan b. 'Alī, *al-Murshid fī al-Ḥisāb*, Tehran, Kitābkhāna-yi Majlis-i Shūrā-yi Islāmī, Ms. 2154.

SN: 'Abd Allāh b. 'Alī Falak 'Alā Tabrīzī. *Sa'ādat-nāma*, M. Nabipour (ed.), *Die beiden persischen Leitfäden des Falak 'Alā-ye Tabrīzī über das staatliche Rechnungswesen im 14. Jahrhundert*, Göttingen, 1973.

TJ: ʿAlāʾ al-Dīn ʿAṭā Malik Juwaynī (1911), *Tārīkh-i Jahāngushāy*, 3 vols., M. Qazwīnī (ed.), Leiden.

TS: Hindūshāh b. Sanjar b. ʿAbd Allāh Ṣāḥibī Nakhchiwānī (1357/1978-79), *Tajārib al-Salaf*, ʿA. Iqbāl Āshtiyānī (ed.), Tehran, Ṭahūrī.

大塚修・赤坂恒明・高木小苗・水上遼・渡部良子訳注(二〇二二)『カーシャーニー　オルジェイトゥ史——イランのモンゴル政権イル・ハン国の宮廷年代記』名古屋大学出版会。

岩武昭男(一九九二)「ガザン・ハンのダールッスィヤーダ(dār al-siyāda)」『東洋史研究』五〇巻四号。

岩武昭男(一九九四)「ラシードゥッディーンの著作活動に関する近年の研究動向」『西南アジア研究』四〇。

宇野伸浩(二〇〇二)「『集史』の構成における「オグズ・カン説話」の意味」『東洋史研究』六一巻一号。

大塚修(二〇一四)「史上初の世界史家カーシャーニー——『集史』編纂に関する新見解」『西南アジア研究』八〇。

小野浩(一九九三)「「とこしえの天の力のもとに」——モンゴル時代発令文の冒頭定型句をめぐって」『京都橘女子大学研究紀要』二〇。

志茂碩敏(一九九五)『モンゴル帝国史研究序説』東京大学出版会。

髙木小苗(二〇一四)「二つの「ディーワーン」——イルハン国初期のイラン地域支配をめぐって」『多元文化』三。

髙松洋一監修、渡部良子・阿部尚史・熊倉和歌子訳(二〇一三)『マーザンダラーニー著(14世紀)　簿記術に関するファラキーヤの論説』共同利用・共同拠点イスラーム地域研究拠点(東洋文庫)。

本田実信(一九九一)『モンゴル時代史研究』東京大学出版会。

宮紀子(二〇一八)『モンゴル時代の「知」の東西』上・下巻、名古屋大学出版会。

四日市康博(二〇〇二)「ジャルグチとビチクチに関する一考察——モンゴル帝国時代の行政官」『史観』一四七。

渡部良子(二〇一五)「一三—一四世紀イル・ハン朝期イランの徴税制度とバラート制度」近藤信彰編『近世イスラーム国家史研究の現在』東京外国語大学アジア・アフリカ言語文化研究所。

Aigle, D. (2005), *Le Fārs sous la domination mongole: politique et fiscalité, XIIIe-XIVe s.*, Paris, Association pour l'avancement des études iraniennes.

Akasoy, A., Ch. Burnett & R. Yoeli-Tlalim (eds.) (2013), *Rashīd al-Dīn: Agent and Mediator of Cultural Exchanges in Ilkhanid Iran*, London and Turin, Warburg Institute.

Aubin, J. (1995), *Émirs mongols et vizirs persans dans les remous de l'acculturation*, Paris, Association pour l'avancement des études iraniennes.

Biran, M. (2013), "The Mongol Empire: The State of the Research", *History Compass*, 11/11.

Gilli-Elewy, H (2011), "The Mongol Court in Baghdad: The Juwaynī Brothers between Local Court and Central Court", A. Fuess and J.-P. Hartung (eds.), *Court Cultures in the Muslim World: Seventh to Nineteenth Centuries*, London, Routledge.

Hoffmann, B. (2000), *Waqf im mongolischen Iran: Rašīduddīns Sorge um Nachruhm und Seelenheil*, Stuttgart, F. Steiner.

Kamola, S. T. (2019), *Making Mongol History: Rashid al-Din and the Jamiʿ al-Tawarikh*, Edinburgh, Edinburgh University Press.

Lane, G. (2014), "Persian Notables and the Families Who Underpinned the Ilkhanate", R. Amitai and M. Biran (eds.), *Nomads as Agents of Cultural Change*, Honolulu, University of Hawaiʻi Press.

Melville, Ch. (1994), "The Chinese Uighur Animal Calendar in Persian Historiography of the Mongol Period", *Iran*, 32.

Melville, Ch. (2006), "The *Keshig* in Iran: The Survival of the Royal Mongol Household", L. Komaroff (ed.), *Beyond the Legacy of Genghis Khan*, Leiden, Brill.

Minovi, M. & V. Minorsky (1940), "Naṣīr al-Dīn Ṭūsī on Finance", *BSOS*, 10(3).

Mudarris Raḍawī, M. T. (1354/1975-76), *Aḥwāl wā Āthār-i Khwāja Naṣīr al-Dīn Ṭūsī*, Tehran, Bunyād-i Farhang-i Īrān.

Paul, J. (2021), "Remarks on Petrushevskii's Article *K istorii instituta soiurgala*", *JESHO*, 64.

Pfeiffer, J. (1999), "Conversion Versions: Sultan Öljeitü's Conversion to Shiʿism (709/1309) in Muslim Narrative Sources", *Mongolian Studies*, 22.

Pfeiffer, J. (ed.) (2014), *Politics, Patronage, and the Transmission of Knowledge in 13th-15th Century Tabriz*, Leiden, Brill.

van Ess, J. (1981), *Der Wesir und seine Gelehrten: zu Inhalt und Entstehungsgeschichte der theologischen Schriften des Rašīduddīn Fażlullāh (gest. 718/1318)*, Wiesbaden, Franz Steiner.

Watabe, R. (2015), "Census-Taking and the Qubchūr Taxation System in Ilkhanid Iran: An Analysis of the Census Book from the Late 13th Century Persian Accounting Manual *al-Murshid fī al-Ḥisāb*", *Memoirs of the Research Department of the Toyo Bunko*, 73.

Woods, J. (1999), *The Aqquyunlu: Clan, Confederation, Empire*, Salt Lake City, University of Utah Press.

コラム | *Column*

イル・ハン国時代の普遍史の世界認識と ラシード・アッディーン

大塚 修

次頁の図版は、モンゴル帝国時代の西アジアを代表する歴史家ラシード・アッディーン（一二四九―一三一八年）の神学著作『スルターン対話』《マバーヒスィ・スルターニーヤ》（『ラシード著作全集』《マジュムーアイ・ラシーディーヤ》に収録）に付された人類の系図の一部である。ここには、人類の祖アダムから伸びる系図の一本の直線がノアにまで到り、彼の三人の息子（左からハム、セム、ヤペテ）から世界の諸民族が分かれていく、ちょうどその分岐点が示されている。イスラーム教徒の世界認識は、同じ一神教を奉じるユダヤ教徒やキリスト教徒のそれと大枠では共通しており、神の天地創造によって世界は始まり、アダムを始祖とする人類が世界に展開し、終末の日を迎えるという時間の流れの中にある。このような世界認識に基づく、天地創造に始まり著者と同時代にまで到る人類の歴史は「普遍史」と呼ばれている。普遍史は、イスラーム教徒による歴史叙述の中でも中心的な位置をしめ、この形式をとらない文献においても、その世界認識は広く共有されていた。

ただし、イスラーム教徒による普遍史の書き方は一様ではなかった。アラブ人のムハンマド（五七〇頃―六三二年）が始めたイスラーム教は、ペルシア人やテュルク人など様々な人々に受容され、その過程で、普遍史も、それぞれの伝統的な世界認識の影響を受けながら変化を遂げていった。例えば、一神教的世界認識とは異なる文脈にある、カユーマルスを人類の祖とするペルシア人による世界認識が早い段階で受容されており、この人物をアダムに比定する歴史家までもが現れたほどである。このように普遍史はその基本的な枠組みは維持しつつも、地域や時代によって様々な形で受容されてきたが、一三世紀前半、西アジアでは未知の存在であったモンゴル人の登場により、彼らを人類の歴史のどこに位置づけるのかという新しい論点が浮上してきたのである。前述のラシード・アッディーンが一三〇七年に著したペルシア語普遍史書『集史』《ジャーミウ・アッタワーリーフ》は、「中国史」や「フランク史」などが含まれるその特異な構成が注目されがちであるが、普遍史におけるモンゴル人の位置づけを明確に説明したという点でも重要であった。

モンゴル人がイランに建国したイル・ハン国で編纂された普遍史書においても、第七代君主ガザン（在位一二九五―一三〇四年）のイスラーム教改宗以前には、普遍史におけるモンゴル人の位置づけについて説明がなされることはなかった。例えば、現存するイル・ハン国最初の普遍史書であるバイダーウィー（?―一三一六／一七年）著『歴史の秩序』《ニザーム・アッタワーリーフ》では、モンゴル人はアッバース朝時代にイランを支配した諸王朝の最後に数えられているが、その起源に関する説明はなされて

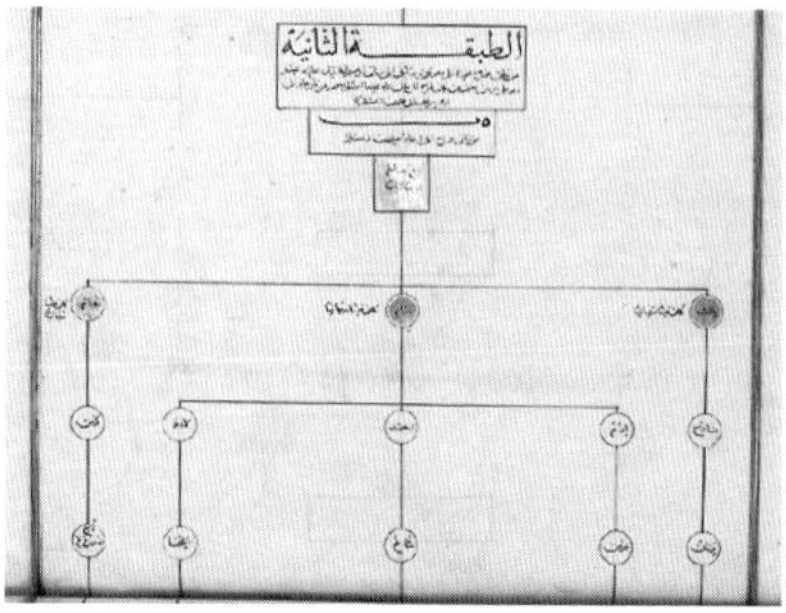

ラシード・アッディーン『ラシード著作全集』(アラビア語版)パリ本(Bibliothèque nationale de France, Ms. Arabe 2324, fol. 266b)

いない。最初にモンゴル人の位置づけを説明したのは、ガザンの即位以降、一三〇〇年にカーシャーニー(?―一三二三/二四年以降)が著した『歴史精髄《ズブダト・アッタワーリーフ》』、そして、それに大きく依拠して編纂された第二巻「世界史」を収録する『集史』であった。両書に含まれる「オグズ史」では、テュルク人のオグズ・ハンなる人物がヤペテの末裔として登場し、その伝説的な事績が説明される中で、テュルク人から分岐した集団としてモンゴル人が登場する。ただし、そこには諸部族に関する詳細な説明は存在しない。これに対して、ラシード・アッディーンは、『集史』第一巻「モンゴル史」の冒頭部において、「オグズ史」の内容を踏まえた上で、詳細なテュルク・モンゴル諸部族の系譜を初めて提示した。ただし、他の世界の諸王朝の多くをもオグズ・ハンの末裔とする特異な説明がなされ、伝統的な普遍史叙述の文脈からは大きく乖離したものであった。そのためか、後世に彼の世界認識がそのまま引用されることはほぼなかった。一方で、一世代後の歴史家ムスタウフィー(?―一三四四年以降)著『選史《ターリーヒ・グズィーダ》』は、テュルク・モンゴル諸部族を既存の普遍史叙述の文脈で説明する形をとっており、こちらの普遍史書の方が後世の歴史家には好まれて頻繁に参照された。

ラシード・アッディーンは普遍史に新しい風を吹き込んだが、それは、内容だけに留まるものではなかった。彼は、冒頭で紹介した系図の他に、『集史』第一巻「モンゴル史」の中に系図を挿入したり、世界の諸民族の系図『族譜《シュアブ》』を著すなど、歴史書の中で文字で説明される情報を、丸と四角と直線を用いて図式化する新しい試みに取り組んだ。この発明には、ラテン語で書かれたポワティエのペトルス(一一三〇頃―一二〇五年)による『キリストの系図』からの影響が指摘されており、これはまさに、モンゴル時代の学知の交流の成果とも言える。このラシード・アッディーンの系図を画期的発明と評価したムスタウフィーは、『選史』の跋文に、これを改良した系図を挿入し、以後、このような系図は歴史書以外の書物にもジャンルを問わず広く用いられていくことになる(例えば、スーフィー教団の道統を示す際にも用いられるようになる)。モンゴル帝国の西アジア支配は、普遍史の内容に対してだけではなく、その描き方にも大きな影響を与えたのである。

焦点 Focus

チベット仏教とモンゴル

中村　淳

はじめに

一二三九年、モンゴル帝国第二代皇帝オゴデイの第二子で旧西夏領に封じられていたコデンがチベットに軍隊を派遣、それに呼応して一二四四年サキャ派の高僧サキャパンディタがチベットを代表して、甥のパクパらを伴いコデンとの会見に赴く。(1) この会見が今日にまでいたるモンゴル・チベット関係史の始まりとされてきたことについては、前回の講座世界歴史で述べたとおりである(中村　一九九七：一二一―一二三頁)。

一、サキャパンディタ以前

ところで近年、内モンゴルのカラホト(黒水城)で出土した西夏文や漢文の仏教文献、台湾の故宮博物院や北京の国家図書館で発見されたチベット仏教文献の漢訳、明代に成立した『大乗要道密集』などの分析を通して、西夏時代にチベット仏教が相当程度に流布していたことが明らかになりつつある(陳　二〇〇三、沈　二〇一七)。こうした研究成果を受けて、一二二七年に西夏はモンゴル帝国によって滅ぼされたのであるから、サキャパンディタ招聘以前にモンゴルがチベット仏教に接触していた可能性は高いと考えられるようになっていた。そして史金波(二〇一五)が、チベットから伝わった白傘蓋経が一二四三年に版刻されチベット語、西夏語、漢語で各一千巻ずつ印刷されたこと、その発願者が他ならぬコデンであることを明らかにした(浜中 二〇一八)。サキャパンディタと会見する前に、コデンが旧西夏領でチベット仏教教団と接触していた物証が見つかったのである。

研究者のなかには、コデンがチベットに派兵して代表者を送るように求めたのは、西夏とチベット仏教との繋がりを引き継ぎ、それを再利用しようとしたからだとする考えもある(Atwood 2014: 22; 沈 二〇一九:一二二頁)。また後述するモンゴル時代の国師、帝師の制度について、その淵源を西夏時代に求めようとする論考も多い。両者がいずれもチベット仏教の高僧が任命されたという共通点があることから導き出された考え方であるが、しかしながら西夏の国師・帝師については具体的なことはほとんど分かっておらず、沈衛栄(二〇一九:一一一、一二七頁)が指摘するように現段階で西夏とモンゴル時代を一律に語ることは控えた方がよい。モンゴル帝国が『遼史』『金史』『宋史』を編纂したものの、西夏については正史を編むことはなかったため、帝国が西夏から何を受け継いだのかについては体系的に知ることが難しい状態にあるなか、慎重に議論を進めていく必要はあろう。比較的資料の多いモンゴル時代におけるチベット仏教の役割を明らかにしていくことで、西夏時代のそれを読み解くきっかけが得られるかもしれない。

西夏の問題についてはさておき、本稿ではモンゴルとチベット仏教の関係について、とくにクビライとパクパを中心に皇帝と国師・帝師の関係を事例として、モンゴル帝国における政治と宗教のあり方を論じる。また、パクパと華北仏教との関係についても言及することとする。

二、クビライとパクパ

大朝国師

一二六〇年に第五代皇帝として即位したクビライは、同年一二月、サキャパンディタの甥パクパを大朝国師に任じて玉印を授け、仏教の統領を命じた。「大朝」とは、一二七一年にクビライが「大元」という国号を建てるまで用いられた漢字の国号である。

そしてじつは、パクパの前にもうひとり大朝国師に任じられた仏僧がいた。それが、カシミール出身の那摩(南無とも)である。那摩の場合は、第四代皇帝モンケに大朝国師として玉印を賜り、天下の仏教を統領するよう命じられた。その事蹟についてはほとんど分かってはいないが、モンゴル皇族の周辺にチベット仏僧とともにカシミール仏僧がいたことは確かである。たとえばマルコ・ポーロの『世界の記』によれば、クビライのかたわらには様々な魔法や魔術に長けた魔術師や占星術師が控えていて、こうした者たちはチベットとかカシミールとか呼ばれる偶像崇拝者であったと記される(高田 二〇一三：一六五頁)。マルコ・ポーロは仏教徒や道教徒のことを偶像崇拝者と呼ぶので、この場合チベットとカシミールの仏僧を指していると判断できる。またイスラームに改宗して一二九五年に即位したフレグ・ウルス(イル・ハン国)のガザン・カンは、キリスト教、ユダヤ教、仏教、ゾロアスター教の宗教施設の破毀を命じ、仏教僧侶については、改宗を受け入れない者をインド、カシミール、チベットに送り返した(本田 一九九一：二二七頁)。カシミール仏僧が西アジアにも活動領域を広げていたことになるが、彼らが帝国の東西で果たした具体的な役割については、那摩のそれと同様ほぼ不明である。

なお那摩の存在は、西夏時代とモンゴル時代におけるチベット仏教の連続性を前提とした議論がいかに安直であり、事実とはかけはなれたストーリーを生み出してしまう危険性があるかを示唆する。

モンケやクビライがなぜカシミールやチベットの高僧を帝国仏教界のトップに据えたのかについては一次史料に明記されておらず、いまだ明らかではないが、その称号が漢字・漢文であることから、モンゴルの支配下に入った中国の仏教界を意識したものであったことは間違いないだろう。

国師としての事績

モンゴル帝国の新たな首都、大都の造営が本格的に始まる一二六七年、国師パクパは、大都の中心的宮殿である大明殿の御座の上に白傘蓋を置き、同時に大都の宮城の正面玄関にあたる崇天門に金輪を置くように進言する。これは皇帝クビライを、仏典に現れる理想的帝王である転輪聖王の最高格、金転輪聖王として位置づける作業の一環であった(Franke 1994: 54-61; 石濱 一九九六、中村 一九九七：一三五―一三六頁)。

またよく知られるパクパ文字については、一二六九年二月にその頒行が公式に宣言され、同年七月には諸路に教育機関である蒙古字学が立てられる(パクパ文字は当時、蒙古字、国字などと称された)。同年一二月には完成間もない太廟で一週間、昼夜を分かたず仏事が挙行されるのだが、このときその仏事を執り行なうようクビライに命じられたのは国師パクパであった。さらに翌一二七〇年一〇月には、クビライは宗廟の祭祀の祝文を国字すなわちパクパ文字で書くことを命じる。パクパ文字はもともと璽書、すなわちカアンの玉璽を捺した命令文を記すための文字として作製されたものであったが、こうした事例のほかにも帝師・国師印の印文などにも用いられた実例が示す通り、その向こうに存在する権力、権威を象徴する文字として広く使用されることになった。

以上のような事例から、クビライは即位当初より国師パクパに、自らの皇位の正統性や王権を目に見える形で表象、具象する施策を委ねたと言うことができよう。なお、右に見た一二六七年から七〇年前後という時期は、大都の建設

(一二六七年―)、南宋遠征(一二六八年―)、行政文書の書式の統一と文書行政の推進(一二七〇年)、国号「大元」の採用(一二七一年)など、南宋領接収を前提としたクビライによる新国家の建設作業が一気に加速した時期にも当たる。のちに見るパクパの帝師任命(一二七〇年)、クビライを金転輪聖王として表現する白傘蓋の大法要の開始(一二七〇年)、白傘蓋仏事の拠点でありまた歴代帝師の居所となる大護国仁王寺の起工(一二七〇年)も、同様の文脈のうちに捉えることができよう。

国師パクパと華北仏教

中華の世界にクビライが皇帝として立ち現れると同時に、仏教界ではチベット仏教の高僧パクパが国師として君臨することになるのだが、では在地の中国仏教との関係はどのようなものであったのか。(2) 筆者らが初めて紹介した高さ約四メートルにもおよぶ「少林寺聖旨碑」には、モンゴル語と対訳漢文合璧のクビライ聖旨が二通刻まれる(中村・松川 一九九三)。聖旨とは皇帝のおおせ(モンゴル語でジャルリク)を指し、モンゴル支配領域においては何にも増して絶対的な権威を有した。そしてこの二通の聖旨によって、在来の華北仏教とパクパとの関係の一端が初めて明らかになったのである。

最初の一通は『世界史史料4 東アジア・内陸アジア・東南アジアII 一〇―一八世紀』(岩波書店、二〇一〇年)でも紹介したが、その内容は、①雪庭福裕をはじめとする五人の高僧らに、パクパのもとに漢地のすべての仏僧たちを率いて、釈迦牟尼の道によって天を祈って我々に祝福を与えるよう、(3) ②仏僧たちのかかわることはすべてパクパの言葉によって雪庭福裕ら五人の長が解決するよう、③仏僧たちは五人の長たちの言葉によって経の決まりを違えず正しく行うよう命じたものである。

この聖旨は一二六一年六月一日付けで、つまりパクパが国師に任命されて半年後に発令されたものである。まだ南宋領の接収(一二七六年)前であるから華北が対象となろうが、五人の筆頭にあがる雪庭福裕とは曹洞宗の高僧で、たとえば一二七一年に天下の仏僧を大都に集めたところ、その法統を嗣ぐ者が三分の一を占めたとも伝えられる華北仏教界の大立者であった。本聖旨の文脈から当時、華北の仏僧たちの上位に福裕をはじめとする五人の高僧が位置し、さらにその上に仏教界最高位の大朝国師の地位にあったパクパが位置づけられたことがわかる。

二通目は一二六八年一月二五日付けで、少林寺の住持であった足庵浄粛に宛てたものである。その内容は、①浄粛が河南に属する仏僧のトップとなるよう、②仏僧たちのかかわることはすべてパクパの言葉によって、経の決まりどおり浄粛が正しく解決するよう、③仏僧たちは浄粛の言葉によって経の決まりを違えず正しく行うよう命じたものである。当時、クビライは河南の仏僧を浄粛が管轄するよう命じ、その上に国師パクパを位置づけたことがわかる。じつはパクパは一二六四年のはじめにクビライのもとを去り一時チベットに帰っており、ふたたびクビライのもとに戻るのがこの年なのであった。

このように少林寺聖旨碑に刻まれた二通のクビライ聖旨からは、華北仏教あるいは河南仏教をそれぞれ中国仏教の高僧を媒介としてパクパが統領した姿を抽出することができる。そしてこれらの聖旨は、パクパの国師就任と帰還のタイミングにあわせて出されたものと考えられるのである。

さらにこれら二通の聖旨からは、一通目の一二六一年から二通目の一二六八年までの間にパクパの権限が強化されたことがわかる。一通目には、もし福裕ら五人の長たちが道理なきことをすれば「我々に示せ。どのように言っても我々はわかるのだぞ」とあるのに対して、二通目の内容が並行する箇所では「パクパに示せ。彼らを争わせてどのように間違いを言うにしても(?)、パクパが知るようにせよ」とある。つまり華北の仏僧の長に任命された福裕以下五人の僧侶たちが、また河南の仏僧の長に任命された浄粛が不当な行為を犯した場合、前者(一二六一年)では我々すなわちクビライをはじめとする為政者モンゴル側が関知するのに対して、後者(一二六八年)の段階ではパクパに一任されているのである。第二通は河南に限定した話しではあるが、パクパの権威のおよぶ範囲が縮小したことを示すわけではない。たとえば、山東にある霊巌寺は少林寺とならぶ曹洞宗の巨刹であるが、一二六九年すなわち二通目のクビライ聖旨が出された翌年にパクパが法旨によって同寺の住持を任命したことが分かっている。皇帝の聖旨に対して法旨とは国師・帝師クラスのチベット仏僧が発令した命令(文)のことである。ほかに諸王のそれは令旨、皇太后・皇后は懿旨と言ったのだが、皇族でない国師・帝師が同種の法旨を出せたことは、それ自体がそれらの特別な地位を表しているとと言える(中村 一九九九b)。

帝師パクパ

一二七〇年、パクパはクビライによって帝師に升号され、玉印を賜りひきつづき仏教の統領を委ねられる。(4) その地位にはパクパ以後もサキャ派の高僧が任命されていき、字義通りには「帝王の師」もしくは「皇帝の師」を意味する帝師は、モンゴル帝室によるチベット仏教崇拝を象徴するもののひとつとして注目されてきた。パクパ自身は一二七四年にチベットに帰り、その際、帝師号は異母弟のリンチェンギェンツェンに引き継がれる。(5) 私たちは序数を付して彼を第二代帝師とし、以後も歴代の帝師を第三代、第四代と数えている。しかしながらクビライのあとに即位した皇帝テムルが一三〇四年にジャムヤン・リンツェンギェンツェンを六番目の帝師に任命した聖旨には、クビライがパクパを帝師に任じたことを明記したあと、パクパに替わって仏僧を管領せよと命じる。その聖旨に、私たちがいう「第五代」の帝師の名はない。つまり皇帝と帝師との関係とは、あくまでクビライとパクパの間に成立したそれをそのままに継承するものである、という意識が存在したのである。また現任の帝師が存命中に皇帝が死去するなどして替わった場合、新皇帝があらためて帝師を任命し直す事例が確認できる。クビライとパクパとの間に築かれた「皇帝とその師」という関係をふたたび築き直したものと考えられる(中村 二〇一〇:五五—五九頁)。

なおこの関係は、アルタン・ハーンや順治帝、康熙帝、乾隆帝と歴代ダライラマとの間で再演されていったことは、石濱裕美子の研究によりながら前稿で述べたとおりである(中村 一九九七:一四〇–一四三頁)。クビライとパクパの記憶はモンゴル時代を超えて、中央ユーラシア世界にながく受け継がれていくのである。

三、神御殿をもつチベット仏教寺院

大護国仁王寺と帝師

歴代の帝師は皇帝とともに、冬の都である大都(一二七二年までは中都と呼ばれた)と夏の都である上都(一二六三年までは開平府)の間を季節移動した(中村 二〇一〇:四九–五〇頁)。大都においては、チベット語で me tog ra ba'i sde chen po(花園の大寺)と呼ばれた大護国仁王寺を拠点とする。同寺はクビライの命によりその正后チャブイによって建立されたものであり、パクパが帝師に任命された一二七〇年に起工、一二七四年に竣工した。工事監督は、パクパの弟子で元代随一の工芸家として知られるネパール出身の阿尼哥が担った。べつにクビライの命を受け阿尼哥は大都の大聖寿万安寺の建立をも担当しているのだが、同寺は妙応寺として北京に現存し、ひときわ目を引くチベット式の白塔にちなんで元代から現在にいたるまで白塔寺と称される。大護国仁王寺に納められた仏像はチベット仏教様式であると考えられ、また同寺にそびえ立っていた塔も阿尼哥によるものである以上、チベット仏教様式であったであろう。

大護国仁王寺では一二七〇年より、帝師が主導する白傘蓋の仏事が行なわれた。毎年二月八日、同寺には大明殿から白傘蓋を迎え二万人前後の儀仗、楽隊とともに宮城内外を巡行、一五日に宮城の大明殿に入り皇帝、皇后の前で仏事が営まれた。大護国仁王寺の境内には全国から多数の商人と商品が集まり、また歌舞・演芸を楽しもうとする后妃、諸王をはじめ数多くの人々が参集したという。白傘蓋の仏事の目的は、皇帝を金転輪聖王として位置づけること、衆生の不祥を払って福祉を導くことであった。鎮護国家の意味が込められたこの仏事は、パクパが帝師に任じられ大護国仁王寺が起工された年に始まったのである。

なお二月八日に都市で仏像を迎える儀式自体は、すでに古代インドの多くの地域で行なわれており、中国では魏晋南北朝時代以降、遼・金代にも確認できるのだが(乙坂 二〇一七：四九七頁、倉本 二〇二〇：二一六—二九四頁)、クビライとパクパの時代にはじまった白傘蓋の仏事にはチベット仏教の要素がさまざまな形で看取できることに大きな歴史的意義が認められるのである(中村 一九九三)。

勅建寺院と神御殿

ところでクビライ期以降、大都およびその郊外には歴代皇帝の命令によって仏教寺院が建立され、そこに土地を中心とする莫大な寺産が寄進された。そしてこうした寺院には神御殿(影堂とも)が設けられ、そこには建立を命じた皇帝とその皇后の御容(肖像)がその死後に納められる[**表1**]。ただし直系の子孫が皇位継承争いに敗れた場合はその限りではなく、たとえば泰定帝イスン・テムルの死後、その子天順帝アリギバは政争に敗れ、両者には廟号が贈られなかったばかりか、イスン・テムルの御容が祀られてしかるべき大天源延聖寺には勝者となった明宗コシラ夫妻の御容が納められた。

こうした寺院を建てる際には既存の勅建寺院にそのひな形を求め、帝師の指導のもとに仏像、仏画、幡竿などが作製されており、その原型は大護国仁王寺にあったと考えられる。また大聖寿万安寺が白塔寺、大永福寺が青塔寺、大天源延聖寺が黒塔寺と、それぞれ寺院に建てられた塔の色にちなむ俗称を有しているが、大聖寿万安寺がそうであったように、おそらくすべてがチベット式の仏塔を備えるなどチベット仏教色に彩られた寺院であった可能性が高い。

神御殿に納められた御容については、クビライやチャブイらのそれは阿尼哥の手によるものであり、その作製にはチ

表1　おもな勅建寺院と神御殿一覧

寺名(通称)	建立者	竣工年	神御殿被祀者
大護国仁王寺(鎮国寺)	皇后チャブイ	1274	チャブイ
大聖寿万安寺(白塔寺)	世祖クビライ	1288	クビライ チャブイ
大天寿万寧寺	成宗テムル	1305	テムル，后
大崇恩福元寺	武宗カイシャン	1312	カイシャン，后
大永福寺(青塔寺)	仁宗アユルバルワダ	1321	英宗シディバラ，后
大天源延聖寺(黒塔寺)	泰定帝イスン・テムルが改名	(隋代)	明宗コシラ，后
大承天護聖寺	文宗トク・テムル	1329	トク・テムル，后

ベット原産の材料が必要とされた。そしてこれらの勅建寺院では常祭(毎月一日、八日、一五日、二三日)のほか、節日および被祀者の命日に祭祀が行なわれ、釈迦の降誕を祝す四月八日の浴仏会、釈迦が悟りを開いた一二月八日の成道会などもすべて帝師が中心となって執り行なわれた。こうして神御殿が設置された勅建の仏教寺院は皇帝が代を重ねるごとに増えていき、大都をチベット仏教独特の雰囲気に包み込んでいったのである。見る者をして王権とふかく結びついたチベット仏教の存在をつよく認識させたことであろう。

また勅建寺院にはのちに御容が納められることになる皇后を中心に広大な土地が寄進され、そこから上がる収益は寺院の経営や祭祀の費用に充てられた。こうした寺産は永業とか恒産と呼ばれて朝廷からの保護を受けたのだが、大護国仁王寺をのぞくと他の寺院の寺産は大都地区にはほとんど確認されず、金と南宋が対立していた際に緩衝地帯となっていた黄河もしくは淮河と長江との間に挟まれた地域に集中しているという特徴がある。旧金領はオゴディ、旧南宋領はクビライのときにそれぞれチンギス・カン一族や功臣に分配されたのだが、その残りの部分に寺産が設定されたということなのであろう。

さて『元史』によると、紅巾の乱に加え飢饉が起こるなか、順帝トゴン・テムルが一三六〇年にそれでも神御殿の祭祀は太廟のそれと並んで祖先の恩に報いる大事であるとし、減っていた祭祀の回数をもとに戻すよう詔を下していることがわかる。しかしながら明の軍勢が大都に迫る一三六八年六月、雷が大聖寿万安寺に落ち、同寺は全焼する。もちろんクビライの御容を祀っていた神御殿も焼け落ちたことであろう。その翌月、トゴン・テムルは大都を放棄して北行、八月に大都は陥落する。明初に成立した『元史』は、これをもって「国亡ぶ」とする。事実としてトゴン・テムルは存命中であり、彼の死後はその子トグス・テムルが皇位を継承するのだが。大聖寿万安寺が落雷により焼失したという記事は、それが事実かどうかは別として、明側としてはモンゴルの命運が尽きたことを象徴する事件として記したかったのであろう。その存在の重要性が明にもじゅうぶんに認識されていたことを示す(中村 一九九九a)。

仏典の翻訳・印刷センター

ウイグル文のトゥルファン文書から *Mañjuśrīnāmasamgīti* という仏典の版本の断簡がいくつも発見されているが、そのなかの一つ TM 14(U 4759)は、奥書から壬寅年すなわち一三〇二年にカルナダスという人物によって「大都にある白塔をもつ大寺において taydu-taqï aq stup-luγ uluγ vxar-ta」翻訳されたものであることが分かっている。ここに見えるカルナダス(迦魯納答思)は『元史』巻一三四に立伝されるウイグル人であり、同伝によれば国師パクパについてチベット語を習い、チベット語やインド語の経論をウイグル語訳し、それらはクビライの命により木版印刷に付され、頒布されたという(森安 二〇一五:五二三—五二五頁)。このトゥルファン文書にみえる「大都にある白塔をもつ大寺」とは、白塔寺の異称をもつ大聖寿万安寺を指すと考えて間違いはない。

また近年、チベット自治区の諸寺から元代に版刻されたチベット仏典が八件、発見されたという報告がなされている(西熱桑布 二〇〇九、熊文彬 二〇〇九)。それらの奥書には、たとえば「大宮城大都の青い仏塔で書き、白い仏塔で成就した好事 pho brang chen po ta'i tu'i mchod rten sngon por bris/ mchod rten dkar pos grub pa dge'o// 」(二件)であるとか、印刷した場所を「鎮国寺の大寺 tshen hō gsi'i sde chen po」(一件)と明記するものがあるという。「青い仏塔」

は青塔寺の異名をもつ大永福寺、「白い仏塔」は大聖寿万安寺、そして「鎮国寺」という漢字を音写した上で改めてチベット語で「大寺」と記されているのは、大護国仁王寺にほかならない。いまのところ四つの事例しかないものの、勅建寺院は仏典を翻訳・印刷するセンターの役目を持っていたとも考えられるのである。またこれらの元版チベット語仏典の内容はいずれも、仏教が豊饒であるようにと祈るとともに、皇帝・皇太子を始めとするモンゴル皇族の安寧・長寿を祈願する。勅建寺院の寺名に用いられた漢字にも同様の意図があったと考えられよう。

なお、こうした仏典の発願者・施主は、チャブイをはじめとする女性皇族ばかりである。寺産の寄進者にも同じ傾向が看取され、こんご女性という視点からアプローチをしていくと、またあらたな史実が明らかになることが期待される(中村 二〇一三：一七一一八頁)。

おわりに

チベット仏教を始めとする諸宗教とモンゴルの関係については、ここ三〇年あまりの間に急速にその実態が明らかになってきた。

一三—一四世紀のモンゴル時代にあっては、モンゴル皇族たちのなかには特定の宗教・教派に傾倒する者もあったが、とくに皇帝その人、あるいはその地位に近い者ほど、種々の宗教・教派とは適度な距離を置く。あるいは、そうした姿勢が求められた。歴代の皇帝がチベット仏教以外の仏教諸派、イスラーム教、キリスト教、道教にも一定の理解を示し、保護したことが知られている。少林寺聖旨碑に明記されていたように、皇帝が宗教に求めたのは、それぞれの経典・儀礼によりながら「我々」のために天に祈ることのできる特殊な技能を持った人と集団であった。それは、天こそがチンギス・カン一族に世界の支配を保証する存在であったからである。ムスリムがアッラーと呼び、キリスト教徒がヤハウェと呼ぶ存在は、モンゴルからすれば自らが信仰するテングリ(天)そのものであると理解したと考えられる。モンゴル帝国は統治下の人々の信仰に寛容であったと言われるが、その理由はじつに単純なものであった。

とりわけモンケとクビライの治世はそれまでに比して、モンゴル王権側が宗教界との距離を急速に縮めた時代であった。これらふたりの皇帝は、各宗教の高位のあるいは優れた聖職者、知識人に対して、那摩やパクパに対してもそうであったように、その権威の裏付けとして聖旨や称号、印をしばしば賜与している。そうした例は道教やキリスト教においても確認でき、モンゴル帝国の皇帝という絶大な権威によって統率者に任じられた人物を中心に、宗教界の再編成や一層の教団化などの新たな動きが帝国中で一斉に進行することになった(中村 二〇〇八)。その結果、帝国全土でチンギス・カン一族のためにテングリを祈るシステムができあがっていったのである。現代を生きる私たちには政治が宗教を利用したとも見えるが、そこにモンゴルによる純粋なテングリ信仰を看て取ることもできよう。

本稿では、筆者に与えられたテーマであるチベット仏教との関係を中心に取り上げたが、たとえば大護国仁王寺以外の勅建寺院については、その住持に任命された人物として分かっているのは律宗や華厳宗をはじめとする中国仏教の高僧や高麗の仏僧であり、チベット仏僧はひとりも確認されていない(陳 二〇一〇)。大都地区に建立された勅建寺院における住持の宗派をめぐる多様性は、チベット仏教、中国仏教、高麗仏教、さらにはウイグル仏教や西夏仏教が、モンゴルのもとでどのように「共存」していたのかを知る大きな手がかりになる可能性を明示する。仏教の諸宗派がどのようにモンゴル時代という時を共有したのか、またそもそもなぜクビライはチベット仏教を、それもサキャ派のパクパを抜擢したのか。いずれも今後の課題である。

注

(1) 一三世紀初頭、イスラーム勢力の侵攻によりインドで仏教は絶える。一二〇三年にはヴィクラマシーラ寺院最後の学頭シャーキャシュリーバドラがサキャに亡命し、その結果としてクンガギェンツェンに比丘戒(出家者が守るべき戒律)を授けることとなった。クンガギェンツェンはのちにサキャ派を代表する学僧となり、サキャパンディタ(サキャの大学者)と称されるに到る(熊谷二〇二二：一九四頁)。サキャパンディタはインドにおける仏教の最終形態を伝授されたわけであり、まさにチベットを代表するにふさわしい人物であったと言えよう。

(2) 中村(一九九九b)参照。なお中村(二〇二二)は、中国本土で存在感を大きく高めたチベット仏教と在地の中国仏教との関係について、南宋最後の皇帝趙顕という人物の生涯を介してその一端を紹介したものである。あわせて参照されたい。

(3) トルコ語、モンゴル語のテングリ t(e)ngri という単語は、漢文では「天」と訳される。モンゴルの草原に立つと、真っ青な空つまり天がドーム状に大地を覆っていることに気付かされる。トルコ系、モンゴル系の遊牧民には古来、テングリ(天)こそがすべてを決定する、すべてにおいて従うべき、従わざるを得ない唯一絶対の存在であるとする信仰が存在した。モンゴル帝国においてもチンギス・カンとその一族は、テングリの加護のもと全世界の支配を認められたのだと考えていた。

(4) 現存する帝師の玉印には、パクパ文字漢文で「大元帝師統領諸国僧尼中興釈教之印」と刻まれている。ただしパクパの帝師任命は、「大元」という国号が建てられる一二七一年の前年である。任命時にパクパに賜与された玉印には、パクパ文字で「大朝帝師云々」と刻まれていたはずであり、そうした印そのものやまた捺印された文書などが発見される可能性がある(中村二〇一〇：四九頁注四五、五七頁注七三)。

(5) パクパが一二六四年にクビライのもとを去った際は、国師の位を辞してはいない。帝師の場合、パクパのほかにも、第三代帝師ダルマパーラクシタがチベットへ戻る際にその位を退き、生前に第四代帝師が任命されている。国師より帝師の方が上位であったことは間違いないが、その職掌の違いについてはいまだはっきりとはしていない。ただ帝師とは、その名の通り皇帝に近侍していることが求められる存在だったのであろう。

参考文献

石濱裕美子(二〇〇一)『チベット仏教世界の歴史的研究』東方書店。

乙坂智子(二〇一七)『迎仏鳳儀の歌』白帝社。

熊谷誠慈(二〇二二)「インド仏教中観派のチベットへの展開」岩尾一史ほか編『チベットの歴史と社会 上(歴史篇・宗教篇)』臨川書

店。

倉本尚徳(二〇二二)『儀礼と仏教』臨川書店。

高田英樹(二〇一三)『マルコ・ポーロ ルスティケッロ・ダ・ピーサ 世界の記――「東方見聞録」対校訳』名古屋大学出版会。

中村淳(一九九三)「元代法旨に見える歴代帝師の居所――大都の花園大寺と大護国仁王寺」『待兼山論叢』二七号(史学篇)。

中村淳(一九九七)「チベットとモンゴルの邂逅――遥かなる後世へのめばえ」杉山正明編『岩波講座 世界歴史11 中央ユーラシアの統合』岩波書店。

中村淳(一九九九a)「元代大都の勅建寺院をめぐって」『東洋史研究』五八巻一号。

中村淳(一九九九b)「クビライ時代初期における華北仏教界――曹洞宗教団とチベット仏僧パクパとの関係を中心にして」『駒沢史学』五四号。

中村淳(二〇〇八)「2通のモンケ聖旨から――カラコルムにおける宗教の様態」『内陸アジア言語の研究』二三号。

中村淳(二〇一〇)「モンゴル時代におけるパクパの諸相――大朝国師から大元帝師へ」『駒澤大学文学部研究紀要』六八号。

中村淳(二〇一三)「元代大都勅建寺院の寺産――大護国仁王寺を中心として」『駒澤大学文学部研究紀要』七一号。

中村淳(二〇二一)「南宋最後の皇帝とチベット仏教」櫻井智美ほか編『元朝の歴史 モンゴル帝国期の東ユーラシア』勉誠出版。

中村淳・松川節(一九九三)「新発見の蒙漢合璧少林寺聖旨碑」『内陸アジア言語の研究』八号。

浜中沙椰(二〇一八)「モンゴル時代におけるチベット仏教信仰に西夏が与えた影響――コデン統治下における白傘蓋経の刊行を通して」『日本西蔵學會々報』六四号。

本田実信(一九九一)『モンゴル時代史研究』東京大学出版会。

森安孝夫(二〇一五)「元代ウイグル仏教徒の一書簡――敦煌出土ウイグル語文献補遺」同著『東西ウイグルと中央ユーラシア』名古屋大学出版会。

史金波(二〇一五)「西夏文『大白傘蓋陀羅尼』及発願文考釈」『世界宗教研究』二〇一五年六期。

史金波(二〇一六)「涼州会盟与西夏蔵伝仏教――兼釈新見西夏文『大白傘蓋陀羅尼』発願文残葉」『中国蔵学』二〇一六年二期。

沈衛栄(二〇一七)『蔵伝仏教在西域和中原的伝播――《大乗要道密集》研究初編』北京師範大学出版社。

沈衛栄（二〇一九）『大元史与大清史——以元代和清代西蔵和蔵伝仏教研究為中心』上海古籍出版社。
西熱桑布（二〇〇九）「蔵文《元版》考」『中国蔵学』二〇〇九年第一期。
陳慶英（二〇〇三）「《大乗要道密集》与西夏王朝的蔵伝仏教」『賢者新宴』三。
陳高華（二〇一〇）「元代大都的皇家仏寺」『元朝史事新証』蘭州大学出版会。
熊文彬（二〇〇九）「元代皇室成員施刊的蔵文仏経」『中国蔵学』二〇〇九年第三期。

Atwood, C. P. (2014), "The First Mongol Contacts with the Tibetans", Roberto Vitali (ed.), *Trails of the Tibetan Tradition: Papers for Elliot Sperling*, Dharamsala: Amnye Machen Institute.
Franke, H. (1994), "From Tribal Chieftain to Universal Emperor and God: The Legitimation of the Yüan Dynasty", *China under Mongol Rule*, Hampshire: Vermont.

集点 Focus

モンゴルの東南アジア侵攻と「タイ人」の台頭

渡邊佳成

はじめに

東南アジア古代史の大家であったセデスは、アンコール、パガンなどのインド化された国々が衰退の兆しを見せ始め、一三世紀後半のモンゴル軍の雲南、東南アジア侵入とそれにともなう「タイ人」の勢力勃興によって、それらの国々が衰退していったことを「一三世紀の危機」と呼んだ(セデス 一九八〇:一四五―一六五頁)。[1]

それ以降、一三世紀を「古典期」国家の終焉とみなす時代区分が定着していったが、各王国の研究の進展、モンゴルの動きと「タイ人」の活動に関する新知見などにより、この分期について見直しが必要となっている。

一〇世紀以降の東南アジア大陸部の歴史を政治、文化、経済の集権化への大きな流れの中で捉えようとするリーバーマンは、一三世紀ではなく、一三世紀後半から一四世紀を歴史の転換点とする。一〇〇〇年前後から一二五〇／一三〇〇年の間にパガン、アンコール、大越(ベトナム)など、その後の時代の模範となるような国家(憲章国家)が繁栄し、一四〇〇年にかけてすべてが崩壊していったとする。崩壊の要因としては、国力や民衆の疲弊、寄進地の増加(土地、人ともに免税)による財政の悪化などの内的要因のほか、モンゴル軍の侵入による大理、パガンの瓦解とそれにともなう「タイ人」の南進、洪水、干ばつなどの気候変動にともなう経済の不振、社会の動揺などが強調されている(Lieberman 2003: 25, 240-241; 2011)。

一方、元史などの漢籍史料に加えて新出の墓誌やタイ語年代記などを使って、ビルマ北部やタイ北部における「タイ人」の諸王国の出現とモンゴルの東南アジア侵攻との関係を分析したダニエルスは、「タイ人」の「沸騰」(Cœdès 1968: 189-191)についてのリーバーマンの議論に賛同しつつ、モンゴルが新しい軍事・行政モデルを提供し「タイ人」の国の創出に寄与したという主張(Lieberman 2003: 241)を否定し、「タイ人」の主体性を強調している(Daniels 2018)。

本稿では、こうした議論が前提とするモンゴルの侵攻が諸地域に与えた影響を再考し、新来の「タイ人」の勢力台頭についても検討を加えていきたい(桃木 二〇一九)。

一、モンゴルの東南アジア侵攻

雲南

一二五二年、モンケ(憲宗)は、南宋を攻略するにあたって、四川、広西の側面から江南をうかがうために、クビライに雲南の大理国討伐を命ずる。雲南の戦略的位置を認識していたクビライ自身の発案であるとも言われている。一二五三年、ウリャンカダイ(兀良合台)指揮下のモンゴル軍は雲南に入り、一二月には大理を平定する。国王段興智は東に逃れるが、昆明で捕らえられ、雲南の大半はモンゴルの支配下に入ることになる。一二五六年、段興智は地図を献じて諸部を平定することを求めた。モンケは大いに喜び、段興智にマハーラージャ(大王)を称することを認め、ウリャンカダイ軍の前鋒として、未だ降伏していない諸族の攻略、ベトナム遠征などに参戦させることとした。以後、段氏一族は、大理を拠点として復権を果たしていく。

その後、モンゴルの雲南支配は南宋攻略の前線基地という性格に加えて、ビルマ、北タイ方面への勢力拡張の拠点としての意味を併せ持つと同時に、クビライ家の私領としての側面をも有するという複雑な様相を帯びてくる。一二六七年、クビライは第五子のフゲチ(忽哥赤)を雲南王に封じ、雲南統治を任そうとするが、一二七〇―七一年には、雲南における軍権を侵されることを恐れた雲南三十七部都元帥のバハー・アッディーン(寶合丁)によって謀殺されてしまう。

一二七三年一月、五年ちかくの攻防戦の末に南宋の拠点、襄陽を陥落させたクビライは、混乱した雲南支配の立て直しのため、同年閏六月に雲南行省の設置の命を下し、重臣のサイイド・アジャッル(賽典赤)に雲南統治の整備を命じる。サイイド・アジャッルは、グユク王家のトゥクルク(宗王脱忽魯)らを懐柔することに成功し、万戸、千戸の制を改めて路、府、州、県の導入に尽力し、行政の中心を大理から昆明に移した。大理を中心とする雲南西部は、段氏の段実を大理総管として一定の権利を認めることとなった(松田 一九八〇、林 一九九六)。

しかし、一二七九年にサイイド・アジャッルが没すると、いくつかの権力が重複錯綜するようになる。雲南行省ではサイイド・アジャッルの息子のナースィル・アッディーン(納速剌丁)が統治を進めていったが、一方で、フゲチの子エセン・テムル(也先帖木児)が雲南王位を襲封する。雲南王と雲南行省という二つの権力が併存し、さらに雲南西部には段氏の勢力が一定程度権力を有するという二重、三重の指揮命令系統が存する事態が発生する。こうした錯綜状態を整理するべく、クビライは一二八五年に雲南王エセン・テムルに議せずに事を行うことを禁じる旨勅諭し、軍政上は、エセン・テムルの監督権限が雲南行省よりも上位にあることを確認している(元史巻一三至元二二年十月乙巳)。

さらに一二九〇年には、故皇太子チンキムの長子カマラ(甘麻剌)が梁王に封ぜられ雲南へ出鎮することが決定し、その後一二九三年にはカマラの長子、松山が梁王を継ぐこととなる。牛根は詳細は不明としながら、梁王出鎮後、雲南王エセン・テムルが担っていた役割は梁王松山に移行したと述べている(牛根 二〇〇八:九二―九三頁)。両者の関係は不明であるが、行省は二人のモンゴル王の行動に干渉できなかったようで、モンゴル軍のビルマ侵攻には、中央の命にしたがって計画的に行われている部分と雲南に拠点を持つ諸々の軍が規律なく個別に行動している部分が見られる原因がここにあると思われる。

ベトナム（大越）とチャンパー（占城）

モンゴルによるベトナム、チャンパーへの侵攻については、元史などの中国側の史料、大越史記全書などのベトナム側の史料を駆使した詳細な研究が山本によって行われている（山本 一九五〇、一九七五）。また、「アジアの元寇」についての研究の進展によって、チャンパー侵攻の目的、主導者などについても新たな知見が得られている（村井 二〇二一、向 二〇一三、二〇二二）。

一二五七年、ウリャンカダイ指揮下の雲南のモンゴル軍は、ベトナム経由で南宋を攻めんとして紅河の北岸まで進出し陳朝の軍を破り、国都の昇竜城（ハノイ）を陥れる。陳朝の太宗（皇帝在位一二二五―五八年、上皇在位一二五八―七七年）は都から逃亡して抵抗を続けるが、結局、モンゴル軍の要求を受け入れ朝貢の使節を派遣した。

一二六〇年、クビライが雲南経由で使者を派遣して即位の旨を伝えると、陳朝は三年一貢を申し入れた。これを受けて、クビライは一二六一年七月に太宗を安南国王に封じた。さらに、服属の証として象、秀才・工匠人などの貢物を送るよう要求した。また、たびたび国王自身による朝貢を求め、一二六七年には、君長が自ら入朝すること、子弟を質となすこと、民数を編んで戸籍を作ること、軍役を出すこと、税賦を輸納すること、ダルガチ（達魯花赤）を置いてベトナムを統治することの六箇条を求めた（元史巻六至元四年九月庚戌）。ダルガチという目付役を常置し、王自身のモンゴル宮廷への入朝や軍事作戦への参加を求めるというクビライの要求は、モンゴル帝国では常識的なものであったが、要求された陳朝のほうは、朝貢はするものの、上皇の名義で元と通交する仕組みを使い国王入朝の要求を回避し、クビライの詔勅は立ったまま受け取るなど、外交による国体維持に努めていた(桃木 二〇〇一：一八三頁、二〇一一：一四五—一四六頁)。

元は中国本土の平定が一段落すると、南海諸国との貿易およびその招降に力を注ぐようになる。一二七八年、泉州行中書省のソード(唆都)、蒲寿庚などに命じて「東南島嶼」の方面の諸蕃国の来朝を促し、往来互市をすすめることにし、一〇カ国に璽書を送った結果、一二七九年にはチャンパーの使者が南インド東岸のマァバル(馬八児)などの国の使者とともに来朝し、珍しい貨物や犀象を献じた。ソードや蒲寿庚らの福建を拠点にする勢力は、さらに南インド西岸のクーラム(倶藍)などに対して使者を送ろうとしたが、クビライは地方の先走りを許さず、中央政府が直接この問題を処理することとし、チャンパー王に自ら来朝することを要求した。

そして、元が暹国(アユタヤー)[2]やマァバルに派遣した使者の海船がチャンパーの港で捕らえられる事件が起こると、一二八二年末にクビライはチャンパーへ兵を派遣した。占城行省のソードの軍を中心に、淮浙・福建・湖広の軍、海船一〇〇艘、戦船二五〇艘を派遣、その際、陳朝には軍の経由地として「道を仮す」ことと軍糧の供給を要求するも、陳朝は拒否。その結果、水軍は広東を出発して直接チャンパーの海港(現在のクイニョン)へ向かい、一二八三年初めには総攻撃を開始した。チャンパー王が都のヴィジャヤを捨ててゲリラ戦を展開すると戦線は泥沼化し、クビライはさらなる軍を派遣するが一部は暴風に遭い船が離散し大打撃を被る。

こうした膠着状態を打開するために、クビライは一二八四年、鎮南王トゴン(脱歓、クビライの庶子)に命じてチャンパーを討つこととした。トゴンの軍は陸路、湖南省、広西省経由でベトナムに入り、一二八五年初めには陳朝の国都を占領することに成功する。聖宗(皇帝在位一二五八—七八年、上皇在位一二七八—九〇年)は紅河デルタ南部に逃れて抵抗を続けた。ベトナム・チャンパーの中間に留まっていたソードの元軍も北上しこれらを追尾するが、同年五月頃には形勢が逆転し、ベトナム側が攻勢に転じて、最終的にはトゴンの軍はハノイから撤退を余儀なくされ、取り残されたソードは敗死した。または捕らえられて処刑されたともされる。

一二八七年、クビライは再びトゴンに命じてベトナム遠征の準備を始めさせ、一二八八年初めにはハノイに進軍した。聖宗父子はハノイから逃れ、再びゲリラ戦を遂行しつつ遁走した。しかし、元軍は糧食を海路輸送していた船が撃破され、軍需物資の欠乏、瘴癘の苦しみなどにより、ハノイからの退却を余儀なくされる。さらに、元の水軍は白藤江の戦いで大敗し、トゴンの陸軍は間道からかろうじて退却していった。

一方、陳朝の側もモンゴル軍の侵攻を受け続けることを回避するため、使者を派遣し国王みずからの入朝のかわりに「金人」をもたらし入貢した。これに対して、クビライは、聖宗みずからの入朝を再度求めて使者を派遣したが、聖宗は老病を理由に自らの入朝を拒否した。一二九〇年、聖宗が没すると仁宗(皇帝在位一二七八―九三年、上皇在位一二九三―一三〇八年)はその訃報を伝える使者を派遣するが、クビライは再三再四国王みずからの入朝を求め、仁宗が応じないと、一二九三年九月に湖広安南行省を設置、四度目のベトナム侵攻を計画したが、一二九四年二月クビライ自身の死によって出兵は中止された。

一二二五年に成立した陳朝は、紅河デルタで大規模な堤防建設を行い、王族らに開墾を行わせ荘園を造らせた。これを基盤として、陳朝は地方の拠点を陳氏一族が掌握する体制を築いていった。モンゴル軍の侵攻の際に各地でこれと対抗する主体となったのがこれら王族の有力者たちであった。モンゴル軍の侵攻に伴う戦闘は、こうした王族の田荘経営にも当然打撃を与えたが一時的なものであり、陳朝の宗族を中心とした支配体制自体には大きな影響はなく、むしろ、元朝は中華帝国としての正統性を持たないという意識の裏返しとして、陳朝大越は「中華帝国に負けない独自の帝国」を追求し、中国のモデルを利用しつつ、自国の歴史、帝権、境域、神仏などの定式化を進め、「自己中国化」、中国モデルの「ローカライズ」が一挙に進んだといえる(桃木 二〇〇一:一八二―一八六頁)。こうしてみると、陳朝にとってはモンゴルの「衝撃」は、もちろんゼロではないけれども、少なくとも「衰退」につながるものではなかったし、また、チャンパーにとっても、一時的な攻撃の打撃はあったものの、一四世紀を通じて陳朝と抗争を繰り返しながらも、沈香などの香薬のみならず陶磁器や綿布の輸出、中継地交易などで大いに栄えており、少なくとも東南アジア大陸部東部においてはセデスのいう「一三世紀の危機」は該当しないと思われる。

ビルマ（緬）

モンゴル軍のパガン王国への侵攻については、元史、元朝征緬録などの元側の史料と年代記(3)などのビルマ側史料で交渉、戦闘の内容や日時について記載内容に齟齬があり、一部事実関係がはっきりしない部分もある。また、その評価をめぐっても、パガン王国の滅亡の直接的要因とする考え方（セデス 一九八〇：一四五頁、Lieberman 2003: 25, 240–241; 2011）と、打撃にはなったが王国の崩壊とは直接の関係はないとする説（Aung-Thwin 1998）があり、モンゴルの「衝撃」についての見解は分かれている。

一二七一年、雲南駐在のモンゴル軍は、パガンに使者を派遣して臣従を要求するも王とは会えず、一二七三年三月に再び使者を派遣して、王の子弟か近臣による来朝を要求した。一二七五年五月、雲南行省は、金歯（「タイ人」）の首長、阿郭の情報をもとに「先に使者を派遣したのは阿郭の父の阿必の助言によるもので、至元九年三月（一二七二年四月）、ビルマ王はそれを恨み侵攻してきて父を捕虜として帰って行った」（元史巻二一〇緬国）と述べ、ビルマ王に服属の意思がなく使者を抑留したままであるので征討すべきであると上奏している。これに対して、クビライはしばらく様子を見るよう指示している。パガンにおける使節の運命については、はっきりしない。ビルマ側の年代記は、国王に表敬訪問をした際、使者に無礼な行為があったため全員殺害されたと記している(4)。

パガンのナラティーハパテ王（在位一二五五－八七年）は、元朝の要求に対して返書も出さず、元朝に内附した「タイ人」首長に対して兵を差し向けた。一二七七年四月、干崖を攻撃し騰越と永昌の間に砦を築こうとした。しかし、干崖の首長阿禾はモンゴル軍の協力を得てこの侵入を撃退した。ビルマ軍の侵入に対して、雲南行省のナースィル・アッディーンは、一一月、カウンズィン(バモーの北)を攻め「タイ人」首長らを服属させたが、炎熱により退却した。

その後もナースィル・アッディーンは何度か軍を派遣したが大きな成果を上げることができず、一二八三年六月、クビライは中央主導で事を進めることとし、宗王シャンウダル(相吾答児)らを派遣する。シャンウダルの軍は同年末には再びカウンズィンを陥し、翌年初めにはビルマ北部の要衝ダガウン(太公城)を奪い拠点を築くことに成功する。[5]ビルマの年代記によれば、ビルマ北部での戦闘に敗れたことを聞いたナラティーハパテ王は、当初パガンの要塞化を進めようとしたが、結局、デルタ地方のパテインに逃れていった(UK: 246-249; HM: 352-354)。

ビルマ北部では抵抗が続いていたが、和平への動きも始まっていた。一二八五年末には、ナラティーハパテ王は、ダガウンの元軍の拠点に使者を派遣し和平の下交渉を始め、一二八六年秋に僧侶のシン・ディタパーモゥッカを派遣して北京に赴かせた。翌一二八七年の五月頃には使節は交渉を成功裏に終え雲南に帰ってきた。[6]一方、元側は和戦両様で、中央政府の命令でビルマに使者を派遣する一方、軍隊の増派も準備させていた。雲南行省も一二八七年の秋の進軍を求めていたが、クビライは許可しなかった。これはシン・ディタパーモゥッカ使節の動向と関係していたのかもしれない。その一方で、雲南王エセン・テムルらは許可を得る前にすでにビルマに進軍しパガンに到達していたが、七〇〇〇近くの兵を失い、中央にはビルマが初めて降伏し毎年の朝貢を約束したと敗北を糊塗する報告をしていた。

ナラティーハパテ王は、一二八七年の五月頃、元との和平交渉に一定の目途がつき、パガン周辺からの元軍の撤退の報を受けて、逃亡先のパテインからパガンへ帰る途中、息子のピィー(プローム)領主ティハトゥにより暗殺される。そのティハトゥも、バゴー(ペグー)攻略中に戦死、結果として、弟でダラ[7]領主のチョースワーが即位することとなった(UK: 249-253; HM: 354-360)。

その後、パガンが一二八九年、九四年、九五年と朝貢を繰り返し、また、一二九六年には王子と王弟を派遣して朝貢してきたことを受けて、チョースワー王が「緬国王」に封じられ、クビライの跡を継いだ成宗テムルも雲南の将軍たちにみだりにビルマに入ることを禁じるなど良好な関係に転じる。

しかし、パガン王国に政変が生じ再び両者の関係は悪化する。王国の重要な経済基盤の一つであるチャウセー地方を拠点とし、王国の重臣であった「シャン三兄弟」[8]は、一二九八年、パガンを攻め国王チョースワーを廃位して、その子のソーフニッ(在位一二九八―一三二五年)を即位させた(UK: 255-256; HM: 363-364)。この間、雲南省が使者を派遣し招来したビルマ南部のモン王国[9]の使節がパガンの近くで襲撃され貢物を強奪される事件が起きていた。一二九九年九月にチョースワーの子らが父の仇を討つことを雲南行省に要請してきて、使節の強奪事件はシャン三兄弟が行ったことが判明する。雲南行省は中央に報告し、成宗テムルはシャン三兄弟の討伐を命じる。一三〇〇年から〇一年にかけての戦闘は一進一退が続き、最終的にはモンゴル軍は炎熱、瘴癘のため、退却を余儀なくされる。

その後、三兄弟が定期的に朝貢を繰り返し両者の関係は落ち着くが、ビルマ国内の分裂は加速していく。王を傀儡化しエーヤーワディー中流域地方に権力を確立したかに見えた三兄弟の勢力も、内紛によりピンヤとザガインに二つの政権が並立する状況がしばらく続き、一三六四年にタドミンビャ(サチュウ・マンパヤー)によってピンヤの北のインワ(アヴァ)に王朝が樹立されるまで混乱は続いた。一方、海岸部のモッタマを中心とするモン王国はバゴーを併合し貿易で繁栄していくし、北方の山地地域では一四世紀はじめに「タイ人」のマオシャン(ムンマオ麓川)の勢力が力を伸ばしつつあった。

以上の経過を見ると、モンゴルの侵攻によってパガン王国が滅亡したという見方があたらないことは説明するまでもないだろう。パガン王国時代には、上は王や王妃、王族、高官から下は一般の財力ある人々まで数多くのひとびとによって膨大な数の寺院やパゴダ、僧院が建立された。それにともなう土地、労働力(奴隷)の寄進(免税)が累積してくると、国家の財政にとって大きな打撃となり、結果的に王国の衰退につながっていった(Aung-Thwin 1985)。そうした中で、海岸部の独立、心臓部のチャウセーの離反などが続き、王国は滅んでいった。モンゴルの侵攻はそうした衰退の流れを速めたのにすぎなかった。モンゴルの侵攻にともなう「タイ人」の「沸騰」という見方についても、アッサム、パガン内部のシャン族の動向からわかるとおり、それはモンゴル侵攻以前にすでに始まっており、また、北部のマオシャンの動きも、モンゴル軍の動きに触発されたというより、パガンの衰退にともなう各地の離反、独立傾向の動きの一つと理解したほうが自然であろう。東南アジア大陸部西部においても、セデスの考える「一三世紀の危機」は該当しないと思われる。

二、「タイ人」の「沸騰」

スコータイ王国

「タイ人の世紀」の中心的な存在であるスコータイ、ラーンナー両王国の歴史について、飯島は、これまで利用されてきた史料の問題点を指摘し、碑文などの新出史料を駆使してセデスの歴史像が虚構であったことを明らかにしている(飯島 二〇二〇)。

一三世紀の前半頃のスコータイ王国の成立については、一四世紀半ば頃に作成されたと考えられているシーチュム寺碑文が唯一の史料で、その冒頭部分に王国の成立の事情が語られている。そこでは、クメール人が支配していたスコータイをアンコール王の配下にあった「タイ人」の首長たちが攻撃占領し自立を宣言したことが述べられている。一二九二年のラームカムヘーン王碑文(10)によれば、三代目のラームカムヘーン(在位一二七九頃―九八年)の時に勢力範囲を大幅に拡大したが、次のルータイ(在位一二九八―一三四六年)の時には弱体化し、スコータイとシーサッチャナーライ周辺にその勢力は限られていた。そのあとを継いだリタイ王マハータンマラーチャー一世(在位一三四七―六九年)は中興の祖と呼ばれ、北はナーン川流域のウッタラディットから南はナコーンサワンまで、西はタークから東はペッチャブーンあたりまでを支配下に置いた。

単線的王朝史観では、アユタヤーの勃興(一三五一年)以降、徐々に圧迫され、マハータンマラーチャー四世(在位一四一九-三八年)が没したときにアユタヤーに吸収されたとされるが、実際にはその後も独自の勢力を保ち一六世紀初めまでは王の称号を有しそれにふさわしい寺院の建立を行っていたし、サンカローク焼の名で知られる大量の陶磁器生産も一六世紀半ばまで続いていたようである。

こうしたスコータイの盛衰について、タイ側の刻文史料を見る限りモンゴルの侵攻とは関わりを持たないように見えるし、中国側の史料でもスコータイとの関係を示す記事はみあたらない(11)。

港市国家アユタヤー

ロッブリーに比定される「羅斛」やアユタヤーに比定される「暹」についても、元との朝貢関係は確認されるが、直接の侵攻はなく、間接的にも侵攻の影響はあまり見て取れない。

ロッブリーは、クメール語碑文の出土や現存する遺跡の美術様式からアンコール王国の支配下にあったことがわかっている。一二世紀頃になると独立傾向を示し、一三世紀末の二〇年近くの間に六度も元に朝貢を繰り返している。一方、土地が痩せて耕作に向かず常に米を「羅斛」に求めていたとされる「暹」アユタヤーは、海洋的性格を有していた(『島夷誌略』一三四九年)。チャオプラヤー川本流に位置し外洋船の航行にも適していたアユタヤーは、ロッブリーの前衛都市として発展した。一二八二年頃、元軍に敗れた南宋の宰相陳宜中がチャンパーから「暹」に逃亡し亡くなったことが宋史に記録されている(巻四一八陳宜中伝)。このころには「暹」に華人社会が成立、もしくは中国-チャンパー-暹というルートが確立していたことを示すものと思われる。また一二八二年、元の使者が「暹」およびマァバルに派遣されたときにチャンパーで抑留されたことからも、ルートの確立がうかがえる。一三二〇年代にはスコータイ出身の二人の大長老が修行のためにアユタヤーを訪れるなど、仏教の聖地としても栄えていた。一三二四年にはアユタヤーの華人社会によってパネンチューン仏という巨大な仏像が建立され、中国からの商人が一定数滞在していたことがわかる。元にも一二九四、九六、九七、九九、一三〇〇、一四、一九、二三年に朝貢しており、一定の友好関係を築いていた。『島夷誌略』によると、至正九年夏五月(一三四九年五/六月)、「暹は羅斛に降り」(ロッブリーがアユタヤーを吸収し)、その二年後には、「(首都アユタヤーが)最初に始められた」「(アユタヤーの)基礎が築かれた」(アユタヤー王朝年代記)とあるように、アユタヤーが王都と定められ、ウートーン侯がラーマーティボディー(在位一三五一―六九年)として即位しアユタヤー王国が成立する(石井 二〇二〇:一五三―一六一頁)。

ラーンナーの勃興と発展

スコータイやアユタヤー王国と違い、モンゴルの侵攻と関連付けて語られるのが、スコータイの北に興ったマンラーイ王のラーンナー王国である。セデスは、チェンライのマンラーイ、パヤオのガムムアン、スコータイのラームカムヘーンという三つの「タイ人」の王国の首長が一二八七年に同盟を結んだことを述べ、その同盟の背景にはモンゴル軍のパガン侵攻があったとし、モンゴルの脅威を強調している(Cœdès 1968: 195)。こうした言説に対して、飯島はセデスが依拠した『ジナカーラマーリー』(一六世紀前半の仏教史書)に引用された話やチェンマン寺刻文(一五八一年)などの史料に加えて、チェンマイ年代記、パヤオ年代記、チェンセーン年代記などを丹念に検討した結果、マンラーイ以外の二人の王をラームカムヘーンなどに比定する根拠が乏しいことを明らかにしている(飯島 二〇二〇)。また「タイ人」の諸王国の興起についても、年代記類にあらわれる移住・定着の初期に関する叙述を総合すると、大規模な集団の南下、軍事征服によるものではなく、一二世紀半ば以降に、リーダーに率いられた小規模な集団によって徐々に進行したものであり、その間に、先住のモン・クメール系の人々との交流・混在・混血があり、先住民の一部をしだいに「タイ人」化していったことが推測される、と述べている(飯島 二〇二〇：九七頁、O'Connor 1995)。

マンラーイ王(在位一二六一頃―一三一一年頃)は一二八一年頃、モン人のハリプンチャイ王国を攻略し、一二九六年には、南へのルートをおさえる地に新たな王都チェンマイを建設する。三王の同盟はまさしくこのときに結ばれたとするが、先に述べたように後世に創られた伝説にすぎない。これ以降一六世紀半ばにビルマのバインナウンに占領されるまで、マンラーイ王統のラーンナー(「百万の水田」を意味する)王国が北タイを支配していくことになる。

元と「八百媳婦」と記されるラーンナー王国との間では雲南南部のシプソンパンナー王国をめぐる争いが一三世紀末に起こり、一三〇一年には元軍は兵二万を派遣し服属させようとしたが炎熱瘴癘のため退却を余儀なくされた。その後、何度か使者を派遣し招諭した結果、ラーンナーは一三一二年、一五年と朝貢し、両者の関係は小康状態となった。[12] 一三二〇年代にも、何度かラーンナー側からの朝貢が続くが、その後は八百媳婦は元側の記録から消える。しかし、飯島によれば、ナーン年代記に、一三六五年に、中国皇帝から米、象牙などの税を求められたのに対してクーナー王(在位一三五五―八五年)が拒絶したところ、怒った皇帝は攻撃を命じたが、ラーンナー側が勝利した話が伝えられており(飯島 二〇二〇：一〇九頁)、朝貢をめぐるトラブルが時には起こっていたようである。このように見てくると、軍の侵入も含めてモンゴルの圧力は一定程度感じられるものの、ラーンナー王国の興起や盛衰にはほとんど影響をおよぼしておらず、クーナー王の例に見られるように、王権の正統性の確立に役立った側面も見られる。

結びにかえて

モンゴル帝国による東南アジア大陸部各地への侵攻とその影響について見てきたが、セデスやリーバーマンの考える、モンゴル軍の侵入にともなう王国の崩壊や「タイ人」の南下、「沸騰」という事象は確認できなかった。東南アジア大陸部東部のベトナムでは、陳朝、チャンパーともに王都を占領されるが、最終的にはモンゴル軍を撃退し、その後も王国は存続発展していく。大陸部西部のビルマでは、パガンの衰退、「タイ人」の「沸騰」は、モンゴルの侵攻以前に始まっており、侵攻はそうした動きを加速化したかもしれないが、直接の要因ではなかった。大陸部中央の「タイ人」勢力の勃興についても、スコータイ、アユタヤーにはモンゴルの侵攻の影響は認められないし、ラーンナータイはモンゴルの侵攻を受けるなど圧力は感じられたが、王国の興起盛衰には直接の影響は感じられない。

セデスの考える「一三世紀の危機」の中心的出来事であるアンコール王国の衰退については、本稿では詳しく論じる紙幅の余裕がなかったが、モンゴル軍の侵攻は見られなかったし、(13) また、ジャヤヴァルマン七世(在位一一八一―一二一八年頃)以降、王国は衰退していったという見方も、最近の研究では見直しが進み、大規模な寺院が造られなくなったのは国力が衰えたからではなく、そのような必要性がなくなった、神聖王的王権概念が変容しつつあったことが考えられる。また、一三世紀末の様子を語る『真臘風土記』にはアンコール都城の賑わいぶりが描かれていることから、少なくともジャヤヴァルマン八世(在位一二四三―九五年)、シュリーンドラヴァルマン(在位一二九五頃―一三〇七年)の頃までは国力を維持し、その後アユタヤーの攻撃によりたびたび王都を占領されるなどして衰退していったと考えられる(松浦 二〇二二:二六八―二六九頁、石澤 二〇二一)。

このように東南アジア大陸部全体の歴史の流れを見てくると、「一三世紀の危機」から離れて、一四世紀の危機、もしくは大変動について考える必要性を強く感じる。パガン崩壊後の北部山地地域のマオシャン王国のビルマ中央部への侵攻、ビルマ中央部ドライゾーンにおける政治勢力の乱立、アンコールの衰退、ベトナムにおける一四世紀なかば以降の民衆反乱の多発とチャンパーの攻撃による陳朝の動揺など、大陸部各地で政治的混乱が生じた。他方、ビルマ海岸部のモン王国の成長、タイのアユタヤー王国の発展、チャンパーの繁栄なども見られ、これらの事象を農業国家の動揺と港市国家の繁栄という単純な二分法によって解釈するのではなく、さらなる検討が必要になる。今後の課題として、小氷期に入ったとされる気候変動の影響について、より多くの気象データの収集とともに、年代記や碑文などの史料から、自然災害や飢饉、農民反乱に関する記述を丹念に拾いおこし、その相関関係を厳密にさぐっていくことが求められるだろう。

(14) (15)

注

(1) ここでは今日のタイ国のタイ Thai 人のみならず、インドのアッサムからビルマ、雲南、タイ北部、ラオス、ベトナム北西部などにまたがる地域に分布するタイ(Tai)系諸言語の話者を「タイ人」と呼ぶ(飯島 二〇二〇:七四頁)。

(2) 暹はスコータイに比定されてきたが、最近は、アユタヤーに比定する説が有力となっている(石井 二〇二〇:一五二-一五七頁)。ただ、元史巻一八至元三一年六月庚寅(一二九四年七月五日)の条に「必察不里城の敢木丁、遣使来貢」とあり、至元三一年七月甲戌(一二九四年八月一八日)の条に「詔して暹国王の敢木丁の来朝を招諭」とあり、「暹」がペッチャブリーを指す可能性、もしくは、暹であるアユタヤーがこの頃にはペッチャブリーを支配下に置いていた可能性が考えられる(深見 二〇一三も参照)。

(3) パガン時代の歴史を伝える年代記には、一七二四年にウー・カラー(U Kala)によって編纂された『大王統史(マハー・ヤーザウィンジー)』(UK)、一八二九年に編纂された欽定年代記『玻璃王宮大王統史(フマンナン・マハー・ヤーザウィンドージー)』(HM)などがあるが、いずれも同時代史料ではなくその利用には注意を要する。

(4) その結果、使者殺害に激怒した中国皇帝が軍を派遣してきて、両国の間に戦端が開き、ナラティーハパテ王は都を捨てて南に逃亡したとなっている。ただし、使者殺害はビルマ暦六四三年(一二八一)のこととなっており、これが一二七三年の使節であるかは不明(UK: 246-251; HM: 351-358)。

(5) 一二八四年に置かれた征緬行省、一二八六年に置かれた緬中行省などは、このダガウンを拠点としていたと思われる。

(6) この和平使節については、シン・ディタパーモゥッカの残した碑文などをもとに陳孺性が詳しい考証を行っている(Chen 1977)が、元側の史料にはこの使節についての記事は見当たらない。

(7) 今日のヤンゴン(ラングーン)の対岸の町。

（8） これまでこの三兄弟をシャン(タイ・ヤイ)族として、ビルマ族対タイ族の抗争の結果パガン王国が滅んだとするものが多かったが、アウントゥインが指摘するとおり、彼らはこの時点で完全にビルマ化しており、民族間の抗争というより政権内部の権力争いと捉えるべきであろう(Aung-Thwin 1998)。

（9） パガン王国の衰退にともなって、離反傾向にあった海岸部のタトン地域を中心とするモン族の勢力は、モッタマ(マルタバン)を都として、ワーレルーを王とする政権を樹立した(一二八七年)。

（10） 通説では一二九二年の制作とされるが、母音の配置方式などの文字システムも文体も特異であることなどから、同刻文を発見したとされるラーマ四世によって一九世紀に作成されたものであるとの説もある(Chamberlain 1991)。また、その勢力範囲についても、各地の国々を征服したとあるが、実際はゆるやかな従属関係もしくは名目的な上下関係があったにすぎないとの理解が一般的である。

（11） 「暹」がスコータイではなくアユタヤーであるとすると、スコータイの名は『大徳南海志』(一三〇四年)に「暹は上水、速弧底を管す」と見えるのみである。

（12） 元史巻一三二歩魯合答伝、元史巻一七至元二九年八月戊午(一二九二年一〇月一一日)、巻一九元貞二年一二月戊戌(一二九六年一二月二九日)、大徳元年九月甲子(一二九七年九月二二日)など参照。元軍の侵攻については、元史巻二〇大徳四年一二月癸巳(一三〇一年二月一日)、元史巻一三六哈剌哈孫伝、元史巻一五六董文炳伝、元史巻一六八陳祐伝、元史巻一八〇趙世延伝を参照。

（13） 元史、『真臘風土記』(一二九六—九七年の使節に同行した周達観による見聞記)などの史料を見ても、招諭の使者の派遣、真臘側の朝貢などの記事は散見するが、モンゴル軍の侵攻については確認できない。

（14） 現在のところ一四世紀の気候変動を推定する根拠となるデータは、ベトナム南部ダラットの年輪データのみであり、それにインド東部のダンダック洞窟のデータを参考値として用いている(Buckley 2010; Lieberman & Buckley 2012)。

（15） ベトナムについては、桃木がその必要性をすでに指摘している(桃木 二〇一一:三七八—三八六頁)。ビルマ、タイについては、リーバーマンがケントゥン年代記を用いて一三世紀末から一五世紀初めにおける干ばつについて言及している(Lieberman & Buckley 2012: 1075)が、より多くの年代記、碑文などの記事との比較対照が求められる。例えば、タントゥンは、碑文の記事から一三三一年にパガンで大洪水が起こったことを指摘している(Than Tun 1959 123)。

参考文献

飯島明子（二〇二〇）「北方の「タイ人」諸国家」飯島明子・小泉順子編『世界歴史大系　タイ史』山川出版社。

石井米雄（二〇二〇）「港市国家アユタヤー」飯島明子・小泉順子編『世界歴史大系　タイ史』山川出版社。

石澤良昭（二〇二一）『アンコール王朝興亡史』ＮＨＫブックス。

牛根靖裕（二〇〇八）「元代雲南王位の変遷と諸王の印制」『立命館文學』六〇八。

白鳥芳郎（一九五四）「元朝征緬録に見えたるシャン族の動向」『東洋学報』三七―一。

セデス、Ｇ（一九八〇／一九六九）『インドシナ文明史　第2版』辛島昇・桜井由躬雄ほか訳、みすず書房（Cœdès, George (1962), *Les peuples de la Péninsule Indochinoise: histoire-civilisations*, Paris: Dunod.（*The Making of South East Asia*, translated by H. M. Wright, London: Routledge, 1966.））

林謙一郎（一九九六）「元代雲南の段氏総管」『東洋学報』七八―三。

深見純生（二〇一三）「タイ湾における暹の登場と発展」『南方文化』四〇。

松浦史明（二〇二二）「アンコール朝の揺れ動く王権と対外関係」弘末雅士編『岩波講座　世界歴史4　南アジアと東南アジア　～一五世紀』岩波書店。

松田孝一（一九八〇）「雲南行省の成立」『立命館文學』四一八―四二一。

向正樹（二〇一三）「モンゴル・シーパワーの構造と変遷」秋田茂・桃木至朗編『グローバルヒストリーと帝国』大阪大学出版会。

向正樹（二〇二一）「元と南方世界」櫻井智美・飯山知保・森田憲司・渡辺健哉編『元朝の歴史――モンゴル帝国期の東ユーラシア』〈アジア遊学二五六〉、勉誠出版。

村井章介（二〇二一）「モンゴルの膨張とアジアの変貌」村井章介・荒野泰典編『新体系日本史5　対外交流史』山川出版社。

桃木至朗（二〇〇一）「ベトナム史の確立」石澤良昭編『岩波講座　東南アジア史2　東南アジア古代国家の成立と展開』岩波書店。

桃木至朗（二〇一一）『中世大越国家の成立と変容』大阪大学出版会。

桃木至朗（二〇一九）「東南アジアから見たモンゴル帝国期海域アジア交流と一三―一四世紀の分水嶺」『史苑』七九―二。

山本達郎（一九五〇）『安南史研究Ｉ』山川出版社。

山本達郎編（一九七五）『ベトナム中国関係史――曲氏の抬頭から清仏戦争まで』山川出版社。

余定邦（二〇〇〇）『中緬関係史』北京：光明日報出版社。

Aung-Thwin, Michael (1985), *Pagan: The Origins of Modern Burma*, Honolulu: University of Hawaii Press.

Aung-Thwin, Michael A. (1998), *Myth and History in the Historiography of Early Burma: Paradigms, Primary Sources, and Prejudices*, Athens: Ohio University Center for International Studies.

Buckley, Brendan M. et al. (2010), "Climate as a Contributing Factor in the Demise of Angkor, Cambodia", *PNAS*, 107-15.

Chamberlain, James R. (ed.) (1991), *The Ram Khamhaeng Controversy: Collected Papers*, Bangkok: Siam Society.

Chen Yi Sein (1977), "Shin dithapamokkha nyeimkhyamye mitshinaphwe (Peace mission of Shin Disapamok)", *Researches in Burmese History*, 1.

Cœdès, George (1964), *Les états hindouisés d'Indochine et d'Indonésie*, Paris: E. de Boccard. (*The Indianized States of Southeast Asia*, University Press of Hawaii, 1968)

Daniels, Christian (2018), "The Mongol-Yuan in Yunnan and ProtoTai/Tai Polities during the 13th-14th Centuries", *Journal of the Siam Society*, 106.

HM: - - (1993), *Hmannan Maha Yazawindawgyi* (in Burmese), Vol. 1, Yangon: Ministry of Information.

Lieberman, Victor (2003), *Strange Parallels: Southeast Asia in global context, c.800-1830*, vol. 1: *Integration on the Mainland*, Cambridge: Cambridge University Press.

Lieberman, Victor (2011), "Charter State Collapse in Southeast Asia, ca. 1250-1400", *The American Historical Review*, 116-4.

Lieberman, Victor & Brendan Buckley (2012), "The Impact of Climate on Southeast Asia, circa 950-1820", *Modern Asian Studies*, 46-5.

Luce, G. H. (1958-59), "The Early Syam in Burma's History", *Journal of the Siam Society*, 46-2; 47-1.

O'Connor, Richard A. (1995), "Agricultural Change and Ethnic Succession in Southeast Asian States", *Journal of Asian Studies*, 54-4.

Than Tun (1959), "History of Burma: A. D. 1300-1400", *Journal of Burma Research Society*, 42-2.

UK: U Kala (2006), *Maha Yazawin Gyi* (in Burmese), Vol. 1, Yangon: Ya-Pyei Publishing.

焦点 *Focus*

ユーラシア世界の中国陶磁流通

森 達也

はじめに

陶磁器は人類が生み出した最も保存性の高い器物の一つである。割れて使用できなくなっても、消えて無くなることがなく、その大部分はゴミとして土中や水中に残っている。さらに、陶磁器には広域流通するという特性がある。中国陶磁はその代表で、八世紀末頃から東アジア、東南アジアから東アフリカ、地中海にわたる広大な地域に膨大な量が輸出され、一六世紀以降にはヨーロッパや新大陸にまで流通範囲が広がった。ユーラシア世界の多くの港湾遺跡や都市遺跡では、中国陶磁をはじめ、東南アジア陶磁、イスラーム陶器など外国産陶磁器が出土しており、当時の人とモノの移動を物語る実物資料として、考古学、歴史学、美術史などの研究上でさまざまに活用されている。

本巻で取り扱うモンゴル帝国の時代は、中国陶磁史上の大変革期であり、同時に膨大な量の陶磁器が中国から世界各地に運ばれた時代でもある。本稿では貿易陶磁研究の成果を基に、モンゴル時代の陶磁技術の発展や人とモノの移動・交流の変化について考える。

一、モンゴル帝国以前の陶磁流通

中国陶磁の海外輸出が本格化するのは、唐代後半期の八世紀末から九世紀にかけてである。この時期の代表的な輸出陶磁は、浙江・越州窯青磁、河北・邢窯白磁と三彩、湖南・長沙窯の青磁・黄釉褐緑彩磁、河南・鞏義窯の白磁・三彩・白釉藍彩磁などで、他に広東と福建の粗製青磁なども輸出された。こうした中国陶磁は、九世紀にアッバース朝の首都が置かれたイラク・サーマッラ遺跡やペルシャ湾北岸の貿易都市・シーラーフなどを中心に、エジプト、東アフリカ、インド洋沿海地域の港湾都市遺跡、タイやベトナム、日本や韓半島など広範囲に流通した。一九九八年にインドネシアで発見されたバトゥ・ヒタム沈船(Batu Hitamu)は、八二六年頃中国を発し、西アジアに向かう途上で沈没した西アジアの商船と推定されており、六万七〇〇〇点余りの中国陶磁と金銀器、青銅鏡などが引揚げられた。その陶磁器の組み合わせは、シーラーフ遺跡やサーマッラ遺跡出土の中国陶磁と近似しており、当時の唐とアッバース朝の海上貿易の実像を示す資料として重要である(Krahl 2010)。

なお、同時期のイラクやイランでは中国から輸入した白磁や三彩を模した白釉陶器や多彩釉陶器が作られ、さらに独自のアレンジを加えて白地に藍色の紋様が施された白釉藍彩陶器なども生み出されている。

晩唐期の中国の貿易陶磁は、当時の主要な外交拠点であった江蘇省揚州、浙江省寧波、広東省広州から輸出されたと考えられており、東南アジア、西アジア向けの貿易航路は揚州を発し広州を経由して南西に向かうルートと広州発が一般的であり、日本や韓半島向けの航路は主に寧波発であった。

五代(九〇七—九六〇年)になると華北陶磁の輸出量は低下し、青磁は越州窯系青磁、広東の倣越州窯青磁、白磁は安徽・繁昌窯の白磁などが輸出の中心となる。華北陶磁の輸出量は少ないが、インドネシアで発見されたインタン(Intan)沈船(Flecker 2002)では磁州窯系白釉磁、チルボン(Cirebon)沈船(秦 二〇〇七)では定窯白磁が少量発見されている。沈船引揚げ陶磁の産地から考えると、この段階の主要な陶磁輸出港は、銭氏呉越国が拠点を置いた杭州湾南岸の港(杭州や寧波)および呉越国南部の温州、南漢の拠点・広州であったと考えられる。

北宋(九六〇—一一二七年)には、越州窯系青磁(越州窯青磁と甌窯青磁)、江西・景徳鎮窯白磁・青白磁、広東・広州西村窯などの白磁、青磁、黒釉磁、広東・潮州窯の白磁などが輸出の中心となり、耀州窯青磁や定窯白磁、磁州窯系陶磁など華北の陶磁器も量は少ないが輸出された。北宋末期になると、龍泉窯青磁や福建陶磁(白磁)の輸出が開始される。北宋末期・南宋初期の龍泉窯青磁の輸出は、まだあまり多くないが、福建白磁は、広東・潮州窯白磁とともに大量に輸出され、日本では博多や平泉など一一世紀後半から一二世紀前半の遺跡で大量に発見されている。

北宋後期の元祐二年(一〇八七)に福建・泉州に市舶司が置かれ、福建が中国の対外交流の窓口として重要性を増し、南宋(一一二七—一二七九年)・元(一二七一—一三六八年)には泉州が中国最大の海港に成長する。北宋後期から福建陶磁が大量に輸出されるようになる契機は、泉州市舶司の設立であったと考えられる。

なお、北宋の中国陶磁は、西アジアではペルシャ湾北岸地域の都市遺跡やエジプト・フスタート遺跡などである程度まとまって出土することが知られている。

一二世紀に入ると、広東陶磁と越州窯系青磁の輸出量は低下し、浙江・龍泉窯青磁、福建陶磁、江西・景徳鎮窯白磁・青白磁が輸出の中心となる。南宋になると泉州が東南アジア・西アジアへの陶磁輸出の最大の窓口となり、広東陶磁に代わって福建陶磁の輸出の比重が高くなっていく。南宋代に福建で生産された陶磁は、龍泉窯青磁の模倣品、景徳鎮窯白磁・青白磁の模倣品、黒釉磁(天目)、褐釉磁、鉛釉陶器など種類が豊富である。

南宋代には東南アジア・西アジアへの陶磁輸出は泉州が中心となり、日本への輸出は寧波を拠点として行われた。なお、金の領域で生産された華北陶磁の輸出は、高麗への輸出を除きほとんど認められていない。

また、西アジアでは南宋代の中国の白磁、青白磁、青磁を模して、白釉陶器や青釉陶器が盛んに生産されている。

二、モンゴル帝国期の中国陶磁器生産の変化

次に、中国・元時代に中国陶磁の様式や流通にどのような大きな変化があったかについて見ることとしよう。まず、南宋後期から元時代にかけての、多量の陶磁器がまとまって出土した遺跡の例を挙げながら、陶磁器の器形、装飾、組成の変化、次いでその流通の変化について概観する。

まず、モンゴルが中国に侵入する前段階の中国陶磁の様相を確認しておきたい。

図1は一二四〇年前後にモンゴル軍が中国南部の四川省に攻め込んだ際に埋納された可能性が高いとされる四川省遂寧金魚村窖蔵から出土した陶磁器である(庄 一九九四、朝日新聞社 一九九八、成都文物考古研究所ほか 二〇一二)。この窖蔵からは九八五点の陶磁器が出土し、その内三五五点が龍泉窯青磁、六〇四点が景徳鎮窯青白磁、耀州窯青磁二点、定窯白磁八点、四川陶磁一六点という組成である。

この段階の陶磁器は、龍泉窯青磁は蓮弁紋以外にはほとんど紋様がないが、景徳鎮青白磁、白磁は劃花紋や貼花紋など豊富な紋様が施されている。高さ三〇センチ程が最も大きい部類で、基本的に大形の製品は少ない。

次の一三世紀後半になると変化が始まる。**図2**は鎌倉・今小路西遺跡の鎌倉幕府の高級武士の屋敷と推定される火災層からまとまって出土した陶磁器で(鎌倉市教育委員会 一九九〇)、一三世紀後半から末頃の様相を示している。龍泉窯青磁は貼花紋などの装飾が豊富になり、大盤などの大形器種が出現している。

次の段階の一四世紀前半になると変化はさらに顕著になる。この段階の代表的な資料は韓国・新安沈船引揚げの陶磁器である[**図3**](文化広報部・文化財管理局 一九八一・八四・八五・八八)。ここでは全長約二八メートル、幅約九メー

トルの木造帆船の船体と、陶磁器二万余点、金属製品七百余点、銅銭約二八トン、銀錠、木製品、漆器、石製品（茶臼、硯など）、ガラス製品、香料、木材（紫檀）など多彩な遺物が引揚げられた。

龍泉窯青磁は六〇センチを超える花瓶など大形器種が出現し、瓶や壺、盤、鉢など大形製品が目立つようになる。装飾は貼花紋、劃花紋、刻花紋、鉄斑紋などが多用され、元時代の特徴とも言える馬上杯が出現する。

景徳鎮窯の製品には白磁や青白磁のほかに、釉裏紅、鉄斑紋、鉄絵など新たな装飾技法が施された製品が見られる。

龍泉窯青磁

景徳鎮窯青白磁

図1　遂寧窖蔵出土陶磁器（朝日新聞社 1998）

図2　今小路西遺跡出土龍泉窯青磁（国立歴史民俗博物館 2005: 151）

図3 新安沈船引揚げ陶磁器（文化広報部・文化財管理局 1981, 84, 85, 88）

一四世紀中頃の例として、江西・高安窖蔵（劉・熊 一九八二、劉 二〇〇六）と河北・保定窖蔵出土陶磁（河北省文物研究所 一九八六）を挙げる［図4］。この段階の龍泉窯青磁は前段階とそれほど大きな変化はないが、景徳鎮窯の青花磁器が見られるようになり、壺、瓶、梅瓶、鉢、盤などの大形器種が目立つ。

こうした元時代に起こった器形の大形化、装飾の多用化、色彩装飾の誕生、青花の誕生などは、新たな支配者であるモンゴル人と、彼らとともに中国に入ってきた色目人（中央アジア、西アジア、ヨーロッパ人）の嗜好にあわせるために起こった変化である。特に、景徳鎮窯の青花磁器や龍泉窯青磁の大形の盤や鉢が元時代中期頃に出現し、急速に流行する背景には、食物を大形容器に盛る草原の民の食習慣が影響していると考えられている。

次に青花磁器の誕生について触れておきたい。景徳鎮窯では一四世紀の初頭から前半期には鉄顔料による釉下鉄絵、銅顔料による釉下彩の釉裏紅、コバルト顔料による釉下彩の青花と、三種類の釉下彩磁器の生産が始まるが、一三二三年の新安沈船では鉄絵と釉裏紅しか発見されておらず、この段階には青花の生産はまだ本格化していなかった可能性が高い。

至正様式（至正年間：一三四一－七〇年）と呼ばれる典型的な元代の青花磁器の完成は、イギリスのデヴィッド・コレクションの至正一一年(一三五一)銘瓶からみて、一四世紀中頃かその少し前と思われる。つまり、新安沈船の一三二三年とデヴィッド瓶の一三五一年の間のどこかの時点が青花磁器の完成期と考えられるのである。

青花誕生の背景については、中国での独自発展説と西アジアからの影響説、という二つの考え方に大きく分かれている。近年では西アジアからの影響を重視する傾向が強くなっているが、単なる文化的な影響ではなく、色目人が景徳鎮において何らかの形で青花磁器創生に関与した可能性が考えられる(森 二〇一七)。元青花には、アラビア文字がコバルトの釉下彩で記された例が複数知られていたが(謝 二〇一五)、近年景徳鎮の落馬橋地区でアラビア文字をもつ高脚鉢が発見された。口縁外側のアラビア文字の銘文はペルシア語の四行詩の一部とされ、ペルシア語を書きなれた人間が書いたと考察されている(黄・黄 二〇一二)。景徳鎮からアラビア文字銘の磁片が出土したことや他に複数の元青花にアラビア文字の青花銘が確認されていることから見て、元時代後期に景徳鎮の窯場にアラビア文字を書くことができる人間が存在したことは間違いないだろう。

図4　高安窖蔵・保定窖蔵出土陶磁器(劉 2006; 張 2008)

元青花に用いられたコバルト顔料は西アジアなど海外から中国に運ばれたとされている。また、元青花の紋様構成、特に盤の同心円と放射線状の区画を組み合わせた紋様構成は、西アジア陶器や金属器の紋様構成と酷似している。白地に藍色の紋様はもともと西アジア地域で好まれた色彩構成であり、モンゴル人も天の色である青と、真実や純潔を表わす白を聖なる色として尊んだ（四日市　二〇一五）。こうしたことから、モンゴルの治下にある景徳鎮で誕生した青花磁器には、当時の西アジア人やモンゴル人の美意識が濃厚に反映されており、西方からの強い影響を受けたことは明らかである。

一方で、元青花誕生の技術的背景には一四世紀初頭頃の景徳鎮磁器における鉄絵や釉裏紅などの釉下彩技術の導入があった。元時代に景徳鎮窯で釉下彩という新たな装飾技法が導入された背景には支配者であるモンゴル人や色目人の嗜好の強い影響があった。

釉下彩磁器の誕生、特に青花の誕生とほぼ同じ頃に、景徳鎮窯では緑や赤の上絵を施した釉上彩磁器（紅緑彩磁器）や藍釉を全体に施し白い紋様を浮き出させた藍釉白花磁器、磁器の素地の上にブルーの低温釉がかけられた孔雀釉磁器が誕生している。青花の色彩構成はイランの白釉藍彩陶器や白釉藍黒彩陶器と近似し、釉上彩磁器はイランのミナイ陶器と西アジアのエナメル彩ガラス、藍釉白花磁器はイランの藍釉陶器やラジュバルディナ陶器、孔雀釉はイランの青釉陶器と近似というように、元代に景徳鎮窯で生み出された新しい色彩構成の磁器は、同時代のイランの陶器や西アジアのガラスの色合いとよく似ているのである。

まるでイランの陶器やガラスのカラフルな世界を、中国の磁器の技術で再現したといった状況である。これは単なる技術や意匠の影響といった現象ではなく、イランの工芸や美意識を理解した者が企画性をもって作り出したと考えたほうが自然である。前述したように元代の景徳鎮の窯場にアラビア文字を流暢に書ける人間がいたことは明らかであり、おそらく景徳鎮に派遣された色目人（主にムスリム）の官僚、または陶磁器の売買にあたった色目人の商人などが、西方渡来のコバルト顔料を景徳鎮に持ち込み、元青花の創生に密接にかかわった可能性が高いのである。

八世紀末頃から中国の磁器は西アジアに盛んに輸出され、その質の高さと美しさは磁器の生産ができなかった西アジアの人々を魅了し続けていた。モンゴルがユーラシアの主要部分を支配した時期に、優れた中国の製磁技術でイラン地域をはじめとする西アジアの人々が好む色合いの磁器を作ろうとして生み出されたのが青花や釉上彩磁器、藍釉白花磁器、孔雀釉磁器などであったと考えられる。もちろんその際に用いられた基本的な製磁技術は中国の伝統的な技術であり、紋様の多くも中国風であるが、色彩や器形、紋様構成などは西アジアの工芸品を連想させるものとして生み出されたのである。

モンゴルによるユーラシアの支配は、中国陶磁の器形や紋様を大きく変革する契機となったのであるが、さらに、この時代に中国から西アジアに大量に運ばれた龍泉窯青磁と景徳鎮窯青花磁器は、イランを中心とする西アジア陶器に多大な影響を与え、その形態や紋様を模倣した青釉陶器や白釉藍彩陶器が盛んに作られるようになった。

三、モンゴル帝国期の陶磁流通の変化

次に流通の変化について触れておきたい。モンゴルが中国全土を支配する前の南宋代に、すでに海上交通路による中国陶磁の輸出は盛んに行われており、日本、東南アジア、南アジア、西アジア、東アフリカ、地中海地域に龍泉窯青磁、福建陶磁、景徳鎮陶磁、広東陶磁などが輸出されていた。中国の北部を金に奪われていた南宋朝は、海上貿易による経済活動を重視した。金銀の海外流出を防ぐために対外貿易による決済は陶磁器や絹製品などで行うことと規定したこともあり(『宋史』巻一八五、食貨志、香)、この時代に多量の中国陶磁が海を渡って運ばれたのである。

クビライ(一二一五―九四年、在位一二六〇―九四年)が建てた元朝が一二七八年に南宋を降すと、南宋の海上貿易機構とルートは元に引き継がれた。元は、クビライの弟であるフレグ(一二一八―六五年、在位一二六〇―六五年)が現在のイラン地域に建てたイル・ハン朝(一二五八―一三五三年)と友好的に結びついた。両国は南宋以来の海上の道を通じて密

接な交流を行い、南宋時代よりも更に膨大な量の中国陶磁が海上ルートを通じてペルシャ湾に運ばれた。

筆者は二〇〇七年以来、四日市康博氏とイランのアリー・バフラニープール氏とともにペルシャ湾北岸の都市や城郭遺跡の全面的な踏査を進めているが、この調査によって、元時代の急激な中国陶磁貿易量の増大化を確認することができた(森 二〇〇八)。

イル・ハン国時代にペルシャ湾の交易拠点となったのは、キーシュとホルムズである。ホルムズは現在のホルムズ島上ではなく、一四世紀初頭までは、ホルムズ島の東の大陸上に拠点があり、この地域は古ホルムズと呼ばれている。古ホルムズの遺跡については、一九六〇年代にイギリス人のアンドリュー・ジョージ・ウィリアムソン(Andrew George Williamson)が分布調査を実施している(Priestman 2005)。彼の調査番号一〇三地点は古ホルムズの港湾都市と推定されている遺跡である。ここはペルシャ湾に面した海抜〇メートル地帯に一〇〇〇メートル×五〇〇メートルほどの範囲に広がる遺跡であり、地表面で建物の基礎やレンガの堆積が明瞭に確認でき、建物跡の付近には大量の陶磁器が散布している。当時の遺構がほぼそのまま保存され、膨大な量の中国陶磁が見られるが、特に元時代の龍泉窯青磁が多い。筆者らは遺跡内の遺物の集中する地点に五メートル×五メートルの正方形のグリッドを三カ所設けて、その中の地表に散布している陶磁器類をすべてカウントし、イスラーム陶器・土器と中国陶磁の数量の比較を行った。その結果、第一グリッドではイスラーム陶器・土器一九対中国陶磁二五、第二グリッドではイスラーム一四対中国一六、第三グリッドではイスラーム一対中国六五と、すべての地点で中国陶磁の量がイスラーム陶器・土器を上回った。これは、この港湾都市では、中近東産の陶器・土器より中国陶磁の方が多かった可能性を示している。中近東からエジプト、東アフリカの地域では元代に入ると中国陶磁の出土量が南宋段階よりも増加することはこれまでも指摘されているが、大部分の遺跡では地元産の陶器・土器の量が中国陶磁よりも多い(佐々木 一九九九)。一方、この遺跡では中国陶磁の量が中近東産陶器・土器を上回るという極めて特殊な状況であり、ここが当時の中国との貿易の中心的な港湾都市であった可能性を示している。なお、この地点からあまり離れていない場所にあるホルムズ王国旧都と推定されている遺跡では、やはり中国陶磁が大量に散布しているが、イスラーム陶器・土器を上回るような状況は見られない。一〇三地点で確認された中国陶磁の多数を占めるのは龍泉窯青磁で、次いで福建の青磁と白磁、少量の景徳鎮磁器、少量の広東産褐釉壺という組成で[図5]、大部分は一三世紀末から一四世紀初頭に位置づけられる。一四世紀初頭より後の中国陶磁はほとんど見当たらず、一四世紀初頭にホルムズ王国が古ホルムズ地区から現在のホルムズ島上に拠点を移したとされる文献記録とほぼ一致する状況を示している。中国陶磁の年代は元朝初代皇帝のクビライの存命中から死後すぐの時期であり、元が南宋を降してそれほど時間の経たない段階で膨大な量の陶磁器がペルシャ湾に運ばれるようになったことを示している。この時期のホルムズ王国はキーシュの支配下にあったとされているが、ホルムズ島に拠点を移してから後の一三二〇年代にホルムズはキーシュとの抗争に勝ち、ペルシャ湾貿易の覇権を握った(Yokkaichi 2019)。

キーシュ島のハリーレ遺跡でも龍泉窯青磁を主とした膨大な量の中国陶磁が出土・散布しているが、イスラーム陶器・土器との数量的な比率は明らかでない。ただ、遺跡での陶磁器の散布状況から、ハリーレ遺跡でも中国陶磁の量がイスラーム陶器・土器を上回る状況であった可能性はある。ハリーレ遺跡はキーシュの中心的な都市遺跡で、ここからは一三世紀から一四世紀中頃の中国陶磁が豊富に確認されている。一三世紀末から一四世紀前半の中国陶磁の量が最も多く、龍泉窯

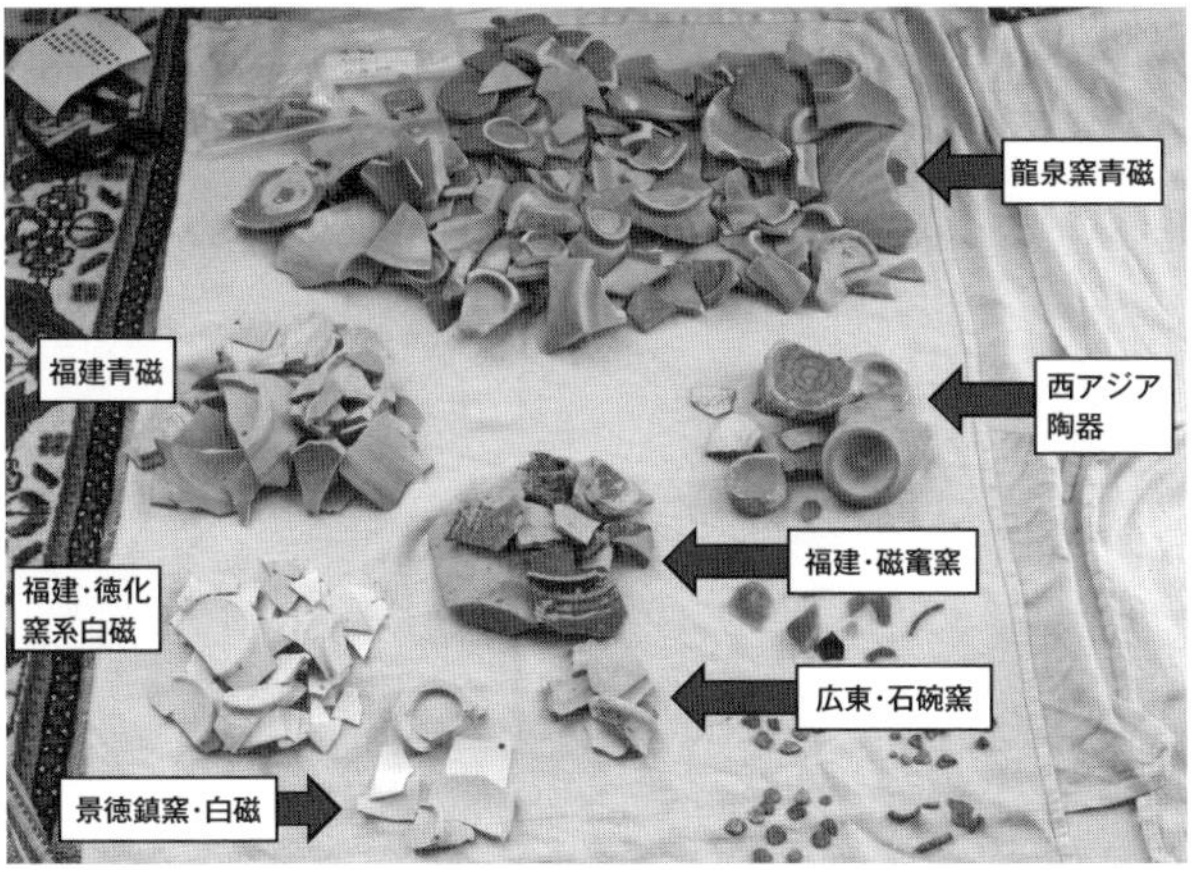

図5　古ホルムズ103地点採集陶磁器(筆者撮影)

青磁が最多で、次いで福建陶磁、少量の景徳鎮磁器と広東陶磁という古ホルムズの港湾都市遺跡とほぼ同じ組成が確認された。古ホルムズと同時期からやや新しい時期の中国陶磁が中心で、一四世紀中頃から輸出が始まる景徳鎮の青花磁器も確認されている。

イラン西部のイル・ハン朝時代の遺跡では、多くの場所で元の龍泉窯青磁の散布が確認されており、元朝との友好関係を通じてイル・ハン朝に膨大な量の中国陶磁が運ばれ広く受容された状況がわかる。その輸入の拠点となったのがホルムズやキーシュであり、そこに集中的にもたらされた中国陶磁が、イル・ハン国内に流通するだけでなく、キーシュやホルムズを経てアラビア半島、エジプト、東アフリカなど広大な地域に流通した可能性も考えられるのである。一三世紀末から一四世紀中頃の時期に、中国とペルシャ湾を結ぶ海上の物流ルートが極めて活発化した状況が陶磁器の出土状況からわかり、それは元朝とイル・ハン朝の友好関係に基づくものであった可能性が高い。

その他、元代のペルシャ湾と中国を結ぶ地域でもこの時期の中国陶磁の出土が多くみられる。インドネシアのトローラン遺跡(亀井・Miksic 二〇一〇：二二頁)、トゥバン遺跡(出光美術館 一九九〇)やタイのスコータイ遺跡などでは、同時期にペルシャ湾地域と同様の、龍泉、福建、景徳鎮という陶磁器組成が確認されている。なお、これらに加えてごく少量ではあるが磁州窯系陶磁が共伴することもある。

内蒙古など中国北部の内陸部と中央アジアを結ぶ草原の道でも中国陶磁は出土する。内蒙古・集寧路遺跡(陳 二〇〇四)と内蒙古・燕家梁遺跡(内蒙古自治区文物考古研究所ほか 二〇一〇)は元時代の交通路の駅に関わる都市遺跡であるが、景徳鎮磁器、龍泉窯青磁などの中国南方の陶磁とともに華北の磁州窯系や鈞窯系の陶磁器が大量に出土している。

モンゴルのカラコルム遺跡(亀井 二〇〇七、二〇〇九)やハラホト遺跡(弓場 二〇〇八)など草原の道の遺跡でもほぼ同様の組成が確認されている。中国北方の内陸部からモンゴル地域(所謂草原の道)ではこのように華北陶磁と江南陶磁とが共伴するといった陶磁器組成が確認されている。なお、こうした中国陶磁の分布は中央アジアにも広がっている。

元代に入った一三世紀末頃から東南アジア、西アジア、東アフリカなどでは中国陶磁の出土量が激増し、その組成は龍泉青磁を主体に福建陶磁がそれに次ぎ、景徳鎮磁器、広東陶磁が少量、稀に磁州窯系陶磁というものであった。同じ頃から中国北部からモンゴル一帯の内陸部での中国陶磁の流通も活性化し、華北の磁州窯系陶と鈞窯系陶磁とともに華南の龍泉青磁、景徳鎮磁器なども運ばれた。このように、海上ルートと内陸ルートでは異なった組成の中国陶磁が流通したことが明らかである。

なお、日本は他の地域と異なり、一四世紀になると中国陶磁輸入量がそれまでと比べて減少している。次節では、元代の一三二三年頃に韓半島西南の新安沖で沈没した鎌倉時代末期の貿易船・新安沈船から発見された中国陶磁を通じて、日元貿易の状況を見てみよう。

四、新安沈船引揚げ陶磁の特殊性

元時代の日本向けの陶磁器の輸出は、他の地域とやや様相が異なる。日本向けの貿易船である新安沈船の陶磁器の組成を分析すると、約二万点の陶磁器の中で最も数が多いのは龍泉窯青磁で、五六%を占める。次は景徳鎮窯磁器で約二一%、福建産陶磁約八・八%、浙江省の金華鉄店窯の陶磁器六・一%、宜興窯または浙江省北部の陶器壺類五・一%、江西・贛州七里鎮窯陶磁〇・四四%、磁州窯系陶磁〇・三七%、広東・石湾窯の褐釉四耳壺〇・一二%、浙江・杭州・老虎洞窯の倣官窯青磁〇・一%、江西・吉州窯陶磁〇・〇六%、高麗青磁〇・〇四%、日本陶器〇・〇二%、河北の定窯白磁〇・〇一%、産地不明〇・六四%となる(森 二〇一六)。

新安沈船の陶磁器は当時のほぼ全国の産地の製品を含んでおり、出港地の寧波や寧波に近い巨大都市、杭州で消費された陶磁器の組成と近似している。つまり、元時代に日本に運ばれた陶磁器の様相は当時の江南地域の陶磁器消費状況を反映していると考えられるのである。新安沈船では、それに加えて、建盞や吉州窯天目など一時代前の古物の茶道具なども含まれていた(同上)。

同時代の東南アジア・西アジア発見の元代中国陶磁は龍泉、福建、景徳鎮および少量の広東製品という組成を示し、他の窯の製品はまれに微量の磁州窯系陶磁が伴うことがある程度である。

一方、華南第一の都市・杭州に近い寧波では、巨大都市・杭州に国内流通によって集まった中国各地の陶磁器を、古物をも含めて入手することができ、そうした国内市場で流通した陶磁器を日本向けの船に積み込むことが可能であったため、新安沈船のような多彩な陶磁器組成が形成されたと考えられる。また、その背景には日本人の中国文化に対する憧憬が強く働いていた。中国文化のすべてを持ち帰りたいという強い意識によって杭州や寧波で流通するさまざまな産地の中国陶磁を日本に運び、さらには茶道具など日本人の好む宋代の中国陶磁などを意識的に集めていた。そういう意味では、日元貿易は世界の他の地域の中国貿易とは異なる特殊な性格をもっていたのである。

モンゴル帝国がユーラシアの大部分を支配した時代は、世界的な規模で人と「モノ」の動きが活性化され、社会や文化が大きく変化した。この時代に中国陶磁はモンゴル人を主とした新しい支配者のもとで器形や器種、装飾技法が画期的に変化し、中国から西方に向けての輸出製品としてそれ以前にも増して重要な位置を占めるようになった。さらに元朝とイル・ハン朝を結ぶ海の道の活発化により、中国とペルシャ湾を結ぶ物流が高度に発達したのである。

本稿では、陶磁器というモノを研究材料として元代の陶磁器生産と、流通の変化について述べた。こうしたモノを詳細に分析し、研究資料化することによって、人間の活動や交流の変化、さらには感性の変化、文化の変化などまでをも知ることができるのである。

参考文献

朝日新聞社編(一九九八)『封印された南宋陶磁展』図録、朝日新聞社。

出光美術館(一九九〇)『陶磁の東西交流』出光美術館。

鎌倉市教育委員会(一九九〇)『今小路西遺跡(御成前小学校内)発掘調査報告書』鎌倉市教育委員会。

亀井明徳編(二〇〇七)『カラコルム遺跡出土陶瓷器調査報告書一』専修大学文学部アジア考古学研究室。

亀井明徳編(二〇〇九)『カラコルム遺跡出土陶瓷器調査報告書Ⅱ』専修大学文学部アジア考古学研究室。

亀井明徳・John N. Miksic 編(二〇一〇)『インドネシア・トローラン遺跡発見陶瓷の研究』専修大学アジア考古学チーム。

国立歴史民俗博物館編(二〇〇五)『中世アジア海道——海商・港・沈没船』毎日新聞社。

佐々木達夫(一九九九)『陶磁器海をゆく——「物」が語る海の交流史』Z会ペブル選書、Z会ソリューションズ。

謝明良(二〇一五)「元青花磁器覚書」佐々木達夫編『中国陶磁 元青花の研究』高志書院。

森達也(二〇一六)「新安沈船発見中国陶瓷の組成研究——中国、日本、東南アジア、西アジア出土元代陶瓷との比較を通じて」『美術研究』(韓国)国立中央博物館。

森達也(二〇一七)「青花瓷器の誕生」『染付——青繪の世界』愛知県陶磁美術館。

弓場紀知(二〇〇八)『青花の道—中国陶磁が語る東西交流』NHKブックス。

四日市康博(二〇一五)「ユーラシアにおける聖色「青」と「白」」佐々木達夫編『中国陶磁 元青花の研究』高志書院。

陳永志(二〇〇四)『内蒙古集寧路古城遺址 出土瓷器』文物出版社。

成都文物考古研究所、遂寧市博物館(二〇一二)『遂寧金魚村南宋窖蔵』文物出版社。

河北省文物研究所(一九八六)「河北定興元代窖蔵文物」『文物』一九八六年第一期。

黄薇・黄清華(二〇一二)「元青花瓷器早期類型的新発現——従実証角度論元青花瓷器的起源」『文物』二〇一二年第一一期。

劉金成(二〇〇六)『高安元代窖蔵瓷器』朝華出版社。

劉裕黒・熊琳(一九八二)「江西高安県発現青花、釉裏紅等瓷器窖蔵」『文物』一九八二年第二期。

内蒙古自治区文物考古研究所・包頭市文物管理処(二〇一〇)『包頭燕家梁遺址発掘報告』科学出版社。

秦大樹（二〇〇七）「拾遺南海　補欠中土――談井里汶沈船的出水瓷器」『故宮博物院　院刊』二〇〇七年六期、紫禁城出版社。
森達也（二〇〇八）「伊朗波斯湾北岸幾個海港遺址発現的中国瓷器」『中国古陶瓷研究』第一四輯、紫禁城出版社。
張柏編（二〇〇八）『中国出土瓷器全集３　河北』科学出版社。
庄文彬（一九九四）「四川遂寧金魚村南宋窖蔵」『文物』一九九四年第九期。

文化広報部・文化財管理局（一九八一・八四・八五・八八）『新安海底遺物資料編』Ⅰ、Ⅱ、Ⅲ、総合編、（韓国）文化広報部・文化財管理局。

Flecker, Michael (2002), *The Archaeological Excavation of the 10th Century, Intan Shipwreck*, Oxford: BAR International Series 1047.

Krahl, Regina (2010), *Shipwrecked: Tang Treasures and Monsoon Winds*, Smithsonian Institution.

Priestman, Seth (2005), *Settlement & ceramics in Southern Iran: An analysis of the Sasanian & Islamic periods in the Williamson collection*, Unpublished Master Thesis: Durham University.

Yokkaichi, Yasuhiro (2019), "The Maritime and Continental Networks of Kish Merchants under Mongol Rule: The Role of the Indian Ocean, Fars and Iraq", *Journal of Economic and Social History of the Orient*, 62.

焦点 | *Focus*

カラチュの時代
——ティムール朝を中心に

川口琢司

はじめに

一四世紀半ばから後半にかけてのユーラシアは、それまで一世紀以上にわたって続いてきたモンゴル時代の勢力図が大きな変動をともなって解体に向かう時期を迎えていた。東アジアでは、モンゴル族は明により北方に駆逐され、北帰したモンゴル帝室は「北元」と呼ばれた。西アジアでは、フレグ・ウルスにかわり、ジャライル朝、チョバン朝、ムザッファル朝、インジュー朝などが後継国家として台頭した。中央アジアでは、チャガタイ・ウルスが東西に分裂し、東部はチャガタイ家によりモグール・ウルスとして統合されたが、西部はチャガタイ家が実権を失い、アミールと呼ばれる部族や地方軍の指導者たちが割拠するに至る。アミールたちのうち、まずカザガンとその子孫が主導権を握ったが、しだいにティムール(一三三六?—一四〇五年)が頭角を現し、カザガン一族を打倒してティムール朝を創建する。さらに西北ユーラシアでは、東西に分裂していたジョチ・ウルスがティムールの支援を受けたジョチ家のトクタミシュにより統合され、一時は中央ユーラシアの覇権を争うほどの強盛を誇った。

このような大変動のなかで、ティムール朝(一三七〇—一五〇七年)は、中央アジア西半のマー・ワラー・アンナフル

（アム河からフェルガナ盆地を含むシル河流域にかけての地域）に成立し、そこから西アジアに領域を拡大していった。民族はチャガタイ人（主にテュルク化したモンゴル人）とタジク人（イラン系の人々）が中心であり、その大部分がイスラーム教徒であった。

ティムール朝については、テュルク・モンゴル、ペルシア、イスラームの視点からの検証が必要だが、本稿では本巻の趣旨に沿っていくつかの論点からモンゴル帝国の継承国家としての特質をあきらかにし、ついでジョチ・ウルスの動向にも簡単に触れながら、ティムール朝の対外関係と軍事活動を俯瞰する。最後にポスト・モンゴル時代のユーラシア情勢を大きく変えた要因について考えてみたい。

一、モンゴル帝国の継承国家としてのティムール朝

ハン制度とクリルタイ

一般に、一三七〇年のティムール政権の成立をもって、それ以前のモンゴル時代、すなわちチャガタイ・ウルスの時代とそれ以後のティムール朝の時代を明確に区別する。しかし、筆者は王朝の創始者であるティムールの時代（一三七〇―一四〇五年）はむしろ一三―一四世紀のモンゴル時代の一部または延長としてとらえるべきだと考える。というのは、ティムールはオゴデイ家のダーニシュマンドチャをハンに推戴したチャガタイ・ウルスの有力者カザガン（トゥバイト部族の出身）に倣って、晩年までオゴデイ家出身の人物を傀儡のハンとして置いていたからである。傀儡とはいえ、ハンは完全に名目的な存在ではなく、軍事行動を起こすための勅令を発布し、時には軍隊の指揮官として敵と戦うことが求められた。ティムールが推戴したオゴデイ家出身のハンは、ダーニシュマンドチャの息子ソユルガトミシュ（在位一三七〇―八八年）、ソユルガトミシュの息子スルターン・マフムード（在位一三八八―一四〇二年）の二代に

わたるが、一四〇二年、スルターン・マフムードが没すると、ティムールは以後、ハンを置かなかった。ティムールの死後、彼の四男で、後継者争いを制してあらたな統治者となった第三代君主シャー・ルフ(在位一四〇九—四七年)はハン制度を廃止したが(Woods 1990: 116)、シャー・ルフにより中央アジア総督に任じられた長男ウルグ・ベグは祖父ティムールに倣ってハンを置いたことで知られる。おそらく、シャー・ルフが本拠としたホラーサーンを含む西アジアとは異なり、ウルグ・ベグが赴任した中央アジアでは、当時もなおチンギス・ハン(チンギス・カン)の男系子孫だけをハンに推戴する、いわゆる「チンギス統原理」(The Chinggisid Principle)が優勢だったものと思われる。以上の経緯から、名実ともにチャガタイ・ウルスからティムール朝へと変わったのは、ハンを置かなくなったティムール晩年以降のことと考えるべきであろう。

ところで、モンゴル帝国では新ハンの選定、軍事遠征の決定、法令の発布など政治・軍事の重要事項を決定するためにクリルタイ(集会)が開催されたが、ティムールもモンゴルの伝統にならって傀儡のハンの名のもとにしばしばクリルタイを開催し、晩年にハンを置かなくなっても開催し続けた。クリルタイには王族、諸部族の指導者、軍の指揮官が参加したが、参加を怠った者は厳罰に処された。ティムールの在世中にクリルタイは大きな意味をもったが、ティムール以後の統治者たちはほとんどクリルタイを開催しておらず、国事を専権的に決定したものと思われる。

さて、ティムール朝の歴代君主たちはモンゴル系のバルラス部族の出身であるため、「チンギス統原理」により、彼らがチンギス家の者にのみ許されるハンの称号を名乗ることはなかった。ただし、マムルーク朝史家のイブン・タグリービルディーは『輝く星』でシャー・ルフについて「タマレイン(ティムール)の息子、カン・シャー・ルフ」と記す(Popper 1958: 90)。さらに、ティムール朝末期の有力政治家にして詩人・文人だったナヴァーイーはティムールを「四ウルスのハン」と呼んだという(菅原 二〇二一:二九三—二九四頁)。イブン・タグリービルディーやナヴァーイーがチンギス・ハンの末裔ではないティムールやシャー・ルフをハンやカンと呼ぶのは「チンギス統原理」と矛盾するが、彼らをモンゴルの「ハン」、すなわち「帝王」と同じような存在とみなしていたことによるものと思われる。ただし、ここで注意したいのが、ナヴァーイーの「四ウルス」という記述である。四ウルスとは、モンゴル時代からティムール登場までにユーラシアに存在した四つのモンゴル政権、すなわち中央アジアのチャガタイ・ウルス、西北ユーラシアのジョチ・ウルス、西アジアのジャライル朝(または旧イル・ハン朝)、東アジアの北元を指すものと思われる(川口 二〇〇七：第六章)。実際、ティムールはこれらのうちチャガタイ・ウルス、ジョチ・ウルス、ジャライル朝を征服したが、残る北元は生涯最後の遠征で征服しようとしたものの、彼の死によって実現しなかった。

テュルク・モンゴル系部族とチャガタイ人

マンツはティムールが一三七〇年の政権樹立から一三八〇年代初頭までにそれまで各部族の独立性が強かった部族連合体を彼自身に忠実に従う一つの征服軍に変質させることに成功したと指摘する(Manz 1989: 66-106)。そのきっかけはティムールが自身の政権樹立に貢献したチャガタイ・ウルスの有力部族や地方軍の指導者たちに何の恩賞も職位も与えずに政権から排除したことにあった。これに不満をもったジャライル部族、スルドゥス部族、アパルディー部族、フッタラーン軍などは反乱を起こしたが、いずれも鎮圧された。その結果、ジャライル部族は解体に追い込まれ、スルドゥス部族やアパルディー部族などは部族の指導者をティムールの側近に差し替えられた。

ところで、部族連合体から征服軍への変質の過程においても従来の部族の大部分は存続したが、その一方で、チャガタイ・ウルスで進行した部族の再編により新興の部族が登場した点には注意しなければならない。一四世紀のチャガタイ・ウルス期からティムール朝期にかけて、エルチギデイ部族、カウチン部族、タルハン部族、ベルグト部族などモンゴル帝国期には見かけない部族が多数登場し、ティムール政権に参加した。ハーフィズ・アブルーの『歴史集成』には、あらたに登場したエルチギデイ部族やヤサウリー部族の部族誌がみられる(川口 二〇〇七：二一八―二三八頁)。また、ティムール朝は西北ユーラシアのジョチ・ウルスとのかかわりを深める過程でキプチャク部族、ウズベグ部族などジョチ・ウルス由来の部族がティムール政権やシャー・ルフ政権に参加している点も注目される。ティムール朝の歴代政権に仕えたアミール(軍事・行政の指揮官)の出自や活動を詳細に検証した安藤志朗の研究によれば、ティムール家の出身部族であったバルラス部族をはじめとしてテュルク・モンゴル系の部族が数多く歴代政権に参加し、軍事・行政の分野で活動したことがわかる(Ando 1992: 223-245)。

さて、ティムール朝の君主・王族を筆頭とする支配層はチャガタイと呼ばれ、テュルク化したモンゴル人であり、部族を超えたアイデンティティと忠誠心をもっていた(Manz 1992: 31-32)。ただし、カスティーリャ王国の使節クラヴィホが述べるように、チャガタイにはモンゴル高原からやってきたモンゴル人や中央アジアに住むテュルク人も含まれていたものと思われる(山田 一九六七：一九二―一九三頁)。チャガタイ人はマムルーク朝、アクコユンル(白羊朝)、オスマン朝のようなティムール朝と隣接する西方諸国で編纂された史料、たとえば、イブン・タグリービルディーの『輝く星』、アブー・バクル・ティフラーニーの『ディヤールバクルの書』、アーシュクパシャザーデのオスマン朝史などにも散見し(Popper 1958; Abū Bakr-i Ṭihrānī 1962, 1964; Âşıkpaşazâde 1332/1914)、これらの国でもよく知られていたことがわかるが、その一方でタタル人、モンゴル人と呼ばれることもあった。しかも、『輝く星』にはシャー・ルフは「ペルシア人とチャガタイ人の王国の統治者」(Popper 1958: 90)とあり、マムルーク朝史家がティムール朝をペルシア人とチャガタイ人からなる国というように比較的正しく理解していたことがわかる。

しかし、ティムール朝におけるチャガタイ人とペルシア人の社会的地位は対等ではなく、前者が圧倒的優位を占めた。すなわち、チャガタイ人はティムール朝の中央官庁であるトワチ庁(軍務を扱う)と財務庁の最高責任者に任命されたが、タジク人はせいぜい財務庁の三番目の地位であるワズィールと呼ばれる実務官僚にのぼるのが精一杯であった(安藤 一九九五：二五九―二六〇頁、Manz 2007: 79-110)。具体的には、ティムール朝の官職は宮廷の業務にかかわる官職と公的な業務にかかわる官職に分かれ(間野 二〇〇一：三七六―三八二頁)、前者はチャガタイ人が独占し、後者でタジク人が就任したのは、書記くらいであった。

言語・文字

イブン・アラブシャーによれば、ティムールは非識字者であり、アラビア語を理解することはできなかったが、ペルシア語、テュルク語、モンゴル語についてはじゅうぶんに理解していたという(Ibn ʻArabshāh 1407/1986: 455)。また、過去の預言者たちの記録や歴史、王たちの功業などを、宮廷史家たちを通じてペルシア語で理解していた。歴史上の人物に対するティムールの関心の高さはよく知られており、たとえば、征服者として大帝国を築いたアレクサンドロスやモンゴル帝国の創始者チンギス・ハン、アフガニスタンからインドに聖戦のための遠征を繰り返してガズナ朝の全盛期を築いた君主、マフムードの生涯に強い関心をもっていた(川口 二〇一四：二五五―二五六頁)。

ところで、ティムール朝も第二世代以降になると、複数の言語や文字を理解し、みずから詩文や書の作品を残す文人肌の統治者や王族も登場するようになる。彼らは好んでペルシア語やテュルク語で作詩を行ったが、シャー・ルフとその息子バーイスングル、王朝末期のスルターン・フサイン、バーブルらはすぐれた書や詩集を残した。とりわけ、バーブルはチャガタイ語で大部の回想録『バーブル・ナーマ』を書き残しており、それ自体がティムール朝史や初期ムガル朝史をあきらかにするきわめて貴重な史料となっている(間野 一九九八)。

ティムール朝では一般にアラビア文字が使用されたが、イブン・アラブシャーが「チャガタイ人にはモンゴルの文字として知られるウイグルと呼ばれる文字がある」(Ibn ʻArabshāh 1407/1986: 477)と述べるように、モンゴル帝国においてモンゴル語の筆写に利用されたウイグル文字も書簡や勅令、文学作品などに使用されていた。ティムールにはつねに「ウイグル人のバフシたちやペルシア人の書記たち」が付き従っていたというが(久保 二〇一二：四八頁)、前者はウイグル文字を扱うテュルク人書記、後者はアラビア文字を扱うタジク人書記であろう。また、ティムール朝治下ではウイグル文字テュルク語文書の書写術を解説した『ウイグル文書教本』が編纂され、ウイグル文字を用いて勅令・勅書、公式の書簡、私的な書簡、台帳、歴史著作、頌詩、物語、通達、記録や年報、ディーワーンの業務に関するあらゆる案件とチンギス・ハンの慣習法(トレ)などが筆写されていたという(松井 二〇一八:一七頁)。

ヤサ、トレ、ヨスン

テュルク語のヤサ(ヤサク)は、モンゴル語ではジャサ(ジャサク)と呼ばれ、チンギス・ハンが制定し、成文化されたともいわれる「法令」を意味する。ティムール朝史料にはモンゴル語・テュルク語のトレという術語も頻出するが、これもヤサとほぼ同義である。一方、ヨスンとは、モンゴル語で「慣習」「慣行」「慣習法」を意味する。

ウッズはチャガタイ・ウルスにはヤサにもとづいて裁判を行うヤルグ法廷とイスラーム法シャリーアにもとづいて裁判を行うシャリーア法廷という「二元的な法廷システム」(dual court system)が存在し、ティムールとその後継者の治下でこのシステムが継承されたとする(Woods 1990: 101, 121)。たしかに、ティムールは政権樹立直前にオゴデイ家のソユルガトミシュをハンに即位させ、「ヨスンとヤサの規定を往昔の諸規則に則って復興あそばした」(Shāmī 1937: 58)とあるように、モンゴルのヨスンとチンギス・ハンのヤサの復興を高らかに宣言している。

では、ティムール朝ではヤサ(トレ)とシャリーアはどのような関係にあったのだろうか。イブン・アラブシャーはティムールとシャー・ルフの場合について次のように述べる。

彼〔ティムール〕はチンギス・ハンの諸規則——これはイスラーム信仰におけるイスラーム法のごときものである——を信奉し、チンギス・ハンの諸規則を預言者ムハンマドの道〔=イスラーム〕以上に遵守したが、これについてはチャガタイ人やダシュト、ハタイ、トルキスタンの人々、彼らのもとにある一般民衆も同様である。すなわち、彼らはみなイスラームの諸規定以上に呪われたチンギス・ハンが定めた諸規則を遵守しているのである。(中略)われらが主にしてシャイフたるハーフィズ・アッディーン・ムハンマド・バッザーズィーやわれらが主にしてサイイドにしてシャイフであるアラー・アッディーン・ムハンマド・ブハーリーおよびその他の最も卓越したウラマーたち、イスラームのイマームたちは、みなまさにこの理由でティムールが不信仰者(kufr)である、つまりチンギス・ハンの諸規則をイスラームのシャリーアに優越させる者は不信仰者である、とするファトワーを提出している。ちなみに、これは彼らがティムールを不信仰者とみなすいくつかある理由のうちの一つにすぎない。また、次のように言う者もある。すなわち、シャー・ルフはチンギス・ハンのトレと諸規則を無効なものとなし、みずからの統治がイスラームのシャリーアに沿って施行されるように命じたと。だが、私にはこれが信憑性のある話とは思えないのだ。というのも、チンギス・ハンのトレと諸規則を遵守するということは、彼らのもとではすでに明白な信仰、真正な信条のごときものとなっていたからである。

(Ibn ʻArabshāh 1407/1986: 455-456)

これによれば、ティムールはイスラームのシャイフ(長老)、ウラマー(知識人)、イマーム(宗教指導者)たちからチンギス・ハンの諸規則、すなわちトレまたはヤサをイスラーム法シャリーアに優越させたことを理由に「不信仰者」とするファトワー(法学裁定)を出されていたという。これは、前述したように、彼が政権樹立の直前にテュルク・モンゴルの伝統を重視して「ヨスンとヤサの規定を往昔の諸規則に則って復興」したことと符合する。

これに対し、シャー・ルフはみずからの統治がイスラーム法シャリーアに沿って施行されるように命じながらも、チンギス・ハンのトレまたはヤサを無効とせず、むしろこれを遵守していたのである。シャー・ルフについては、治世の初期にヤサの廃止とシャリーアの復興を宣言したとされるが(Manz 2007: 28)、イブン・アラブシャーの主張は従来のシャー・ルフの統治者像に修正を迫るものと言えよう。

二、対外関係と征服活動

ティムールは、一三七〇年代初頭から八〇年代初頭まで、そして三年戦役を終えた一三八〇年代末に、ホラズム地方を統治するスーフィー朝に五回、天山山脈北方のモグール・ウルスに六回、軍を率いて遠征するかまたは遠征軍を派遣した。その結果、一三八八年にホラズムを征服したが、モグール・ウルスを征服することはできなかった。ティムールによるこれらの軍事行動の目的はあきらかにチャガタイ・ウルスの復興と拡大にあった。注目すべきことに、チンギス・ハンは征服したホラズム南部を長男ジョチに与えていたが、ティムールは、ホラズム南部はもともと次男チャガタイに属していたので返還するようにスーフィー朝に求め、ホラズム征服を正当化しようとした(川口 二〇一四：六〇―六二頁)。これに対するスーフィー朝の当主フサイン・スーフィーの返答が興味深い。

あなたがたの国は戦争の家(dār al-ḥarb)である。すべてのムスリムたちはジハードの名のもとにあなたがたを排除する必要がある。(Ḥāfiẓ Abrū 1380/2001: 466; Бартольд 1964: 53; Landa 2018: 219)

これによれば、スーフィー朝の当主は自国の中心地であるホラズム地方がいまやイスラーム教徒の栄誉の地であり、ウラマーの在所であるのとは対照的に、ティムールの政権・国家を「戦争の家」、すなわち戦争状態にある領域と断じてイスラーム国家ではなく、ジハードの対象とみなしていたのである。

一方、モグール・ウルスの場合、当時、有力なドゥグラト部族出身のカマル・アッディーンがチャガタイ家のイルヤース・ホージャ・ハンを弑逆して実権を掌握していたため、ティムールは、自身とは異なり、「チンギス統原理」を無視したカマル・アッディーンの打倒・排除に執念を燃やし、そのための遠征を何度も試みたのである。

続いて一三八〇年代初頭から晩年に至るまで、ティムールは西アジアや西北ユーラシア、北インドに対する遠征をくりかえし、最後に明・北元遠征を敢行した。このうち、モンゴル時代にトルイ家のフレグの子孫が統治してきた西アジアを征服するにあたり、ティムールは、チンギス・ハンはチャガタイに中央アジアだけでなくイランをも与えたが、のちにトルイ家がイランをチャガタイ家から奪い取ったとして、ここでも事実に反する主張をすることで、イランをトルイ家からチャガタイ家に取り戻そうとする自身の行動を正当化した(川口 二〇一四：六〇―六二頁)。ティムールはオスマン朝やマムルーク朝など西アジアの諸勢力に書簡を送ってフレグにより簒奪されたイランをチャガタイ家の手に取り戻したことを伝えたうえで西アジアの征服を進めたものと思われる(同：七九―八一頁)。

こうして、ティムールは五年戦役を終えるまでにほぼイランの征服に成功すると、イランの諸地域や重要な諸都市の総督職を彼の子孫や有力な臣下たちに与え、本格的な統治に乗り出した。ところが、北インドの征服を命じられていた孫のピール・ムハンマドがパンジャーブ地方の征服に手間取っていることを知ると、ティムールはすでに準備を終えていた旧モンゴル帝国の東方領への遠征よりも孫の救援と北インド遠征を優先する。彼はかつてくりかえし北インドへの遠征を行ったガズナ朝のマフムードを意識しながら異教徒に対して略奪を伴う戦い(ガズワ)を敢行した。

ところが、マムルーク朝が中心となってオスマン朝、ジョチ・ウルス、ジャライル朝、カラコユンル(黒羊朝)など西アジアの諸勢力を巻き込む反ティムール同盟が構築されると、ティムール晩年の七年戦役は反ティムール同盟との戦いとなった。それでも、テレク河畔の戦いでトクタミシュ率いるジョチ・ウルス軍を壊滅させ、さらにマムルーク朝治下のダマスクスを陥落させ、アンカラの戦いでオスマン朝軍に大勝するなど大きな戦果をあげ、イラン・イラクを確保することに成功した。

以上のように、ティムールは中央アジアを基点に四方に遠征してユーラシア各地を征服し、「草原とオアシスの覇者」(久保 二〇一四)となったが、彼が実質的に統治した領域は「イランとトゥラン」(トゥランはアム河を境にしてイランと隣り合う地で、マー・ワラー・アンナフルという表現と軌を一にする)であり、両地域はホラーサーン地方を結節点としていた(Shāmī 1937: 9; 木村 二〇〇八：四三―四七頁)。遠征の最大の目的はチンギス・ハンとその子孫が創建したモンゴル帝国の再興にあったものと思われる。注目すべきことに、ティムールは「フレグ・ハンの玉座」たる旧フレグ・ウルス領、すなわちイラン中部・西部とイラクの統治者には自身の傀儡ハンであるオゴデイ家のスルターン・マフムードを据えた。ジョチ・ウルスにはジョチ家のトクタミシュ、テムル・クトルク、コイルチャクを、「北元」にはオゴデイ家のタイズィ・オグランを送り込もうとした(川口 二〇一四：一〇七―一〇八頁)。こうして、ティムールは征服後のユーラシア諸地域にチンギス家の人物を自身の代理として送り込み、自身の影響力を維持しようとしたものと思われる。

ティムールの死後、四年におよぶ内乱を制して君主となったのは、ホラーサーンに拠る彼の四男シャー・ルフであった。ところが、アゼルバイジャン、イラク、イラン中部などティムール朝の西方領土がカラコユンルに奪われたため、シャー・ルフは治世前半に二度のアゼルバイジャン遠征を敢行し、「フレグ・ハンの玉座」を確保しようとした。さらに、シャー・ルフ死後の後継者争いを制したアブー・サイード(在位一四五一―六九年)は、あらたに台頭してきたアクコユンルと敵対してアゼルバイジャン遠征を敢行したが、大敗・落命した。これによりティムール朝の西方領土は失われ、帝国は中央アジアのサマルカンド政権(一四六九―一五〇〇年)とホラーサーンのヘラート政権(一四六九―一五〇七年)に分裂する。このうちティムール朝末期にサマルカンド政権の君主となったバーブルは、北方からの遊牧ウズベクの南下・侵攻に対する抵抗をあきらめ、アフガニスタンを経由して北インドに転進し、第二次ティムール朝ともいうべきムガル朝(一五二六―一八五八年)を築くことになる(間野 二〇一三)。

最後に、軍事活動との関連で徙民《しみん》政策にも触れておきたい。ティムール朝の君主たちは軍事遠征の際に主に経済的・文化的な理由から征服地に住む商人・手工業者や文化人などを強制的に本国に移住させた。その結果、ティムール朝の本拠であるマー・ワラー・アンナフルとホラーサーンは経済的・文化的におおいに繁栄した。この点は、「チンギス・ハンは破壊し、ティムールは建設した」と言われるように、ティムール朝君主たちが領内の主要都市に建設した多くの大規模な公共建築物を想起すればよいだろう。これらの建築物は強制的に移住させられた多くの職人や芸術家たちの手で建設されたのである。こうして、サマルカンドやヘラートの隆盛は中央アジアの歴史においても特筆すべき多様な「ティムール朝文化」を開花させることになったのである。また、ティムールは帝都サマルカンドの周辺にシーラーズ、ダマスクス、カイロ、スルターニーヤなど自身が征服するかまたは征服を計画していたと思われるイスラーム圏の代表的な都市の名を付与した小市を建設しているが(Бартольд 1964: 62; 川口 二〇一四：一五三―一五四頁)、そこにはこうした強制移住政策で連行された人々が住み着いたふしがある。

三、カラチュ政権の出現

一四世紀から一五世紀にかけてのポスト・モンゴル時代のユーラシアを眺めたとき、旧モンゴル帝国領には北元、チャガタイ・ウルス、モグール・ウルス、フレグ・ウルス、ジョチ・ウルスなどのように、チンギス家出身者が統治者として君臨する政権が複数存在し、いわゆる「チンギス統原理」がしっかりと機能していた。ところが、これらの政権ではチンギス・ハンの子孫ではない部族出身者がハンを名乗り、実質的な統治者となった事例がみられる。その典型的な事例として、北元において遊牧部族連合であるオイラトの指導者となったエセン(?―一四五四年)を挙げることができよう。彼はチョロース部族の出身であり、チンギス・ハンの男系子孫ではないにもかかわらず、権力を握ると「チンギス統原理」に反してハンを称した。翌年、オイラト内部ではエセンのハン僭称に対して反乱が起こり、エセンはオイラトの有力者に敗れ、逃走途中に殺された(岡田 二〇〇四：二〇八頁)。「チンギス統原理」を無視したエセンの没落は、チンギス家の人物をハンに擁立し大帝国を築いたティムールとは対照的である。

ジョチ・ウルスでは、伝承によれば、チンギス家出身のトクタ・ハン(在位一二九一―一三一二年)の死後、やはりチンギス・ハンの男系子孫ではない、ウイグル部族の出身とされるトク・ブガがハンを僭称したため、キヤト部族のイサタイにより殺され、かわってチンギス・ハンの男系子孫であるウズベグがハンになったという(川口・長峰 二〇〇八:二七―三〇頁)。伝承とはいえ、このウズベグの即位に至る政変にチンギス家ではない部族出身者がかかわった可能性を排除することはできないように思われる。そのほかにもキヤト部族のママイとマンギト部族のエディギュはハンこそ名乗らなかったが、ママイは実質的な統治権を掌握し、エディギュはチンギス家のテムル・クトゥルグ、シャーディー・ベグ、プラド、テムル、チェクレ、ダルヴィーシュをつぎつぎに傀儡のハンに擁立しつつ実権を掌握した。しかし、ママイの政権はチンギス家のトクタミシュにより打倒され(同:三八―四一、五三頁)、トクタミシュは分裂していたジョチ・ウルスを統合することに成功した。

フレグ・ウルスでは、一三三五年のアブー・サイードの死によりフレグ家が断絶すると、フレグ・ウルスの中心であったアゼルバイジャン地方をめぐって、フレグ家に代々仕えてきた大ハサンの一族を中心とするジャライル部族とチョバン家を中心とするスルドゥス部族が争い、ともにフレグの子孫をハンに擁立して主導権を握ろうとした。この抗争はスルドゥス部族の勝利に終わったが、ジョチ・ウルス軍が南下してスルドゥス部族を破ると、大ハサンの息子であるシャイフ・ウヴァイスはジョチ・ウルス軍を駆逐してアゼルバイジャンを占領した。ところが、シャイフ・ウヴァイスはもはやハンを置かず、フレグ家最後の君主アブー・サイードの尊称にならって「バハードゥル・ハン」を僭称した(al-Qutbī al-Ahrī 1954: 180-184)。

モグール・ウルスでは、一三六〇年代前半、チャガタイ家のトゥグルク・テムル・ハンが死去したのち、息子のイルヤース・ホージャが有力なアミールたちの合意によりハンに推戴された。ところが、

彼は若年かつわずかな経験しかないため王たることの全体を知らず、詳細にまったく無頓着だった。ついに短期

間のうちに征服者のトレに完全な変更と改変が生じた。彼の即位から一年が過ぎたとき、ウルスの掣肘なき権限は有力なアミールたちの手に落ちた。皆が互いを恐れ、疑っていた。しかし、チンギス・ハンの一族がいるのにカラチュへの服従を求めるなど誰も思いもよらなかったため、アミール・カマル・アッディーンは七六五年のある日の正午、オルドを襲撃し、昼寝の床にあったイルヤース・ホージャを捕らえて殺した。(Naṭanzī 1957: 125)

とあるように、若年のイルヤース・ホージャは統治者としての経験不足から「征服者のトレ」、すなわちチンギス・ハンの法令が遵守されない事態を招いていた。その結果、人心はイルヤース・ホージャから離れ、代わって部族の指導者であるアミールたちがウルスの権力を掌握し、有力なドゥグラト部族のカマル・アッディーンがイルヤース・ホージャを弑逆した。こうして、モグール・ウルスでも部族出身者がチンギス家に代わって実権を掌握した。

上の引用史料にもあるように、部族出身者はモンゴル語では「カラチュ」(「黒骨出の者」の意)と呼ばれ、デルファーは「高貴でない者」「一般庶民出身の者」「非チンギス家の者」「臣下」を意味するとしている(Doerfer 1963: 397-398)。さらにモンゴル語からテュルク語に入り、テュルク語では「カラチュ」「カラチ」「カラ・キシ」「カラチュ・キシ」と呼ばれた。『バーブル・ナーマ』では「キシ・カラ」の形でしばしば現れ、「配下の者」というような意味で使われている(間野 一九九八:五一頁)。また、ウテミシュ・ハージーの『チンギズ・ナーマ』では、トク・ブガやママイは「カラ・キシ」と呼ばれている(川口・長峰 二〇〇八:二七、五二頁)。

ところで、カラチュについて、ラシード・アッディーンの『集史』には次のような記述がある。

チンギス・ハンはボオルチュ・ノヤンについて「彼の地位はハンたちよりも低く、アミールたちやカラチュよりは高い」と言った。(Rashīd al-Dīn 1373/1994: 170)

ボオルチュはアルラト部族出身者としてハンに仕え、チンギス・ハン配下の勇者として名高い「四駿」であったためか、その地位は部族の指導者・軍司令官であるアミールやカラチュより高いとしている。一方、チンギス・ハンのビリグ〔箴言〕には、モンゴル社会における帝王〔ハン〕、アミール〔貴顕〕、ケシクテンの人〔ハンの親衛隊〕、カラチュの者すなわち平民〔一般の牧民〕、家僕の者〔家内奴隷〕の五つの身分が列挙され、カラチュは「平民」と定義されている（*Ibid.*: 586）。同様に、「私〔モンケ・カアンの子アスタイ〕はわが一門〔チンギス家〕がカラチュの手で殺されることを望まなかった」（*Ibid.*: 887）という記述もある。

以上の点をふまえるならば、カラチュはモンゴル語からトルコ語に借用される過程で少し意味が変わり、「非チンギス家の者」という意味で使われるようになったとも考えられよう。こうして、カラチュとは、チョロース部族のエセン、トゥバイト部族のカザガン、バルラス部族のティムール、ドゥグラト部族のカマル・アッディーン、ジャライル部族のシャイフ・ウヴァイス、キヤト部族のイサタイ、ママイ、マンギト部族のエディギュのような「非チンギス家の者」、すなわちチンギス家のハンに仕えた部族出身の人物を指すようになるのである。

では、ティムール朝の君主たちはカラチュについてどのように考えていたのだろうか。これについて、モグール・ウルスのトゥグルク・テムル・ハンがマー・ワラー・アンナフルに侵攻し、これを征服したとき、のちに王朝を創始することになるティムールはハンに帰順し、ハンの配下のアミールたちに次のように述べている。

「国土が相続と勝利により帝王〔トゥグルク・テムル・ハン〕に帰属し、真理が自身の中心にありますので、カラチュにとっては、それがどんなに干渉的な行為であったとしても、天命とチンギス・ハンのトレのため、それに服従・従属することが義務であり、必須であります。」（Ḥāfiẓ Abrū 1380/2001: 319-320）

先に引用したモグール・ウルスの政変に関する史料でもカラチュのカマル・アッディーンによる簒奪の背景にチンギス・ハンのトレが遵守されない事態があったように、ここでもカラチュとトレのかかわりがみられ、ティムールは自身をカラチュと認識し、カラチュはチンギス・ハンのトレに従うことが義務・必須であると述べているのである。

おわりに

一三―一四世紀、モンゴル帝国はいくつかのモンゴル政権の集合体として再編されていった。ユーラシアの大部分を覆ったモンゴル帝国という政治秩序は、チンギス家の貴種性およびモンゴルのヨスンとチンギス・ハンのヤサにより支えられた堅牢なものであった。ポスト・モンゴル時代の扉を開いたティムールはけっして自身の才覚だけで中央アジアの有力者に伸し上がったわけではなく、彼が政治の舞台に登場するきっかけをあたえたのは、モグール・ウルスのトゥグルク・テムル・ハンであった。その後、ティムールはモグール・ウルスの支援を得ながら他のアミールたちとの権力闘争に勝利した。その結果、彼は政権樹立の直前にチンギス家のソユルガトミシュをハンとして即位させ、モンゴルのヨスンとチンギス・ハンのヤサの復興を高らかに宣言した。これにより彼は、カラチュ身分であるにもかかわらず、中央アジア西部の実質的な統治権を握ることに成功した。こうして、ティムール朝はモンゴル帝国が時間をかけてつくりあげたチンギス家の権威という政治文化を尊重しながら、中央アジアと西アジアを統合することに成功する。その結果、ユーラシアにはチンギス家出身ではないカラチュの人々が実権を掌握する時代が到来し、なかでもティムール朝は中央アジアとアフガニスタンの歴史においてもっとも輝かしい時代をもたらすことになるのである。

参考文献
安藤志朗（一九九五）「トルコ系諸王朝の国制とイスラーム」板垣雄三監修、堀川徹編『講座イスラーム世界三』栄光教育文化研究所。
岡田英弘訳注（二〇〇四）『蒙古源流』刀水書房。

川口琢司(二〇〇七)『ティムール帝国支配層の研究』北海道大学出版会。
川口琢司(二〇一四)『ティムール帝国』〈選書メチエ〉、講談社。
川口琢司・長峰博之編(二〇〇八)『チンギズ・ナーマ』東京外国語大学アジア・アフリカ言語文化研究所。
木村暁(二〇〇八)「中央アジアとイラン――史料に見る地域認識」北海道大学スラブ研究センター監修、宇山智彦編『講座スラブ・ユーラシア学第二巻　地域認識論――多民族空間の構造と表象』講談社。
久保一之(二〇一二)「ミール・アリーシールと〝ウイグルのバフシ〟」『西南アジア研究』七七号。
久保一之(二〇一四)『ティムール――草原とオアシスの覇者』〈世界史リブレット〉、山川出版社。
菅原睦(二〇二二)「ナヴァーイーの『篤信家たちの驚嘆』について」『東洋学術研究』第六〇巻第二号。
松井太(二〇一八)「モンゴル命令文とウイグル文書文化――ティムール朝期の『ウイグル文書教本』から」『待兼山論叢　史学篇』五二号。
間野英二(一九九八)『バーブル・ナーマの研究3　訳注』松香堂。
間野英二(二〇〇一)『バーブル・ナーマの研究4　研究篇――バーブルとその時代』松香堂。
間野英二(二〇一三)『バーブル――ムガル帝国の創設者』〈世界史リブレット〉、山川出版社。
山田信夫訳註(一九六七)クラヴィホ著『チムール帝国紀行』〈東西交渉旅行記全集Ⅲ〉、桃源社。
Abū Bakr-i Ṭihrānī (1962, 64), *Kitāb-i Diyārbakriyya*, Necati Lugal and Faruk Sümer (eds.), Ankara, Türk Tarihi Kurumu Basımevi.
Ando, Shiro (1992), *Timuridische Emire nach dem Muiʿzz al-ansāb: Untersuchung zur Stammesaristokratie Zentralasiens im 14. und 15. Jahrhundert*, Berlin, Klaus Schwarz Verlag.
ʿÂşıkpaşazâde (1332/1914), *Tevârîh-i Âl-i ʿOsmân'dan ʿÂşıkpaşazâde Taʾrîhi*, ʿÂlî Bey (ed.), Istanbul, Matbaʿa-i ʿÂmire.
Doerfer, Gerhard (1963), *Türkische und Mongolische Elemente im Neupersischen*, Band I, Wiesbaden, Franz Steiner Verlag.
Ḥāfiẓ Abrū (1380/2001), *Zubdat al-tawārīkh*, Sayyid Kamāl Ḥājj Sayyid Jawādī (ed.), jild-i awwal, Tihrān, Kitābkhāna-yi Millī-yi Īrān.
Ibn ʿArabshāh (1407/1986), *ʿAjāʾib al-maqdūr fī nawāʾib Taymūr*, Aḥmad Fāyz al-Ḥimṣī (ed.), Bayrūt, Muʾassasa al-Risāla.
Landa, Ishayahu (2018), "From Mongolia to Khwārazm: The Qonggirad Migrations in the Jochid Ulus (13th–15th c.)", *Revue de monde musul-*

man et de la Méditerranée.

Manz, Beatrice Forbes (1989), *The Rise and Rule of Tamerlane*, Cambridge, Cambridge University Press.

Manz, Beatrice Forbes (1992), "The Development and Meaning of Chaghatay Identity", Jo-Ann Gross (ed.), *Muslims in Central Asia: Expressions of Identity and Change*, Durham and London, Duke University Press.

Manz, Beatrice Forbes (2007), *Power, Politics and Religion in Timurid Iran*, Cambridge, Cambridge University Press.

May, Timothy (2018), *The Mongol Empire*, Edinburgh, Edinburgh University Press.

Naṭanzī, Muʿīn al-Dīn (1957), *Muntakhab al-Tawārīkh-i Muʿīnī*, Jean Aubin (ed.), Teheran, Librairie Khayyam.

Popper, William (1958), *History of Egypt, 1382-1469 A. D., Part IV, 1422-1438 A. D., Translated from the Arabic Annals of ABU L-MAḤÂSIN IBN TAGRÎ BIRDÎ*, Berkley and Los Angeles, University of California Press.

al-Quṭbī al-Ahrī, Abū Bakr (1954), *Taʾrīkh-i Shaikh Uwais, (History of Shaikh Uwais): An Important Source for the History of Ādharbaijān in the Fourteenth Century*, J. B. Van Loon, The Hague, Mouton & Co.

Rashīd al-Dīn, Faḍl Allāh Hamadānī (1373/1994), *Jāmiʿ al-Tawārīkh*, Muḥammad Rawshan, Muṣṭafā Mūsawī (ed.), Tihrān, Nashr-i Alburz.

Shāmī, Niẓām al-Dīn (1937), *Histoire des conquêtes de Tamerlan intitulée Ẓafarnāma par Niẓāmuddīn Šāmī*, Felix Tauer (ed.), Praha, Orientální Ústav.

Woods, John E. (1990), "Timur's Genealogy", Michel M. Mazzaoui and Vera B. Moreen (eds.), *Intellectual Studies on Islam: Essays written in Honor of Martin B. Dickson*, Salt Lake City, University of Utah Press.

Бартольд, В. В. (1964), "Улугбек и его время", *Сочинения*, т. II-(2), Москва, Наука.

【執筆者一覧】

松田孝一(まつだ こういち)
1948 年生．大阪国際大学名誉教授．モンゴル帝国・元朝史．

飯山知保(いいやま ともやす)
1976 年生．早稲田大学文学学術院教授．中国社会史．

松井 太(まつい だい)
1969 年生．大阪大学大学院人文学研究科教授．中央アジア史．

関 周一(せき しゅういち)
1963 年生．宮崎大学教育学部教授．日本中世史・海域アジア史．

向 正樹(むかい まさき)
1974 年生．同志社大学グローバル地域文化学部准教授．海域アジア史．

高橋英海(たかはし ひでみ)
1965 年生．東京大学大学院総合文化研究科教授．シリア語文献学．

渡部良子(わたべ りょうこ)
1969 年生．東京大学文学部非常勤講師．前近代イラン史・ペルシア語書記術の歴史．

中村 淳(なかむら じゅん)
1965 年生．駒澤大学文学部教授．モンゴル時代中央ユーラシア史．

渡邊佳成(わたなべ よしなり)
1956 年生．岡山大学非常勤講師．東南アジア史(ビルマ史)．

森 達也(もり たつや)
1961 年生．沖縄県立芸術大学美術工芸学部教授．考古学・陶磁考古学・陶磁史．

川口琢司(かわぐち たくし)
1959 年生．藤女子大学文学部・人間生活学部兼任講師．前近代中央ユーラシア史・トルコ学．

松川 節(まつかわ たかし)
1960 年生．大谷大学社会学部教授．モンゴル帝国史・モンゴル仏教史．

高田英樹(たかた ひでき)
1941 年生．翻訳家．イタリア文学史．

木村 淳(きむら じゅん)
1979 年生．東海大学人文学部准教授．アジア造船史．

諫早庸一(いさはや よういち)
1982 年生．北海道大学スラブ・ユーラシア研究センター助教．前近代中央ユーラシア科学史・環境史．

大塚 修(おおつか おさむ)
1980 年生．東京大学大学院総合文化研究科准教授．中東イスラーム地域史．

【責任編集】

荒川正晴(あらかわ まさはる)
1955年生．大阪大学名誉教授．中央アジア古代史，唐帝国史．『ユーラシアの交通・交易と唐帝国』(名古屋大学出版会，2010年)．

弘末雅士(ひろすえ まさし)
1952年生．立教大学名誉教授．海域東南アジア史．『海の東南アジア史――港市・女性・外来者』(ちくま新書，2022年)．

【編集協力】

宇野伸浩(うの のぶひろ)
1958年生．広島修道大学国際コミュニティ学部教授．モンゴル帝国史．『「世界史」の世界史』〈MINERVA世界史叢書〉(共著，ミネルヴァ書房，2016年)．

四日市康博(よっかいち やすひろ)
1971年生．立教大学文学部准教授．ユーラシア交流史・海域アジア史．『モノから見た海域アジア史――モンゴル～宋元時代のアジアと日本の交流[新装版]』(編著，九州大学出版会，2022年)．

岩波講座 世界歴史 10　　第18回配本(全24巻)

モンゴル帝国と海域世界 12～14世紀

2023年4月27日 第1刷発行

発行者 坂本政謙

発行所 株式会社 岩波書店 〒101-8002 東京都千代田区一ツ橋2-5-5
電話案内 03-5210-4000 https://www.iwanami.co.jp/

印刷・法令印刷 カバー・半七印刷 製本・牧製本

ISBN 978-4-00-011420-2

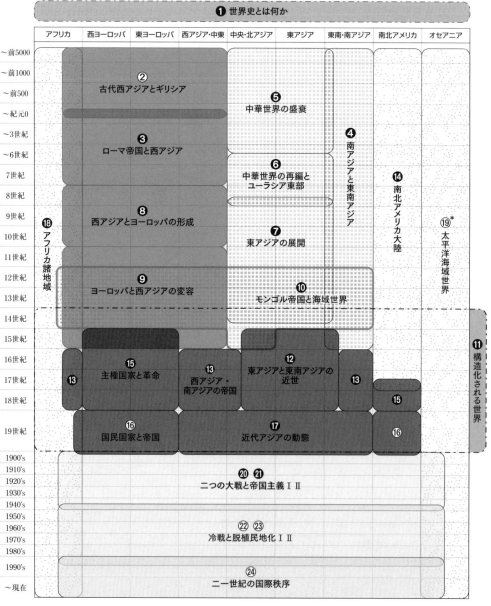